Г. БИТЕХТИНА, Д. ДЭВИДСОН, Т. ДОРОФЕЕВА, Н. ФЕДЯНИНА

РУССКИЙ ЯЗЫК

этап первый

УПРАЖНЕНИЯ

Четвертое издание

МОСКВА
ИЗДАТЕЛЬСТВО
«РУССКИЙ ЯЗЫК»
1988

G.BITEKHTINA,D.DAVIDSON,T.DOROFEYEVA,N.FEDYANINA

RUSSIAN

stage one

EXERCISES

Fourth Edition

MOSCOW
RUSSKY YAZYK
PUBLISHERS

1988

ББК 81.2Р—96
Р89

Translated by D. Davidson and V. Korotky
Cover designed by N. Pshenetsky

ISBN 5-200-00287-7
ISBN 5-200-00285-0

Р$\frac{4306020100-087}{015\,(01)-88}$ 90—88

Exercises is part of a set of materials for Russian studies, entitled *Russian: Stage I.* The exercises it contains are intended for additional practice and will prove useful mainly for the student's independent studies outside of class. Some of the exercises can be used as additional material for study in the classroom or for quizzes.

Exercises falls into four sections — Practice Exercises, Phonetic Exercises, Formation Practice, and Written Exercises for General Review — each of which is divided into 16 units corresponding to the relevant units of the *Textbook*.

The purpose of the first section (Practice Exercises) is to practice certain language aspects. Not all the aspects dealt with in the *Textbook* have been selected for practice in this section, but mainly those to be learned actively. They include some points of grammar contained in the Presentation and Preparatory Exercises section of each unit of the *Textbook*; especially those which prove difficult for foreign students of Russian (and particularly for English speakers).

From the other sections of the *Textbook*, only those language aspects which are to be learned actively have been selected for additional practice, such as difficult words, word combinability, uses of the verbal aspects.

Phonetic Exercises are also intended for independent work, although some of the exercises may be done in the classroom. The purpose of these exercises is to develop and make automatic students' pronunciation and oral speech habits.

Each unit contains exercises in difficult sounds, word rhythm, shifting stress and intonation. The new words of a unit are differentiated according to difficult sounds and rhythmic patterns. Each unit begins with exercises practicing the pronunciation of the new words. Words with shifting stress are included in a special exercise. Pronunciation is drilled and oral speech habits are developed in dialogues, which also serve for practicing the grammar and vocabulary of the unit concerned. Each unit in *Exercises* is concluded by the Basic Text of the corresponding unit of the *Textbook*, marked for syntagms and intonational centers.

Only the texts of the first eight units of this section have been recorded; the other texts can be recorded in the colleges and universities where *Russian: Stage I* is used, according to the intonation markings printed in the text.

The authors recommend that in studying the materials of this section the instructions given in the Preface to the *Textbook* (Phonetics section) be followed. The exercises which have not been recorded should be read by students with or without the teacher, following the directions given in the captions. Students may tape their own

5

responses, and the teacher then may check the recording, pointing out mistakes. When working at a recorded text of a unit, students should listen to it, following the intonation markings in the text, and compare the intonation marked in the text with the intonation of the speaker.

The purpose of the Formation Practice section is to provide drills which will help the student gain automatic subconscious control of Russian morphology.

The Written Exercises for General Review section may be used in compiling quizzes as well as for review purposes.

The authors of the different sections of *Exercises* are as follows: Practice Exercises, G. Bitekhtina and T. Dorofeyeva; Phonetic Exercises, N. Fedyanina; Formation Practice, D. Davidson; and Written Exercises for General Review, D. Davidson.

Contents

Practice Exercises

Unit 1 — 9

Unit 2 — 12

Unit 3 — 17

Unit 4 — 22

Unit 5 — 27

Unit 6 — 33

Unit 7 — 40

Unit 8 — 49

Unit 9 — 58

Unit 10 — 63

Unit 11 — 71

Unit 12 — 78

Unit 13 — 85

Unit 14 — 91

Unit 15 — 97

Unit 16 — 101

Phonetic Exercises

Unit 1 — 105

Unit 2 — 107

Unit 3 — 112

Unit 4 — 119

Unit 5 — 126

Unit 6 — 131

Unit 7 — 137

Unit 8 — 144

Unit 9 — 153

Unit 10 — 159

Unit 11 — 167

Unit 12 — 173

Unit 13 — 182

Unit 14 — 191

Unit 15 — 201

Unit 16 — 209

Formation Practice

Unit 1 — 216

Unit 2 — 217

Unit 3 — 218

Unit 4 — 219

Unit 5 — 220

Unit 6 — 222

Unit 7 — 222

Unit 8 — 224

Unit 9 — 226

Unit 10 — 228

Unit 11 — 229

Unit 12 — 230

Unit 13 — 231

Unit 14 — 233

Unit 15 — 234

Unit 16 — 234

Written Exercises for General Review

Unit 1 — 236

Unit 2 — 237

Unit 3 — 237

Unit 4 — 238

Unit 5 — 239

Unit 6 — 241

Unit 7 — 242

Unit 8 — 244

Unit 9 — 244

Unit 10 — 246

Unit 11 — 246

Units 10-11 — 248

Unit 12 — 248

Unit 13 — 250

Unit 14 — 251

Unit 15 — 252

Unit 16 — 253

Units 14-16 — 254

G. Bitekhtina, T. Dorofeyeva

PRACTICE EXERCISES

Unit 1

I
> Это Антóн.
> Это Áнна.

III
> —Ктó э́то?—Это Áнна.
> —Чтó э́то?—Это дóм.

1. *Answer the questions.*

1. Ктó э́то?

Áнна, Антóн, мáма, мýж, женá, сы́н.

2. Чтó э́то?

завóд, аптéка, дóм, автóбус, машы́на, вагóн, кáсса.

2. *Ask questions and answer them.*

Ктó э́то? Чтó э́то?

Сáша, Мáша, кóмната, окнó, кóшка, кни́га, женá, собáка, газéта.

II
> Áнна дóма.

3. *Complete the sentences. Use the words* тáм, тýт, дóма. *Write out the sentences.*

Model: Завóд тáм.

1. Дóм ... . Сáд ... . 2. Антóн ... . Áнна ... . 3. Аптéка ... . Магази́н ... . 4. Автóбус ... . Машы́на ... . 5. Мáма ... . И сы́н ... . 6. Газéта ... . Кни́га ... .

9

4. *Complete the sentences, using the pronouns* óн, онá, онó.
Pay attention to intonation.

Model: Это Áнна. Онá дóма.

1. Это мáма. ... дóма. 2. Это окнó. ... тáм. 3. Это дóм. ... тýт. 4. Это вагóн. ... тýт. 5. Это завóд. ... тáм. 6. Это кáсса. ... тáм. 7. Это Ивáн. ... дóма. 8. Это Áнна. ... дóма.

III
> —К т ó т á м?
> —Тáм Áнна. (—Áнна.)
> —Ч т ó т á м?
> —Тáм завóд. (—Завóд.)

5. *Answer the questions, using the words in brackets.*
Write out your answers.

Model: — Чтó здéсь? (аптéка)
— Здéсь аптéка.

1. Чтó здéсь? (магазúн, кáсса, инститýт, завóд) 2. Чтó тáм? (дóм, сáд, машúна) 3. Ктó э́то? (мýж, женá, сы́н) 4. Чтó э́то? (шáпка, газéта, письмó) 5. Ктó здéсь? (мáма, сы́н) 6. Чтó здéсь? (сáд, инститýт) 7. Ктó тáм? (собáка, кóшка) 8. Чтó тáм? (письмó, кнúга)

IV
> Это нáш дóм.
> Это нáша мáма.
> Это нáше окнó.

6. *Read and translate.*

This is my room. That is your room. Here is my window. There is your window. Here is my car. There is your car. This is my wife. This is my son. My son is here. Your son is there.

7. *In each sentence use consecutively the pronouns* мóй, твóй, нáш *and* вáш *in the required form. Write out the sentences.*

Model: Это твоя́ кнúга.

Это дóм. Это сáд. Дóм тýт, сáд тáм. Это машúна. Машúна здéсь. Это мáма. Это сы́н. Это кóшка. Мáма дóма. Сы́н дóма. Кóшка тáм.

8. *Supply continuations. In each sentence use consecutively* мóй, твóй, нáш, вáш, тýт, тáм, дóма. *Write out the sentences.*

Model: Чтó э́то? — Это дóм. Это мóй дóм. Óн здéсь.

10

1. — Чтó э́то? — Э́то маши́на. 2. — Чтó э́то? — Э́то окнó. 3. — Чтó э́то? — Э́то сáд. 4. — Ктó э́то? — Э́то мáма. 5. — Ктó э́то? — Э́то сы́н. 6. — Ктó э́то? — Э́то мýж. 7. — Ктó э́то? — Э́то женá.

9. *Ask questions. You have failed to catch what your interlocutor has said. You want to make sure.*

Model: — Э́то мóй сы́н.   — Э́то мóй дóм.
         — Ктó э́то?   — Чтó э́то?

1. Э́то моя́ маши́на. 2. Э́то нáш дóм. 3. Э́то нáш сы́н. 4. Э́то нáша кóшка. 5. Э́то моя́ женá. 6. Э́то нáша мáма. 7. Э́то мóй сáд. 8. Э́то мóй мýж.

10. *Supply the required pronoun. Write out the sentences.*

1. Э́то мóй дóм. ... женá тáм. 2. Э́то твóй дóм. ... мáма дóма. ... окнó тáм. 3. Э́то вáш дóм. ... дóм здéсь. Э́то ... окнó. 4. Нáш дóм тýт. Э́то ... окнó. Здéсь ... сáд. Тáм ... кóшка.

V
—Гдé Áнна?
—Áнна дóма.

11. *Answer the questions. Use the words* тýт, тáм, здéсь, дóма.

Model: — Гдé письмó?
         — Письмó тáм.

1. Гдé магази́н? 2. Гдé кáсса? 3. Гдé институ́т? 4. Гдé аптéка? 5. Гдé Зи́на? 6. Гдé мáма? 7. Гдé Антóн?

12. *Answer the questions. Use the words* здéсь, тáм, дóма.

Model: — Гдé вáш мýж?
         — Óн здéсь.

1. Гдé вáш сы́н? 2. Гдé вáш дóм? 3. Гдé вáш институ́т? 4. Гдé вáша маши́на? 5. Гдé твоя́ шáпка? 6. Гдé твоя́ собáка?

13. *Ask questions and answer them. Use the words given below.*

Model: — Гдé твóй сы́н?
         — Мóй сы́н дóма.

маши́на, дóм, мýж, женá, окнó, собáка.

VI
—Э́то Áнна?
—Дá, э́то Áнна.
—Нéт, э́то не Áнна. Э́то Ни́на.

11

14. *Answer the questions. Write down your answers.*

Model: — Это аптéка? — Дá, э́то аптéка.
            — Нéт, э́то не аптéка.
            Это магазúн.

1. Это магазúн? 2. Это институ́т? 3. Это завóд? 4. Это газéта? 5. Это автóбус? 6. Это кóшка? 7. Это кáсса?

15. *Answer the questions.*

Model: — Это твоя́ шáпка?
            — Дá, моя́.
            — Нéт, э́то не моя́ шáпка.

1. Это вáша кóмната? 2. Это вáш дóм? 3. Это вáша машúна? 4. Это вáше окнó? 5. Это твоя́ собáка?

16. *Answer the questions. Use the words* институ́т, магазúн, кнúга, газéта, собáка.

Model: — Это магазúн?
            — Нéт, аптéка.

1. Это завóд? 2. Это аптéка? 3. Это кнúга? 4. Это газéта? 5. Это кóшка?

17. *Change the sentences, as in the model. Write them out.*

Model: Тáм завóд. Тáм завóды.

1. Здéсь вагóн, тáм кáсса. 2. Ту́т магазúн. 3. Это автóбус. 4. Это институ́т. Это студéнт. 5. Тáм газéта. 6. Тáм машúна. 7. Аптéка тáм. 8. Это кнúга.

Unit 2

```
I   ┌─────────────────────────┐
    │   Антóн рабóтает.       │
    └─────────────────────────┘
```

1. *Complete the sentences. Write them out.*

1. Я рабóтаю ту́т. Ты́... Óн... Онá... Мы́... Вы́... Онú... 2. Я отдыхáю дóма. Ты́... Óн... Онá... Мы́... Вы́... Онú...

2. *Complete the sentences. Write them out.*

Model: Áнна рабóтает, и я́ рабóтаю.

12

1. А́нна рабо́тает, и она́ ... . 2. Я отдыха́ю, и они́ ... . 3. Йра отдыха́ет, и мы́ ... . 4. Ни́на отдыха́ет, и вы́ ... . 5. Ива́н рабо́тает, и ты́ ... . 6. Зи́на рабо́тает, и мы́ ... . 7. Я рабо́таю, и вы́ ... .

II
| —Чья́ э́то маши́на?
| —Это **его́ маши́на.**

3. *Ask questions and answer them. Write down the answers. Use*: сестра́, бра́т, сы́н, му́ж, жена́, дру́г.

Model: — Кто́ э́то? — Это моя́ подру́га Ка́тя.
— Это твоя́ подру́га? — Да́, э́то моя́ подру́га.
— Это ва́ша подру́га? — Не́т, э́то моя́ сестра́.

4. *Complete the sentences. Write them out. Use* та́м, зде́сь.

Model: Это моя́ газе́та, ва́ши газе́ты та́м.

1. Это моё письмо́, ... 2. Это моя́ ка́рта, ... 3. Это мо́й каранда́ш, ... 4. Это А́нна. Зде́сь её ко́мната, ... 5. Это Ни́на и Анто́н. Это и́х маши́на, ... 6. Это Ви́ктор. Это его́ кни́га, ...

5. *Change the sentences, putting the nouns and the pronouns in the plural. Write out the sentences.*

Model: Это ва́ша газе́та. Это ва́ши газе́ты.

1. Это на́ша маши́на. 2. — Где́ зде́сь ка́сса? — Ка́сса та́м. 3. — Та́м заво́д? — Да́, заво́д. 4. — Зде́сь институ́т? — Да́, институ́т. 5. — Где́ зде́сь магази́н? — Магази́н та́м. 6. Это ва́ше письмо́. 7. Это мо́й студе́нт. 8. Это тво́й каранда́ш. 9. — Где́ ка́рта? — Она́ зде́сь. 10. — Чья́ э́то ру́чка? — Моя́.

6. *Write out the sentences, supplying the pronoun* его́, её *or* и́х.

Это Ива́н Анто́нович. Это ... до́м. Это ... ко́мната. Это ... жена́ Ни́на Ива́нов-на. ... ко́мната та́м. Это ... сы́н Ви́ктор, ... ко́мната зде́сь.

7. *Ask questions and answer them. Use consecutively the pronouns* его́, её, и́х; мо́й, тво́й, на́ш, ва́ш *in the required form. Write out the sentences.*

Model: — Это каранда́ш. Че́й э́то каранда́ш?
— Это его́ каранда́ш.

1. Это до́м. 2. Это са́д. 3. Это бра́т. 4. Это сы́н. 5. Это газе́та. 6. Это кни́га. 7. Это ко́мната. 8. Это соба́ка. 9. Это сестра́. 10. Это маши́на. 11. Это ша́пка. 12. Это ру́чка. 12. Это письмо́.

Model: — Это карандаши́. Чьи́ э́то карандаши́?
— Это на́ши карандаши́.

1. Это кни́ги. 2. Это маши́ны. 3. Это пи́сьма. 4. Это портфе́ли. 5. Это столы́.

8. *Ask questions and answer them. Write out your answers.*

Model: — Чтó (ог ктó) э́то?
— Э́то каранда́ш.
— Чéй э́то каранда́ш?
— Э́то мóй каранда́ш.

Model: — Э́то ва́ш каранда́ш?
— Нéт, не мóй.
— Чéй э́то каранда́ш?
— Э́то егó каранда́ш.

дóм, маши́на, кóмната,
ру́чка, газéта, кни́га,
ша́пка, письмó,
сы́н, бра́т, сестра́, ма́ма;
егó, её, и́х;
мóй, твóй, на́ш, ва́ш.

9. *Write out the sentences, supplying the pronoun* егó, её *or* и́х.

1. Э́то Антóн. Э́то ... дóм. Та́м ... маши́на. 2. Э́то Ни́на. Э́то ... ма́ма. Э́то ... сестра́ и бра́т. 3. Э́то Ви́ктор Ива́нович. Э́то ... сы́н Антóн. Э́то ... жена́ Áнна Ива́новна. Та́м ... кóмната. 4. Э́то Ни́на и Ива́н. Э́то ... дóм. Та́м ... маши́на. Э́то ... сы́н Ви́ктор. Э́то ... кóмната. 5. Э́то Зи́на. Э́то ... кни́га. Та́м ... газéты и пи́сьма.

IV

Áнна **рабóтает днём.**
Когда́ она́ **рабóтает?**
Áнна рабóтает **днём и́ли вéчером?**

|| Вéчером Ви́ктор **чита́л.**

---

10. *Supply continuations. Write out the sentences. Use* вчера́, у́тром, вéчером, днём.

Model: Áнна чита́ет. У́тром она́ чита́ла.

1. Сегóдня Антóн рабóтает. 2. Ни́на отдыха́ет. 3. Мы́ чита́ем. 4. Они́ отдыха́ют. 5. — Вы́ рабóтаете? — Да́, я рабóтаю.

11. *Supply continuations, using the required verbs. Write out the sentences.*

Model: — Áнна, ты́ вчера́ рабóтала? — Нéт, не рабóтала. Вчера́ я отдыха́ла.

1. — Антóн, ты́ вчера́ рабóтал? — Нéт, не рабóтал. 2. — Йра, ты́ лéтом отдыха́ла? — Нéт, не отдыха́ла. 3. — Ива́н Ива́нович, вы́ вчера́ рабóтали? — Нéт, вчера́ я не рабóтал. 4. — Ни́на Ива́новна, зимóй вы рабóтали? — Нéт, зимóй я не рабóтала. 5. — Антóн и Йра, сегóдня у́тром вы́ рабóтали? — Нéт, не рабóтали.

12. *Answer the questions.*

Model: Áнна рабóтала у́тром и́ли вéчером? — Она́ рабóтала у́тром.

1. Ни́на отдыха́ла днём и́ли вéчером? 2. Джóн чита́л у́тром и́ли днём? 3. Ка́тя отдыха́ла лéтом и́ли зимóй? 4. Ви́ктор Ива́нович рабóтал сегóдня и́ли вчера́? 5. Áнна Ива́новна рабóтала сегóдня у́тром и́ли вчера́ вéчером?

13. *Complete the answers. Write them out.*

1. — Ктó сегóдня рабóтал? — Антóн и Ви́ктор... 2. — Ктó сегóдня у́тром чита́л? — Áнна... 3. — Ктó вчера́ вéчером чита́л? — Зи́на и Ка́тя... 4. — Ктó вчера́

отдыха́л? — Мы́... 5. — Кто́ у́тром не рабо́тал? — Анто́н... 6. — Кто́ сего́дня днём не отдыха́л? — А́нна и её сестра́...

III
> Анто́н **говори́т гро́мко**.
> Ка́к говори́т Анто́н?

14. *Answer the questions, using the words* гро́мко, хорошо́, пло́хо, бы́стро. *Write out the answers.*

1. Ка́к Ро́берт говори́т по-ру́сски? Ка́к о́н понима́ет по-ру́сски? Ка́к о́н чита́ет по-ру́сски? 2. Ка́к Зи́на говори́т по-англи́йски? Ка́к она́ чита́ет по-англи́йски? 3. Ка́к отвеча́ли студе́нты? Ка́к они́ чита́ли? Ка́к они́ говори́ли по-ру́сски?

15. *Supply continuations. Use the words* по-ру́сски, по-англи́йски; хорошо́, пло́хо, бы́стро, гро́мко. *Write out the sentences.*

Model: Анто́н чита́л. А́нна чита́ла. Они́ чита́ли по-англи́йски.
Они́ хорошо́ чита́ли по-англи́йски.

1. Я́ говори́л. 2. Ты́ чита́ла. 3. Студе́нт отвеча́л.

V
> А́нна **рабо́тает та́м**.
> А́нна **рабо́тает в институ́те**.
> Где́ рабо́тает А́нна?

16. *Answer the questions.*

Model: — Э́то магази́н. Где́ рабо́тает И́ра?
— И́ра рабо́тает в магази́не.

1. Э́то апте́ка. Где́ рабо́тает Ни́на? 2. Э́то институ́т. Где́ рабо́тает А́нна? 3. Э́то Москва́. Где́ живёт Ви́ктор? 4. Э́то Ленингра́д. Где́ живёт Ве́ра? 5. Э́то Росто́в. Где́ жила́ Зи́на? 6. Э́то Я́лта. Где́ отдыха́л Ива́н? 7. Э́то Вашингто́н. Где́ живёт Джо́н? 8. Э́то Нью-Йо́рк. Где́ рабо́тает Ма́йкл? 9. Э́то шко́ла. Где́ рабо́тает Мэ́ри? 10. Э́то до́м но́мер два́. Где́ живёт Ди́к?

17. (a) *Read aloud.*

1. — Где́ ты́ живёшь? — Я́ живу́ в Ки́еве. 2. — Где́ живёт тво́й бра́т? — О́н живёт в го́роде. 3. — Где́ вы живёте ле́том? — Ле́том мы́ живём в Росто́ве. 4. — Э́то мо́й бра́т и сестра́. — Где́ они́ живу́т? — Они́ живу́т в Ленингра́де.

(b) *Ask questions and answer them. Write out your answers.*

Model: — Э́то ва́ша сестра́? Где́ она́ живёт? — Она́ живёт в Москве́.

1. Это ваш дру́г? 2. Это ва́ш бра́т? 3. Это ва́ша подру́га? 4. Это ва́ш профе́с-
сор? 5. Это Ви́ктор Петро́вич и его́ жена́? 6. Это Ви́ктор и Анто́н?

18. *Change the sentences. Write them out.*

Model: Кни́га лежи́т на столе́. Кни́ги лежа́т на столе́.

1. Ру́чка лежи́т в портфе́ле. 2. Каранда́ш лежи́т в портфе́ле. 3. Газе́та лежи́т
на столе́. 4. Слова́рь лежи́т на по́лке. 5. Письмо́ лежи́т в столе́. 6. Ша́пка лежи́т
на по́лке. 7. Ка́рта лежи́т на по́лке.

19. *Compose new dialogues on the pattern of the one given below, using the following
words.*

Model: — Ро́берт, где́ моя́ ру́чка?
— Она́ лежи́т на столе́.

1. кни́га, газе́та, каранда́ш, слова́рь, письмо́, ша́пка;
2. портфе́ль, сто́л, по́лка.

VI	Анто́н—студе́нт. Кто́ о́н?

20. *Compose new dialogues on the pattern of the one given below, using the following
words. Write out your dialogues.*

Model: — Это ва́ш бра́т? Кто́ о́н?
— О́н инжене́р.

1. дру́г, сестра́, подру́га, сы́н, му́ж, жена́;
2. адвока́т, вра́ч, био́лог, журнали́ст, матема́тик, фи́зик, фило́лог.

21. *Answer the questions. Write out your answers.*

Model: — Ва́ш бра́т — хи́мик? (био́лог)
— Не́т, о́н не хи́мик. Он био́лог.

1. Ва́ша подру́га — хи́мик? (фи́зик) 2. Ва́ш му́ж — инжене́р? (матема́тик)
3. Ва́ша ма́ма — фило́лог? (исто́рик) 4. Ва́ш бра́т — студе́нт? (вра́ч).

22. *Supply continuations, using the words* шко́ла, больни́ца, институ́т, заво́д. *Write
out the sentences.*

Model: А́нна Ива́новна — матема́тик. Она́ рабо́тает в шко́ле.

1. Ве́ра Серге́евна — инжене́р. 2. Мо́й дру́г Серге́й — исто́рик. 3. Никола́й
Петро́вич — био́лог. 4. Ни́на Ива́новна — вра́ч. 5. Моя́ сестра́ Дже́йн — хи́мик.
6. Мо́й бра́т Джо́н — фи́зик.

I
> Это **но́вый** до́м.
> Како́й э́то до́м?

1. *Make up phrases, using the words given below.*

ру́сский ...　　　био́лог, вра́ч, газе́та, журна́л, письмо́, журна-
ру́сская ...　　　ли́ст, исто́рик, инжене́р, кни́га, матема́тик, про-
интере́сный ...　фе́ссор, студе́нт, фами́лия, фи́льм, фило́лог,
интере́сная ...　хи́мик, го́род, окно́.
интере́сное ...

2. (a) *Compose sentences, using the words given below. Write them out.*

Model:

— Како́й э́то магази́н?　— Кака́я э́то ко́мната?　— Како́е э́то окно́?
— Э́то но́вый магази́н.　— Э́то хоро́шая ко́мната.　— Э́то большо́е окно́.

гости́ница, больни́ца, зда́ние, институ́т, кварти́ра, сто́л, по́лка, письмо́.

(b) *Change the sentences you have composed, as in the model. Write them out.*
Model:

— Каки́е э́то магази́ны?　— Каки́е э́то ко́мнаты?　— Каки́е э́то о́кна?
— Э́то но́вые магази́ны.　— Э́то хоро́шие ко́мнаты.　— Э́то больши́е о́кна.

3. *Make up phrases, using the words given below.*

(a) но́вый, большо́й ...　　　　　го́род, гости́ница, по́лка, шко́лы, зда́ние,
ста́рая, ма́ленькая, плоха́я ...　портфе́ль, кварти́ры, больни́ца, до́м;
ста́рое, ма́ленькое ...
но́вые, больши́е, хоро́шие ...

(b) ... до́м, ... писа́тель,　　　большо́й, краси́вый, ма́ленький, ста́рый,
... ко́мната, ... зда́ние　　　ру́сский, америка́нский, англи́йский, не-
... окно́, ... ко́мнаты,　　　ме́цкий, францу́зский, плохо́й, хоро́ший,
... гости́ницы, ... журна́л,　но́вый, интере́сный.
... кни́га

4. *Answer the questions. Write down your answers.*

Model:　— Э́то но́вый журна́л?
　　　　　— Не́т, э́то ста́рый журна́л.

17

2–1435

1. Это интере́сная кни́га?
2. Это краси́вый го́род?
3. Это ста́рые газе́ты?
4. Это но́вый портфе́ль?
5. Это больша́я гости́ница?
6. Анто́н — хоро́ший инжене́р?
7. Петро́в — молодо́й профе́ссор?
8. Это краси́вое зда́ние?

интере́сный — неинтере́сный
краси́вый — некраси́вый
хоро́ший — плохо́й
но́вый — ста́рый
большо́й — ма́ленький
молодо́й — ста́рый

5. *Complete the sentences. Use the words* до́м, маши́на, го́род, семья́, студе́нтка, вра́ч, университе́т, подру́га, зда́ние, гости́ница, окно́, портфе́ль, инжене́р. *Write out the sentences.*

1. Это но́вая ... . 2. Ленингра́д — краси́вый ... . 3. Это на́ш ста́рый ... . 4. Это о́чень краси́вое ... . 5. Здесь живёт хоро́шая ... . 6. Ви́ктор — молодо́й ... . 7. Ве́ра — хоро́шая ... . 8. Здесь рабо́тает моя́ хоро́шая ... . 9. В ко́мнате большо́е ... . 10. Это но́вая больша́я ... . 11. Это плохо́й ста́рый ... . 12. Здесь живёт молодо́й ... .

6. *Complete the sentences. Use the adjectives* большо́й, краси́вый, ма́ленький, хоро́ший, но́вый, ста́рый, интере́сный, англи́йский, францу́зский, неме́цкий. *Write out the sentences.*

1. Это ... го́род, здесь ... зда́ния. 2. Это ... ко́мната, нале́во ... сто́л и ... сту́л. Напро́тив ... по́лка. 3. Это ... портфе́ль. В портфе́ле лежи́т кни́га, ... ру́чка и ... каранда́ш. 4. Это Ви́ктор. Ви́ктор — мо́й ... дру́г. Это его́ ... маши́на. В маши́не лежи́т его́ ... портфе́ль, ... газе́ты и ... журна́лы. 5. Это до́м № 5. Здесь живёт моя́ ... подру́га Ира. Ира — инжене́р. Её сестра́ — ... вра́ч и её му́ж — ... вра́ч. Они́ ... врачи́. 6. Это гости́ница «Москва́». Это ... гости́ница. Это о́чень ... зда́ние. Здесь сейча́с живёт мо́й ... дру́г.

7. *Supply the required adjectives. Write out the sentences.*

1. Здесь лежа́т францу́зские кни́ги, ... журна́лы, ... газе́ты. 2. На по́лке лежа́ла кни́га и ... журна́л. 3. Здесь живёт ... семья́, та́м живу́т ... студе́нты. 4. Здесь рабо́тает ... инжене́р, та́м рабо́тают ... инжене́ры-хи́мики. 5. ... студе́нты говоря́т по-ру́сски, ... журнали́сты говоря́т по-англи́йски, ... инжене́ры говоря́т по-неме́цки.

8. (a) *Answer the questions, using the adjectives* но́вый, ста́рый, большо́й, ма́ленький, хоро́ший, плохо́й, краси́вый. *Write out the questions and the answers.*

Model: — Кака́я э́то гости́ница?
— Это но́вая гости́ница.

1. Како́й э́то до́м? 2. Како́е э́то зда́ние? 3. Кака́я э́то библиоте́ка? 4. Каки́е э́то журна́лы? 5. Кака́я э́то газе́та? 6. Каки́е э́то кни́ги?

(b) *Ask questions and answer them. Use the words:* ру́чка, каранда́ш, го́род, семья́, сто́л, сту́л.

II

> Э́тот до́м но́вый.
> То́т до́м ста́рый.

9. *Read and translate. Analyze the structure of the sentences. Underline the subject once and the predicate twice.*

Э́то ру́сский студе́нт.   Э́тот студе́нт ру́сский.

Э́то ру́сская студе́нтка.   Э́та студе́нтка ру́сская.

Э́то ру́сские студе́нты.   Э́ти студе́нты ру́сские.

                      Э́ти студе́нты чита́ют.

— Что́ э́то?

— Э́то журна́л. Э́то францу́зский журна́л. Вчера́ э́тот журна́л лежа́л на столе́. Сего́дня о́н лежи́т на по́лке.

— Э́то ва́ш журна́л? — Не́т, э́то не мо́й журна́л. Я не чита́ю по-францу́зски. Э́то францу́зский журна́л.

10. *Complete the sentences, using the word* э́то *or the pronouns* э́тот, э́та, э́то, э́ти. *Write out the sentences.*

1. — Кто́ ... ? — ... на́ш но́вый инжене́р. — ... инжене́р рабо́тает зде́сь? — Да́. — ... инжене́р говори́т по-ру́сски? — Да́.

2. — Кто́ ... ? — ... А́нна. Она́ студе́нтка. Зде́сь лежа́т её кни́ги. Вчера́ ... кни́ги лежа́ли в портфе́ле. Сейча́с ... кни́ги лежа́т на сту́ле.

11. *Ask questions and answer them. Use the words given below. Vary your questions. Write out the questions and answers.*

Model: — Э́то интере́сный журна́л? — Э́тот журна́л интере́сный?

                    — Да́, интере́сный.

                    — Не́т, неинтере́сный.

1. го́род, кни́га, кварти́ра, библиоте́ка, зда́ние, авто́бус, маши́на;

2. но́вый — ста́рый, хоро́ший — плохо́й, интере́сный — неинтере́сный, краси́вый — некраси́вый.

III

> А́нна отдыха́ла в а́вгусте.
> Когда́ отдыха́ла А́нна?

12. (a) *Read the text and translate it.*

Зимо́й и ле́том на́ша семья́ жила́ в СССР. В январе́ мы́ жи́ли в Москве́. В феврале́ мы́ жи́ли в Ленингра́де. В ма́рте мы́ жи́ли в Ки́еве. В апре́ле и в ма́е мо́й брат рабо́тал в Росто́ве. Мы́ та́м отдыха́ли ле́том: в ию́не, в ию́ле, в а́вгусте. В сентябре́ мо́й оте́ц рабо́тал на заво́де в Ри́ге. И мы́ та́м жи́ли. В октябре́ и в декабре́ мы́ жи́ли в Москве́.

(b) *Answer the questions in accordance with the text. Write down your answers.*

1. Где́ жила́ семья́ ле́том и зимо́й? 2. Когда́ они́ жи́ли в Москве́, в Ленингра́де и в Ки́еве? 3. Когда́ бра́т рабо́тал в Росто́ве? 4. Когда́ семья́ отдыха́ла в Росто́ве? 5. Когда́ оте́ц рабо́тал на заво́де в Ри́ге? 6. Где́ они́ жи́ли в октябре́ и в декабре́?

13. *Complete the sentences, using the words in brackets. Write out the sentences.*

1. Он рабо́тал в шко́ле в январе́, ... (февра́ль, ма́рт, апре́ль, ма́й). 2. Они́ жи́ли в Москве́ в ию́не, ... (ию́ль, а́вгуст, сентя́брь). 3. Он рабо́тал в библиоте́ке в октябре́, ... (ноя́брь, дека́брь).

14. *Answer the questions. Write out your answers.*

Model: — Вы́ отдыха́ли в ма́е?
— Не́т, я́ отдыха́л в ию́не.

1. Вы́ жи́ли в Ри́ге в апре́ле? 2. Вы́ рабо́тали в шко́ле в сентябре́? 3. Вы́ рабо́тали на заво́де в декабре́? 4. Вы́ отдыха́ли в Ки́еве в феврале́? 5. Вы́ жи́ли в Ленингра́де в октябре́? 6. Вы́ отдыха́ли в ию́ле?

IV | **А́нна рабо́тает в э́том институ́те.**

15. *Complete the sentences, using the words on the right. Write out the sentences.*

1. Я́ живу́ в э́той ко́мнате.

2. Они́ живу́т в	кварти́ра
3. Она́ живёт в	гости́ница
4. Он рабо́тает в	шко́ла
5. Вы́ рабо́таете в	больни́ца

1. Мы́ живём в э́том до́ме.

2. Они́ живу́т	го́род
3. Он рабо́тает на	заво́д
4. Она́ рабо́тает в	институ́т
5. Они́ рабо́тают в	теа́тр

16. *Amplify the statements and answers, using the pronouns* мо́й, тво́й, на́ш, ва́ш, э́тот, то́т.

Model: Журна́л лежи́т на по́лке. — Журна́л лежи́т на мое́й по́лке.

1. Газе́та лежи́т на столе́. 2. Журна́л лежи́т в портфе́ле. 3. — Где́ моя́ кни́га? — Зде́сь, на по́лке. 4. — Где́ мо́й портфе́ль? — Та́м, в ко́мнате. 5. — Где́ живёт Сергей Никола́евич? — Зде́сь, в до́ме. 6. — Где́ рабо́тает Ири́на? — В шко́ле. 7.— Где́ ва́ш слова́рь? — Та́м, на столе́.

17. *Complete the sentences. Write them out.*

1. — Где лежи́т журна́л? — Журна́л лежи́т на ... .
   — А кни́ги? — Кни́ги лежа́т ... .
2. — Где живёт Ви́ктор? — Ви́ктор живёт в ... .
   — А Серге́й? — Серге́й живёт ... .
3. — Где рабо́тает ваш брат? — Мой брат рабо́тает ... .
   — А сестра́? — Сестра́ рабо́тает ... .
4. — Где живёт ваш друг? — Он живёт ... .
   — А где он жил ра́ньше? — Он жил ... .
5. — Где живёт ва́ша соба́ка? — Она́ живёт в ... .
   — А где живёт ва́ша ко́шка? — Она́ живёт в ... .
6. — Где лежи́т ва́ша ша́пка? — Она́ лежи́т на ... .
   — А где лежа́т ва́ши кни́ги? — Они́ лежа́т на ... .

твой стол
моя́ по́лка
э́та кварти́ра
та ко́мната
э́та шко́ла
э́тот институ́т
э́тот го́род
та дере́вня
наш дом
моя́ ко́мната
э́та по́лка
мой стол

18. *Answer the questions. Write down your answers.*

Model: — Где живёт Ни́на? (наш дом) — Ни́на живёт в на́шем до́ме.

1. Где живёт О́ля? (наш го́род) 2. Где живёт Серге́й? (э́та гости́ница) 3. Где живёт Ната́ша? (э́та дере́вня) 4. Где рабо́тает Ви́ктор? (наш институ́т) 5. Где рабо́тает Ни́на? (э́тот магази́н) 6. Где рабо́тает Ната́ша? (на́ша шко́ла)

19. *Answer the questions. Write down your answers.*

Model: — Где моя́ кни́га? — Она́ в твоём портфе́ле.

1. Где мой журна́л? (твой стол) 2. Где мои́ кни́ги? (твоя́ ко́мната) 3. Где ва́ша ру́чка? (мой портфе́ль) 4. Где её брат? (наш институ́т) 5. Где ва́ша газе́та? (мой стол) 6. Где наш учи́тель? (ва́ша шко́ла)

20. *Compose sentences similar to the ones given below. Use the words in brackets. Change the pronouns accordingly. Write down your sentences.*

1. Мой друг живёт в э́том го́роде. (дере́вня) 2. Анто́н рабо́тает в э́той больни́це. (институ́т) 3. В ма́е моя́ сестра́ жила́ в на́шем до́ме. (кварти́ра) 4. Мои́ уче́бники лежа́т на э́той по́лке. (стол) 5. Ра́ньше мы жи́ли в э́той гости́нице. (дом) 6. Ра́ньше он рабо́тал на э́том заво́де. (шко́ла)

21. *Answer the questions, using the words in brackets. Write down your answers.*

Model: — Где лежа́т кни́ги и журна́лы? (э́та/та по́лка; э́тот/тот стол).
— Кни́ги лежа́т на э́той по́лке, журна́лы лежа́т на том столе́.

1. Где рабо́тают Анто́н и Ве́ра? (э́та/та шко́ла) 2. Где живу́т ваш брат и ва́ша сестра́? (э́та/та кварти́ра) 3. Где вы отдыха́ли в ию́не и в а́вгусте? (э́та/та дере́вня) 4. Где лежа́т газе́ты и журна́лы? (э́тот стул, э́та по́лка) 5. Где рабо́тает ва́ша подру́га и её сестра́? (э́то зда́ние, э́та гости́ница) 6. Где вы жи́ли ра́ньше и где вы живёте сейча́с? (э́та/та кварти́ра, э́тот/тот дом)

V | Анто́н **хо́чет рабо́тать** в э́том институ́те.

22. *Answer the questions.*

1. Сегóдня я хочý отдыхáть. А вы́? 2. Ты́ хóчешь говори́ть по-рýсски? 3. Онá хóчет читáть. А вы́? 4. В áвгусте мы́ хоти́м рабóтать. А вы́? 5. Вы́ хоти́те жи́ть в дерéвне? 6. Они́ не хотя́т здесь рабóтать. А вы́?

23. *Change the sentences. Write them out.*
   Model: Пётр здесь рабóтает.
         Пётр хóчет здесь рабóтать.

1. Я́ здесь живý. 2. Áнна рабóтает в э́той шкóле. 3. Онá лéтом отдыхáла в дерéвне. 4. Мы́ живём в гóроде. 5. Гáля рабóтает на пóчте? 6. Они́ хорошó говоря́т по-рýсски. 7. Вы́ говори́те по-францýзски? 8. На урóке студéнты отвечáют по-рýсски?

24. *Supply the verb* хотéть *in the required form. Write out the sentences.*

1. Я́ ... жи́ть в э́том дóме. 2. Óн ... говори́ть по-англи́йски. 3. Мы́ ... читáть по-францýзски. 4. Они́ ... рабóтать в э́том институ́те. 5. Вы́ ... рабóтать в э́той библиотéке? 6. Ты́ ... жи́ть в э́том гóроде? Рáньше ты́ ... жи́ть в дерéвне.

Unit 4

I
> Антóн **расскáзывал** о Москвé.
> О чём расскáзывал Антóн?

1. *Read and translate.*

Вéра — истóрик. Онá мнóго читáет об Итáлии и Фрáнции. Ви́ктор тóже мнóго читáет. Óн биóлог. Óн читáет о прирóде. Óн мнóго говори́т о прирóде и погóде. Óн мнóго расскáзывает о рабóте.

2. *Answer the questions. Write down your answers.*

1. О чём э́та кни́га? (теáтр) 2. О чём э́та статья́? (музéй) 3. О чём э́та лéкция? (прирóда) 4. О чём расскáзывал вáш брáт? (мóре) 5. О чём говори́ли вáши подрýги? (концéрт) 6. О чём говори́ли ýтром студéнты? (семинáр)

3. *Read and translate.*

1. — Познакóмьтесь. Это Ви́ктор Соколóв.
   — Óчень прия́тно. Áня мнóго говори́ла о вáс.

2. — Во́т интере́сная кни́га «Москва́ и москвичи́». Ты́ зна́ешь о не́й?
   — Да́, вчера́ Оле́г говори́л о не́й.
3. — О́ля, Ве́ра, мы́ сейча́с говори́ли о ва́с.
   — О на́с?
   — Да́, мы́ говори́ли о ле́кции, о профе́ссоре Петро́ве и о ва́с.
4. — Во́т журна́л «Москва́», пе́рвый но́мер.
   — Ма́ша говори́ла о нём. Э́то о́чень интере́сный журна́л.

4. *Supply responses.*

   Model: — Э́то мо́й дру́г Никола́й.
   — О́чень прия́тно. Оле́г мно́го говори́л о ва́с.

   1. Э́то моя́ подру́га Ни́на. 2. Э́то Анто́н. О́н фи́зик. 3. Э́то худо́жник Петро́в.
4. Э́то инжене́р Никола́ев. 5. Э́то студе́нтка Ве́ра Па́влова.

5. *Supply continuations.*

   Model: Э́то О́ля Ло́мова. Я́ говори́л о не́й.

   1. Э́то Никола́й Ру́дин. 2. Э́то Па́вел и Серге́й. 3. Э́то студе́нты-фило́логи.
4. Э́то А́ня Ро́гова. 5. Э́то адвока́т Ва́нин.

6. *Complete the sentences, using the words in brackets. Write out the sentences.*

   1. О́н расска́зывал о Ленингра́де, ... (Ки́ев, Кавка́з, Во́лга). 2. — А́ня спра́-
шивала обо мне́ и́ли о Ви́кторе? (О Ве́ре? О Юре и Ко́ле?) — Она́ спра́шивала ...
(ты́, о́н, она́, они́). 3. Я́ вспомина́л о моём бра́те, ... (мо́й дру́г, мо́й оте́ц, на́ш го́-
род, на́ш до́м). 4. Мы́ говори́ли о на́шей рабо́те, ... (ва́ша кни́га, твоя́ статья́,
ва́ша семья́, э́та де́вушка). 5. Ва́ля расска́зывала об э́той дере́вне, ... (э́тот фи́льм,
э́тот писа́тель, э́та библиоте́ка, э́та же́нщина)

7. *Supply the pronouns* мо́й, тво́й, на́ш, ва́ш *in the required form. Write out the
   sentences.*

   1. Ви́ктор, мы́ сейча́с говори́ли о тебе́. Я́ расска́зывал о ... до́ме и ... рабо́те.
2. Э́то ва́ша кни́га? Ве́ра мно́го говори́ла о ... кни́ге. 3. — Э́то твоя́ соба́ка, Ка́-
тя? — Да́, моя́. — Серге́й сего́дня расска́зывал о ... соба́ке. 4. Э́то на́ша шко́ла.
Мы́ ча́сто вспомина́ем о ... шко́ле. 5. Ва́ш музе́й о́чень интере́сный. Мы́ ча́сто го-
вори́м о ... .

	А́нна расска́зывала **о но́вом фи́льме.**
II	О к а к о́ м ф и́ л ь м е расска́зывала А́нна?

8. *Complete the sentences, using the phrases in brackets in the required form. Write
   out the sentences.*

   1. Ни́на и Ка́тя говори́ли о но́вой библиоте́ке ... (интере́сная кни́га, студе́н-
ческая газе́та). 2. Ви́ктор и Оле́г говори́ли о студе́нческом теа́тре ... (францу́зский

журна́л, но́вый стадио́н). 3. Журнали́ст расска́зывал о Москве́ ... (Моско́вский университе́т, Третьяко́вская галере́я). 4. Ка́тя вспомина́ла о пе́рвом уро́ке в сентябре́ ... (студе́нческая пра́ктика, хоро́ший конце́рт).

9. *Answer the questions. Write down your answers.*

> *Model:* — Где́ вы́ живёте? (э́тот но́вый до́м)
> — Я́ живу́ в э́том но́вом до́ме.

1. Где́ о́н рабо́тает? (на́ш истори́ческий музе́й) 2. Где́ они́ живу́т? (э́та ста́рая гости́ница) 3. Где́ они́ отдыха́ют? (э́та небольша́я дере́вня) 4. Где́ она́ живёт? (э́тот большо́й до́м) 5. Где́ она́ жила́ ра́ньше? (э́то студе́нческое общежи́тие) 6. Где́ они́ рабо́тают? (э́тот но́вый стадио́н)

10. *Complete the sentences, using the words in brackets in the required form. Write out the sentences.*

1. Ве́чером мы́ говори́ли о ... (ру́сский теа́тр). 2. Моя́ ма́ма рабо́тает на ... (большо́й заво́д). 3. Ле́том мы́ жи́ли в ... (небольшо́й го́род). 4. Он расска́зывал о ... (Большо́й теа́тр). 5. Мои́ роди́тели живу́т в ... (небольшо́й до́м). 6. Мо́й бра́т рабо́тает в ... (э́тот институ́т). 7. Студе́нты говори́ли о ... (студе́нческая газе́та).

11. *Answer the questions. Write down your answers.*

> *Model:* — Ва́ша кварти́ра на пе́рвом этаже́?
> — Не́т, мы́ живём на девя́том этаже́.

1. Ви́ктор живёт в тре́тьей кварти́ре? 2. Вы́ живёте на пя́том этаже́? 3. Ва́ш бра́т рабо́тает в пе́рвой больни́це? 4. Ва́ша статья́ на деся́той страни́це? 5. Англи́йский язы́к бы́л на второ́м уро́ке?

12. *Compose similar sentences, using the words given below. Write down your sentences.*

1. Ва́ша кни́га лежи́т <u>на то́й по́лке.</u>
> ва́ш сто́л, мо́й портфе́ль, э́тот сту́л, твоя́ ко́мната.
2. Они́ жи́ли в <u>Москве́.</u>
> Ленингра́д, Ки́ев, Украи́на, Ерева́н, Кавка́з, Ри́га, Ура́л, се́вер, юг, восто́к, за́пад.
3. О́н рабо́тает <u>в э́той гости́нице.</u>
> э́тот заво́д, э́та шко́ла, э́тот теа́тр, э́тот институ́т, э́та больни́ца, э́тот магази́н.

13. *Answer the questions. Write down your answers.*

> *Model:* Где́ сейча́с А́ня? (рабо́та) — А́ня сейча́с на рабо́те.

1. Где́ сейча́с Серге́й? (семина́р) 2. Где́ сейча́с Ни́на? (уро́к) 3. Где́ сейча́с Оле́г? (заво́д) 4. Где́ сейча́с Дже́йн? (по́чта) 5. Где́ сейча́с Серге́й? (институ́т) 6. Где́ сейча́с О́ля? (шко́ла) 7. Где́ сейча́с Серге́й? (университе́т) 8. Где́ сейча́с Дже́йн? (гости́ница) 9. Где́ сейча́с Оле́г? (магази́н) 10. Где́ сейча́с Ни́на? (больни́ца) Где́ сейча́с Ната́ша? (стадио́н)

14. *Answer the questions. Write down your answers.*

Model: — Что́ тако́е Со́чи? (Кавка́з) — Со́чи — э́то го́род на Кавка́зе.

1. Что́ тако́е Магнитого́рск? (Ура́л) 2. Что́ тако́е Му́рманск? (се́вер СССР) 3. Что́ тако́е Льво́в? (за́пад СССР) 4. Что́ тако́е Владивосто́к? (восто́к СССР) 5. Что́ тако́е Полта́ва? (Украи́на) 6. Что́ тако́е Ташке́нт? (юг СССР) 7. Что́ тако́е Тбили́си? (Кавка́з)

III

> Ви́ктор **чита́ет**, а А́нна **слу́шает**.
> Студе́нты **не говори́ли**, а то́лько **чита́ли** по-ру́сски.
> Они́ **чита́ют** по-ру́сски хорошо́, **а говоря́т** пло́хо.
> Ле́том Ви́ктор **снача́ла** рабо́тал, **а пото́м** отдыха́л.

---

15. *Compose similar sentences, using the words given below. Write down your sentences.*

1. Анто́н — инжене́р, а Ви́ктор — био́лог. Ви́ктор не инжене́р, а био́лог.
вра́ч — писа́тель, фи́зик — матема́тик, хи́мик — адвока́т, худо́жник — писа́тель
2. Ка́рин живёт в Ло́ндоне, а Ва́ля в Москве́.
Пари́ж — Ленингра́д, Филаде́льфия — Ки́ев, Ри́м — Ри́га, Монреа́ль — Ерева́н
3. Ве́ра понима́ет по-англи́йски хорошо́, а говори́т пло́хо.
по-неме́цки, по-ру́сски, по-францу́зски; чита́ет — говори́т; мно́го — ма́ло
4. Ка́тя расска́зывала о ру́сском писа́теле, а Ве́ра о францу́зском.
ру́сский — францу́зский фи́льм; англи́йский — неме́цкий худо́жник; интере́сная — неинтере́сная статья́

16. *Change the sentences. Write them out.*

Model: Ты́ не зна́ешь, где́ живёт Никола́й?
Ты́ не зна́ешь, в како́м го́роде живёт Никола́й?

1. Ты́ не зна́ешь, где́ рабо́тает Ири́на? (институ́т, шко́ла, больни́ца, магази́н, гости́ница) 2. Вы́ не зна́ете, где́ живёт адвока́т? (до́м, кварти́ра, у́лица) 3. Вы́ не зна́ете, где́ ле́том отдыха́ли студе́нты-исто́рики? (го́род, дере́вня, ме́сто)

17. *Complete the sentences. Write them out.*

Model: Я́ не понима́ю, о чём они́ говоря́т.

1. Я́ не зна́ю, ... (говори́ть) 2. Я́ не слу́шал, ... (расска́зывать) 3. Я́ не понима́ю, ... (чита́ть)

18. *Complete the sentences. Write them out.*

1. Зи́на рабо́тает в шко́ле, а ... . 2. Андре́й живёт на се́вере, а ... . 3. Я́ сего́дня не рабо́тал, а ... . 4. Ве́ра хорошо́ понима́ет по-ру́сски, а ... . 5. То́м говори́т по-англи́йски, а Оле́г ... . 6. Я́ чита́л сего́дня о ру́сском худо́жнике, а ... . 7. Сего́дня я́ ма́ло рабо́тал, а вчера́ ... . 8. У́тром мы́ рабо́тали, а ... . 9. Серге́й не фило́-

лог, а ... . 10. Валенти́на Ива́новна не вра́ч, а ... . 11. О́н чита́ет бы́стро, а ... .
12. Я́ живу́ не в го́роде, а ... .

IV	О́н (не) зна́ет,	кто́ э́тот челове́к. где́ рабо́тает А́нна. когда́ рабо́тает А́нна. ка́к рабо́тает А́нна. како́й э́то институ́т.

19. *Supply responses. Write down the questions and responses.*

   Model: — Ты́ не зна́ешь, где́ рабо́тает Ви́ктор?
   — Зна́ю. Ве́ра говори́ла, где́ рабо́тает Ви́ктор.
   О́н рабо́тает на э́том заво́де.

   1. Ка́тя, ты́ не зна́ешь, како́й э́то институ́т? 2. Андре́й, ты́ не зна́ешь, когда́ рабо́тает апте́ка? 3. Кто́ зна́ет, кака́я э́то гора́? 4. Кто́ зна́ет, где́ сейча́с Пётр? 5. И́ра, ты́ не зна́ешь, како́й э́то теа́тр?

20. *Translate.*

   1. We know where Katya and Sergei Ivanov live. They live in Moscow. 2. "Do you know where Oleg Petrov used to live?" "Yes, I do. [He used to live] in Magnitogorsk." 3. "When did Katya have her practical training?" "I don't know when Katya had her practical training." "Do you know where she had her practical training?" "No, I don't." 4. Sergei was talking about how he vacationed in the summer. 5. "Do you know what theater is that?" "It is the Bolshoi Theater." 6. Do you know at what institute Pyotr works? 7. "What are they talking about?" "I don't understand what they are talking about. They are talking very fast."

21. *Ask questions and answer them. Write down both the questions and the answers. Find out the name of a street, institute, hotel, museum.*

   Model: — Скажи́те, пожа́луйста, кака́я э́то у́лица?
   — Э́то Лесна́я у́лица.

Usage of the Verbs **вспомина́ть, расска́зывать, гуля́ть, пла́вать**

22. *Complete the sentences. Use the underlined verbs in the required form.*

   1. О́ля и Ва́ля расска́зывают о Кавка́зе. О́ля жила́ на Кавка́зе. Она́ ча́сто ... о Кавка́зе. Ва́ля ... о мо́ре. Ты́ то́же жи́л на Кавка́зе. О чём ты́ обы́чно ... ? Мы́ не́ были на Кавка́зе. Мы́ ... о Москве́. 2. Ле́том студе́нты бы́ли на пра́ктике. Они́ ча́сто вспомина́ют о пра́ктике. Ви́ктор ... о го́роде Но́вгороде, ... о Ленингра́де. Они́ ..., ка́к они́ рабо́тали и отдыха́ли. Мы́ то́же бы́ли на пра́ктике в дере́вне. Мы́ ..., ка́к мы́ та́м жи́ли. А ты́ где́ бы́л ле́том? О чём ты́ ...? 3. Э́то Ленингра́д. Э́то Ле́тний са́д. Зде́сь лю́ди отдыха́ют: они́ гуля́ют, чита́ют. Я́ то́же ча́сто ... здесь. Обы́чно мы́ ... здесь у́тром. Ви́ктор обы́чно ... в друго́м ме́сте. А вы́ где́ отдыха́ете? Где́ вы́ гуля́ете? 4. Ле́том мы́ отдыха́ем на Украи́не, в дере́вне. Та́м мы́ гуля́ем, пла́ваем в реке́. Мо́й дру́г о́чень хорошо́ ..., а я́ пло́хо ... . Я́ хочу́ хорошо́ ..., и ле́том я́ мно́го ... . Мы́ ... у́тром, днём и ве́чером.

23. *Translate.*

This is the Volga. The Volga is a very beautiful river. In the summer we lived in that house. Opposite is the Volga. On the right is a village. On the left is a school. Previously my sister lived in that village. She worked at that school. Now she works in the city. We lived in that village in July and August. We vacationed there. We often lived in the village.

Unit 5

I

> Это ко́мната **сы́на.**
> Балти́йское мо́ре на за́паде **страны́.**
> Писа́тель расска́зывает о красоте́ **приро́ды Кавка́за.**
> На ю́ге страны́ мно́го **у́гля.**

II

> Это ко́мната **мое́й сестры́.**
> Это кни́га о приро́де **Се́верного Кавка́за.**

1. *Answer the questions. Write down your answers.*

Model: — Чья́ э́то кни́га? — Это кни́га това́рища.

Анто́н, Оле́г, Ви́ктор, бра́т, инжене́р, вра́ч; А́нна, Ве́ра, Ни́на, сестра́.

Model: О чём он пи́шет? — Он пи́шет о кли́мате Ура́ла.

Евро́па, Аме́рика, А́зия, Кавка́з, Украи́на, А́фрика, Австра́лия.

Model: — Како́й э́то уче́бник? — Это уче́бник хи́мии.
исто́рия, фи́зика, матема́тика, геогра́фия.

2. *Answer the questions. Write down your answers.*

Model: — Чья́ э́то кни́га? (мо́й америка́нский дру́г)
— Это кни́га моего́ америка́нского дру́га.

Че́й э́то журна́л?	э́тот ру́сский студе́нт
Чья́ э́то газе́та?	э́тот молодо́й челове́к
Чьё э́то письмо́?	э́та молода́я же́нщина
Чьи́ э́то кни́ги?	э́та ма́ленькая де́вочка
	э́тот ма́ленький ма́льчик
	мо́й ста́рый това́рищ
	моя́ но́вая подру́га
	на́ш молодо́й профе́ссор

Model: — Чéй э́то до́м? (нáш стáрый учи́тель)
       — Это до́м нáшего стáрого учи́теля.

Чéй э́то до́м? Чья́ э́то маши́на?	э́тот америкáнский инженéр э́та америкáнская студéнтка мо́й отéц э́тот молодо́й человéк э́та стáрая жéнщина э́тот ру́сский журнали́ст

3. *Answer the questions. Write down your answers.*

Model: — Это тво́й учéбник?
       — Нéт, э́то учéбник моего́ дру́га.

1. Это твоё письмо́? (моя́ сестрá) 2. Это тво́й журнáл? (моя́ подру́га) 3. Это вáш портфéль? (моя́ мáма) 4. Это тво́й карандáш? (тво́й брáт) 5. Это вáша ру́чка? (мо́й дру́г) 6. Это твоя́ кни́га? (нáш профéссор) 7. Это вáша газéта? (э́тот студéнт)

4. *Compose sentences and write them down.*

Model: Это мо́й брáт. Это его́ ко́мната. — Это ко́мната моего́ брáта.

1. Это мо́й сы́н. Это его́ словáрь. 2. Это нáш врáч. Это его́ маши́на. 3. Это мо́й дру́г. Это его́ кни́га. 4. Это мо́й брáт. Это его́ семья́. 5. Это моя́ сестрá. Это её карти́ны. 6. Это нáш студéнт. Это его́ статья́. 7. Это Моско́вский университéт. Это лаборато́рия. 8. Это нáш институ́т. Это библиотéка. 9. Это моя́ сестрá. Ви́ктор её му́ж. 10. Это нáша студéнтка. Олéг её брáт. 11. Это мо́й дру́г. А́нна его́ женá.

5. *Complete the sentences. Use the words* журнáл, газéта, письмо́, кни́га, портфéль, словáрь, учéбники, карти́ны. *Write out the sentences.*

Model: Это Ивáн. Это портрéт Ивáна. Это его́ портрéт.
       Это я́.   —   Это мо́й портрéт.

1. Это А́нна. Это ... . 2. Это Сергéй. Это ... . 3. Это мы́. Это ... . 4. Это вы́. Это ... . 5. Это профéссор. Это ... . 6. Это Натáша. Это ... . 7. Это Ви́ктор и Лéна. Это ... . 8. Это А́нна Ивáновна. Это ... .

6. *Translate.*

1. This is Viktor. This is his room. 2. These are my brother and sister. They are students. These are their textbooks. 3. This is my friend. He is a physicist. This is his article. 4. Lena's father is a writer. This is his book.

7. *Translate.*

1. This is a map of the Ukraine. The capital of the Ukraine is Kiev. 2. "Do you know where Oleg lives?" "He lives on Pushkin Street." "In which house?" "In House No. 2." 3. "Can you tell me where the Bolshoi Theater is?" "The Bolshoi Theater is on Marx Avenue." 4. "What class is in progress now?" "The chemistry class." "What textbook is there on the table?" "There is the geography textbook on the table."

5. In the south of the country there is the Black Sea, in the east of the country there is the Pacific Ocean.

III
> А́нна **чита́ет кни́гу.**
> **Что́** она́ чита́ет?
> А́нна **зна́ет Ви́ктора и Ве́ру.**
> **Кого́** она́ зна́ет?

IV
> Анто́н чита́ет **но́вый журна́л.**
> А́нна чита́ет **интере́сную кни́гу.**
> А́нна зна́ет **ва́шего бра́та и ва́шу сестру́.**

8. *Supply continuations. Write them down.*

Model: — Это студе́нт Петро́в и студе́нтка Ивано́ва.
— Я зна́ю э́того студе́нта и э́ту студе́нтку.

1. Это учени́к и учени́ца второ́го кла́сса. 2. Это арти́ст и арти́стка Ма́лого теа́тра. 3. Это студе́нтка Лео́нова и профе́ссор Петро́в. 4. Это арти́стка и худо́жник. 5. Это вра́ч и студе́нтка. 6. Это учени́ца на́шей шко́лы и писа́тель.

9. *Complete the sentences. Write them out.*

(a) 1. На у́лице я ви́дел... | ва́ша маши́на, но́вый автобус
2. Он чита́ет... | интере́сная кни́га, иностра́нный журна́л
3. Я ча́сто вспомина́л... | пе́рвый уро́к, на́ша шко́ла, на́ша семья́, Чёрное мо́ре
(b) 1. Мы хорошо́ зна́ем... | э́тот студе́нт и э́та студе́нтка, ваш брат и ва́ша сестра́
2. Вчера́ мы ви́дели на у́лице... | ваш ста́рый друг и ва́ша подру́га, э́та де́вушка и её ста́рый оте́ц, э́та учени́ца и э́тот учени́к

10. *Answer the questions. Write down your answers.*

(a) 1. Что́ вы ви́дите в э́той ко́мнате? | большо́й стол, небольшо́й сту́л, большо́е окно́, но́вый шкаф, ма́ленькая по́лка
2. Что́ вы ви́дите на столе́? | ма́ленькая ру́чка, большо́й каранда́ш, но́вая кни́га, иностра́нный журна́л, небольша́я ка́рта
3. Что́ вы ви́дите на ка́рте? | Се́верная Аме́рика, Ю́жная Аме́рика, Сове́тский Сою́з, Чёрное мо́ре, Се́верное мо́ре, Балти́йское мо́ре
4. Что́ вы ви́дели в музе́е? | ста́рая кни́га, интере́сный портре́т, ста́рая ка́рта, ста́рый журна́л
(b) 1. Кого́ вы ви́дите на э́том портре́те? | мой ста́рый друг, его́ ма́ма, его́ оте́ц, его́ сестра́, его́ брат

2. Кого вы видели сегодня на улице? | наш студент, симпатичная девушка, молодой человек, молодая женщина, чёрная собака

11. *Compose sentences, using the verbs and phrases given below. Write them down.*

видеть | новая библиотека, высокое здание, студенческая газета, этот
слушать | большой город, интересный музей, красивое место, симпатичный
знать | молодой человек, эта русская студентка, этот хороший ученик,
читать | хорошая музыка, интересный рассказ, Московский Кремль, Чёр-
вспоминать | ное море, северная страна, красивая природа, высокая гора.
любить

12. (a) *Complete the sentences, using personal pronouns.*

Model: Я знаю его.

1. Он знает ... . 2. Вчера в театре я видел ... . 3. В университете я не видела ... . 4. В библиотеке мы видели ... . 5. — Ты знаешь Веру Петровну? — Нет, я не знаю ... .

(b) *Answer the questions.*

1. Кого вы здесь знаете? 2. Кого вы видели вчера в театре? 3. Вот портрет. Кого вы здесь знаете и кого не знаете?

13. *Answer the questions. Write down your answers.*

Model: — Ты знаешь Нину Петровну? — Да, я знаю её.
(Нет, я не знаю её).

1. Вы видели Антона? 2. Ты знаешь Веру Никитину? 3. Ты видел вчера профессора Сергеева? 4. Вы знаете Сергея Иванова? 5. Ты видела в библиотеке Анну и Антона? 6. Вы видели вчера в театре Олега, Бориса и Катю?

14. *Answer the questions. Write down your answers.*

Model: — Что вы видели на улице? (новый автобус)
— На улице я видел новый автобус.

очень большой дом, маленькая гостиница, новая больница, новая школа, красивое здание

Model: — Кого вы видели в театре? (моя новая подруга)
— В театре я видел мою новую подругу.

моя старая подруга, наш новый инженер, красивая девушка, молодой человек, мой брат.

Model: — Где ты живёшь? (этот небольшой дом)
— Я живу в этом небольшом доме.

Москва, Бостон, Киев, Рига, Вашингтон, Украина; этот небольшой город, этот большой дом, эта маленькая комната

Model: — Где вы работаете? (большая больница)
— Я работаю в большой больнице.

почта, библиотека, завод, этот большой магазин, этот химический институт, этот небольшой город, наш русский клуб.

15. *Complete the sentences. Write them out.*

Model: 1. Он живёт в Москве.
2. Он пишет об истории Москвы.
3. Он видел Москву.

1. Он живёт...	Таллин, Ленинград, Минск, Одесса, Ташкент,
2. Он пишет об истории...	Киев, Ереван, Украина, Европа, Америка, Бостон,
3. Он видел...	Детройт, Вашингтон, Лондон;
4. Она работает...	наша страна, эта страна;
5. Она очень любит...	ваш город, этот город;
6. Она рассказывает...	ваша улица, эта улица
7. Она хорошо знает...	
8. Он изучает историю...	

16. *Translate.*

This is my brother's room. He is a student at Moscow University. A map of North America hangs on the wall in his room. A friend of his has been there. On the table there is a letter from his old friend. He now lives in Kiev.

17. *Compose sentences with the verbs given below. Write them down.*

Model: (a) Он читает газету, etc. (b) Он читает по-французски, etc. (c) Он читает в библиотеке, etc.

находиться, видеть, стоять, лежать, висеть, писать, рассказывать, вспоминать.

18. *Complete the sentences. Write them out.*

Model: Виктор читал газету.
Виктор читал о Москве.
Виктор жил в Москве.

1. Анна читала...	книга, журнал, письмо, статья;
2. Анна читала о...	Москва, Ленинград, Киев, Рига;
3. Анна живёт...	Бостон, Детройт, Лондон, Вашингтон;
	природа, север, восток, юг, запад

19. *Compose brief exchanges. Use the verbs* работать, изучать *and the following words and phrases.*

Model: — Кто это?
— Это профессор Комаров. Он работает в институте, изучает географию.

студе́нт Петро́в — институ́т — кли́мат Евро́пы; гео́граф Ивано́в — институ́т — приро́да А́зии; профе́ссор Казако́в — университе́т — исто́рия Восто́ка.

Usage of the Verb люби́ть

20. *Read and translate.*

— Я люблю́ чита́ть. А ты́ что́ лю́бишь де́лать? — Я люблю́ рисова́ть. Мо́й друг хорошо́ рису́ет. Он лю́бит рисова́ть приро́ду. Я то́же люблю́ рисова́ть мо́ре. Мы́ лю́бим рисова́ть Москву́.

21. *Supply the verb* люби́ть *in ihe required form. Write out the sentences.*

1. Я ... отдыха́ть на Кавка́зе. 2. Она́ ... пе́ть. Они́ ... слу́шать. 3. Вы́... танцева́ть? 4. Они́ ... рабо́тать в э́той библиоте́ке. 5. Мы́ ... гуля́ть в э́том па́рке. 6. Ра́ньше мы́ ... отдыха́ть в дере́вне.

22. *Translate.*

1. Do you like to read? Here is a new magazine. 2. I want to speak Russian. 3. I don't want to live in this apartment. 4. She doesn't like to sing. 5. Do you want to work here? 6. They like vacationing in summer. 7. I like to dance. How about you? 8. Do you like vacationing in winter? 9. You sister likes drawing. 10. My husband and I do not like to live in a hotel. How about you?

Usage of the Verbs лежа́ть, висе́ть, стоя́ть

23. *Read and translate.*

Анто́н — студе́нт университе́та. Он фи́зик. Это его́ ко́мната. В его́ ко́мнате стои́т сто́л, дива́н, шка́ф. Около окна́ стои́т небольшо́й сто́л. На нём стои́т телеви́зор. О́коло стола́ стои́т сту́л. На столе́ стои́т ла́мпа, ря́дом лежа́т кни́ги, журна́лы, уче́бники. На стене́ вися́т карти́ны, портре́ты.

24. *Supply the verbs* лежа́ть, висе́ть, стоя́ть. *Write out the sentences.*

1. Это больша́я ко́мната. Спра́ва ... шка́ф, сле́ва ... дива́н. О́коло дива́на ... небольшо́й сто́л, на нём ... газе́ты и журна́лы. О́коло окна́ ... большо́й сто́л. На нём ... кни́ги и словари́. На большо́м столе́ ... ла́мпа. На стене́ спра́ва ... портре́т молодо́го челове́ка. Сле́ва ... карти́ны. 2. — Вы́ не ви́дите, кто́ там ...? — Не́т, не ви́жу. 3. — Ты́ не ви́дела мо́й слова́рь? — Ви́дела, он ... на столе́. 4. — А́нна, где́ твоя́ ру́чка? — Она́ ... в портфе́ле.

25. *Translate. Write down your translation.*

1. This is Room No. 8. My friend Robert lives in it. Robert is a student. He is a student of history (*lit.* historian). There is a table, a divan and a bookcase in his room. On the right stands a small table. There is a lamp, and magazines and newspapers on it. On the left stands a bookcase: there are books and dictionaries in it. On the right, a portrait of a beautiful woman hangs on the wall. It is Robert's

mother. On the left hang pictures and a map. 2. "Katya, where is your Russian text-book?" "It's in the briefcase." 3. "Jane, do you know where the dictionary is?" "It is on the table on the right."

Usage of the Verbs петь, танцевать, рисовать

26. (a) *Read and translate.*

Katya sings well. She sings at the student club. Russian and foreign students sing there. My friend also sings there, but I do not sing. I sing badly and I don't want to sing. I listen. The Russian students sing in French and in English. The French students sing in Russian. They sing very well.

(b) *Complete the sentences, using the verb* петь *in the required form.*

Этот молодо́й челове́к хорошо́ ... . Он рабо́тает в теа́тре. Его́ ма́ть то́же ... . И сестра́ ... . Ве́чером до́ма они́ ча́сто .... Я не ... . Мой друг то́же не ... . Мы не ... . Мы слу́шаем, ка́к они́ ... .

27. *Read and translate.*

1. — Серге́й, ты́ рису́ешь?
   — Да́. А вы́ рису́ете?
   — Я о́чень пло́хо рису́ю. Я не худо́жник.
   — Я то́же не худо́жник, я исто́рик.

2. — А́ня, вы́ танцу́ете?
   — Немно́го. Я пло́хо танцу́ю.
   — А мы́ ча́сто танцу́ем. Обы́чно ве́чером мы́ танцу́ем в клу́бе.
   — А кто́ та́м танцу́ет?
   — Та́м танцу́ют студе́нты, молоды́е врачи́, инжене́ры, рабо́чие.

28. *Answer the questions.*

1. У́тром Ю́ра обы́чно рису́ет. А вы́? 2. Мы́ ча́сто танцу́ем в клу́бе. А вы́? А ва́ши това́рищи? 3. Ты́ рису́ешь хорошо́. А тво́й друг?

Unit 6

‖ Студе́нты чита́ли журна́лы, кни́ги, пи́сьма.
‖ Студе́нты чита́ли **интере́сные** журна́лы, кни́ги, пи́сьма.

1. *Answer the questions, using the words given below. Write down your answers.*

Model: Что́ он пи́шет?
Он пи́шет пи́сьма.

1. Я зна́ю, что вы́ бы́ли в Ки́еве. Что́ вы́ та́м ви́дели?
   (музе́й, теа́тр, гости́ница, шко́ла, институ́т, заво́д, са́д, па́рк)
2. Я зна́ю, что вы́ бы́ли в музе́е. Что́ вы́ та́м ви́дели?
   (ста́рая кни́га, журна́л, карти́на, ста́рый портре́т, больша́я ка́рта)

2. *Change the sentences. Write them out.*

Model: Ро́берт чита́ет газе́ту. И мы́ чита́ем газе́ты.

1. Джо́н пи́шет письмо́. 2. В музе́е я́ ви́дел карти́ну, портре́т. 3. А́нна чита́ет журна́л. 4. В э́том го́роде я́ ви́дела музе́й, теа́тр, шко́лу, институ́т. 5. На карти́не я́ ви́жу го́ру, мо́ре.

I │ **Ка́ждый де́нь студе́нты слу́шают ле́кции.**

3. *Answer the questions, using the phrases* ка́ждый де́нь, ка́ждое у́тро, ка́ждый ве́чер, ка́ждый ме́сяц, ка́ждый го́д. *Write down your answers.*

1. Вы́ ча́сто отдыха́ете на ю́ге? 2. Вы́ ча́сто вспомина́ете, ка́к вы́ отдыха́ли ле́том? 3. Вы́ ча́сто расска́зываете, что́ вы́ ви́дели на Украи́не? 4. Вы́ ча́сто гуля́ете в городско́м па́рке? 5. Вы́ ча́сто слу́шаете о́перу? 6. Вы́ ча́сто слу́шаете ра́дио? 7. Вы́ ча́сто слу́шаете му́зыку? 8. Вы́ ча́сто пи́шете по-ру́сски? 9. Вы́ ча́сто чита́ете по-ру́сски? 10. Вы́ ча́сто говори́те по-ру́сски?

4. *Supply continuations. Use* ка́ждый де́нь, ка́ждое у́тро, ка́ждый ве́чер, ка́ждый ме́сяц, ка́ждый го́д. *Write out your sentences.*

Model: Я люблю́ слу́шать му́зыку. Я слу́шаю му́зыку ка́ждый де́нь.

1. Я люблю́ чита́ть газе́ты, журна́лы. 2. Я люблю́ гуля́ть. 3. Бори́с лю́бит отдыха́ть на ю́ге. 4. Джо́н лю́бит пла́вать. 5. Мэ́ри лю́бит слу́шать о́перу. 6. Ро́берт лю́бит смотре́ть бале́т. 7. Джо́н лю́бит писа́ть пи́сьма.

Анто́н реша́л э́ту зада́чу.	Анто́н реши́л э́ту зада́чу.
Вчера́ ве́чером Анто́н реша́л зада́чу, а мы́ смотре́ли телеви́зор.	Вчера́ ве́чером Анто́н реши́л э́ту зада́чу.
Ле́том Анто́н ча́сто отдыха́л на ю́ге.	Ле́том Анто́н хорошо́ отдохну́л на ю́ге.
Анто́н бу́дет реша́ть э́ту зада́чу.	Анто́н реши́т э́ту зада́чу.
За́втра ве́чером Анто́н бу́дет реша́ть зада́чу.	За́втра ве́чером Анто́н реши́т э́ту зада́чу.
Анто́н бу́дет ча́сто отдыха́ть на ю́ге.	Анто́н хорошо́ отдохнёт на ю́ге.

5. *Complete the sentences.*

Model: И́горь до́лго писа́л письмо́, а я́...
И́горь до́лго писа́л письмо́, а я́ бы́стро написа́л письмо́.

1. Серге́й до́лго рисова́л портре́т сестры́, а я́... 2. Учи́тель до́лго расска́зывал о приро́де Украи́ны, а учени́к... 3. Ви́ктор до́лго чита́л расска́з, а его́ това́рищ... 4. Я до́лго гото́вил уро́к, а мо́й дру́г... 5. Он сего́дня до́лго чита́л докла́д, а я́..

6. *Complete the sentences, using the verbs on the right in the required aspect. Write out the sentences.*

1. Оле́г сказа́л, что э́то о́чень интере́сная статья́. Он ... её вчера́.	чита́ть/прочита́ть
2. Пётр мно́го рабо́тал, о́н ... докла́д.	писа́ть/написа́ть
3. Профе́ссор сказа́л, что Ви́ктор хорошо́ отвеча́л. Ви́ктор ... э́тот вопро́с хорошо́.	изуча́ть/изучи́ть
4. Дже́йн ... те́кст, пото́м она́ написа́ла упражне́ние.	переводи́ть/перевести́
5. Ви́ктор Петро́вич и А́нна Ива́новна всегда́ ... ле́том. В сентябре́ они́ бы́ли на Украи́не. Они́ ... о́чень хорошо́.	отдыха́ть/отдохну́ть

7. *Supply continuations. Write them down.*

Model: Дже́йн написа́ла письмо́ домо́й. Она́ ча́сто пи́шет пи́сьма домо́й.

1. Ка́тя хорошо́ отдохну́ла на ю́ге. 2. Серге́й нарисова́л но́вый портре́т. 3. Ве́ра рассказа́ла о Ленингра́де. 4. Никола́й реши́л тру́дную зада́чу. 5. Дже́йн перевела́ те́кст. 6. Ви́ктор прочита́л нау́чную статью́.

8. *Compose brief exchanges, using the verbs* переводи́ть/перевести́ (статью́); чита́ть/прочита́ть (газе́ту); изуча́ть/изучи́ть (докуме́нты); писа́ть/написа́ть (докла́д).

Model: — Ты́ прочита́л э́ту кни́гу?
— Не́т, ещё чита́ю.

9. *Supply continuations. Write them down.*

Model: У́тром я прочита́л газе́ту.
Я чита́ю газе́ты ка́ждый де́нь.

1. Ве́чером я написа́ла письмо́. 2. Ле́том мы́ хорошо́ отдохну́ли на ю́ге. 3. Сего́дня Анто́н реши́л зада́чу. 4. У́тром Мэ́ри перевела́ те́кст. 5. Вчера́ Джо́н получи́л письмо́.

10. *Supply continuations. Write them down.*

Model: Сего́дня у́тром я чита́л интере́сную кни́гу. За́втра у́тром я то́же бу́ду чита́ть интере́сную кни́гу.

1. Сего́дня ве́чером я написа́л упражне́ние. 2. Сего́дня Анто́н рассказа́л о ле́тней пра́ктике. 3. Вчера́ в шко́ле мы́ реша́ли тру́дную зада́чу. 4. Сего́дня о́н нарисова́л небольшу́ю карти́ну. 5. Сего́дня у́тром мы́ слу́шали му́зыку.

11. *Change the sentences. Write them out.*

Model: Ни́на до́лго писа́ла письмо́. — Ни́на бу́дет до́лго писа́ть письмо́.
Ни́на бы́стро написа́ла письмо́. — Ни́на бы́стро напи́шет письмо́.

35

1. Ка́тя до́лго чита́ла расска́з. Ка́тя бы́стро прочита́ла расска́з. 2. Джон писа́л по-ру́сски ка́ждый день. Джон сего́дня написа́л письмо́ по-ру́сски. 3. Ви́ктор до́лго гото́вил докла́д. Ви́ктор бы́стро пригото́вил докла́д. 4. Серге́й до́лго рисова́л портре́т отца́. Серге́й бы́стро нарисова́л портре́т сестры́. 5. Они́ до́лго изуча́ли приро́ду э́того райо́на. Они́ хорошо́ изучи́ли исто́рию э́той страны́. 6. Он до́лго переводи́л э́ту статью́. Он бы́стро перевёл тру́дную статью́.

12. *Change the sentences. Write them out.*

Model: Ви́ктор ко́нчил писа́ть статью́. — Он написа́л статью́.

1. Ни́на ко́нчила переводи́ть текст. 2. Ро́берт ко́нчил реша́ть зада́чу. 3. Ве́ра ко́нчила гото́вить уро́ки. 4. Ка́тя ко́нчила чита́ть расска́з. 5. Они́ ко́нчили стро́ить шко́лу ме́сяц наза́д. 6. Ро́берт ко́нчил писа́ть докла́д час наза́д.

Model: Ви́ктор ко́нчит писа́ть статью́ в сентябре́.
        Ви́ктор напи́шет статью́ в сентябре́.

1. Ка́тя ко́нчит переводи́ть расска́з ве́чером. 2. Ве́ра ко́нчит реша́ть зада́чу и бу́дет смотре́ть телеви́зор. 3. Ни́на ко́нчит гото́вить уро́ки и бу́дет чита́ть. 4. Джу́ди ко́нчит переводи́ть текст, пото́м мы бу́дем слу́шать му́зыку. 5. Оле́г ко́нчит чита́ть журна́л, пото́м его́ бу́ду чита́ть я. 6. Они́ ко́нчат стро́ить шко́лу в ию́ле. 7. Ро́берт ко́нчит писа́ть докла́д за́втра.

13. *Complete the sentences, using the verbs on the right in the required aspect. Write out the sentences.*

1. — Никола́й, что ты бу́дешь де́лать ве́чером?	чита́ть/
— ... и ... текст.	прочита́ть
2. — Ты ещё чита́ешь э́тот журна́л?	переводи́ть/
— Да, ...	перевести́
— А когда́ ты ко́нчишь чита́ть?	чита́ть/
— Я ... его́ за́втра.	прочита́ть
3. — Мэ́ри, ты написа́ла пя́тое упражне́ние?	писа́ть/
— Да, ...	написа́ть
4. — Это тру́дная зада́ча. Я до́лго ... её и	реша́ть/
	реши́ть·
5. — Том, когда́ ты бу́дешь реша́ть зада́чу?	писа́ть/
	написа́ть
— Снача́ла ... упражне́ние, а пото́м ... зада́чу.	реша́ть/
	реши́ть

II	**Когда́** я **слу́шаю** му́зыку, я **отдыха́ю.** **Когда́** он **уви́дел** А́нну, он **реши́л** нарисова́ть её портре́т.

III	Оле́г хорошо́ зна́ет англи́йский язы́к, **потому́ что** он **мно́го чита́ет** и **говори́т по-англи́йски.**

14. *Translate.*

(a) 1. На семинáре Пётр прочитáл доклáд. Он читáл доклáд дóлго. 2. Антóн дóлго переводи́л э́тот тéкст. Он хорошó перевёл тéкст. 3. Пётр бы́стро перевёл тéкст, потомý что прочитáл егó дóма. 4. Студéнты дóлго переводи́ли тéкст, потомý что он бы́л трýдный. 5. Лéтом студéнты отдыхáли на Сéверном Кавкáзе. Они́ хорошó отдохнýли. 6. Студéнты стрóили в дерéвне нóвую шкóлу. Они́ пострóили её бы́стро.

(b) 1. Лéтом студéнты бýдут рабóтать в дерéвне. Они́ бýдут стрóить больни́цу и клýб. Сначáла они́ пострóят больни́цу, а потóм пострóят клýб. 2. Когдá Олéг прочитáет э́ту интерéсную кни́гу, её бýдет читáть Сергéй. 3. Когдá Сергéй переведёт тéкст, он бýдет писáть упражнéния.

15. *Combine each pair of simple sentences into a complex sentence, using the conjunction* когдá. *Write out the complex sentences.*

Model: Ви́ктор жи́л в Ленингрáде. Он учи́лся в университéте. — Когдá Ви́ктор жи́л в Ленингрáде, он учи́лся в университéте.

1. Рóберт бы́л в Москвé. Он слýшал óперу «Евгéний Онéгин» в Большóм теáтре. 2. Джéйн отдыхáла на Кавкáзе. Онá мнóго плáвала. 3. Тóм и Ви́ктор бы́ли в Ленингрáде. Они́ ви́дели Эрмитáж, Рýсский музéй. 4. Сергéй перевёл расскáз. Он написáл упражнéние. 5. Ви́ктор прочитáл тéкст. Он написáл письмó. 6. Николáй писáл доклáд. Он слýшал мýзыку.

16. *Change the sentences, as in the model. Write them out.*

Model: Пóсле окончáния шкóлы Вéра бýдет учи́ться в университéте. — Когдá Вéра кóнчит шкóлу, онá бýдет учи́ться в университéте.

1. Пóсле окончáния институ́та Михаи́л бýдет рабóтать на завóде. 2. Пóсле окончáния институ́та мóй дрýг бýдет рабóтать в Ленингрáде. 3. Пóсле окончáния институ́та Áнна Ивáновна рабóтала в больни́це. 4. Пóсле окончáния шкóлы Бори́с поступи́л на завóд.

17. *Answer the questions.*

1. Чтó вы́ читáли у́тром? 2. Чтó вы́ дéлали, когдá прочитáли газéту (кни́гу)? 3. Гдé вы́ рабóтали днём? Дóма? В библиотéке? 4. Чтó вы́ тáм дéлали? 5. Чтó вы́ сдéлали сначáла, а чтó сдéлали потóм? 6. Чтó вы́ дéлали вéчером? Кáк вы́ отдыхáли?

18. *Translate. Write down your translation.*

1. Today Robert did the homework badly because he was preparing a report yesterday. 2. Anton solved this difficult problem quickly because he is a good mathematician. 3. Pyotr knows Moscow well because he is a Muscovite. 4. Oleg is not a Muscovite. He lives in Moscow now because he studies at Moscow University. 5. Sergei knows this period of the country's history well because he has worked hard. 6. It took Robert a long time to translate the text because he had not learned the words.

19. *Combine each pair of simple sentences into a complex sentence, using the conjunction* когда́ *or* потому́ что.

1. Пётр бу́дет рабо́тать в Но́вгороде. Ви́ктор бу́дет рабо́тать в дере́вне. 2. В до́ме э́того журнали́ста везде́ вися́т фотогра́фии Пари́жа. Он до́лго жил во Фра́нции. 3. Серге́й переводи́л текст. Оле́г писа́л упражне́ния. 4. Ри́чард до́лго чита́л э́тот расска́з. Это был большо́й расска́з. 5. А́нна бы́стро прочита́ла рома́н. Это был интере́сный рома́н.

> на ле́кции
> на семина́ре
> на уро́ке

20. *Answer the questions, using the words* ле́кция, семина́р, уро́к, курс, стадио́н, у́лица.

1. Где вы бы́ли у́тром? 2. Где вы переводи́ли текст? 3. Где вы мно́го говори́те по-ру́сски? 4. Где Джон де́лал докла́д? 5. На како́м ку́рсе у́чится Ви́ктор? 6. Где вы бы́ли ве́чером? 7. На како́й у́лице вы живёте? А где живёт ваш друг?

21. *Complete the sentences. Write them out.*

1. Это Украи́на. Мой брат живёт ... . 2. Это Ки́ев. Ян рабо́тает ... . 3. Ка́тя — москви́чка. Она́ живёт ... . 4. Вчера́ был семина́р. Ро́берт де́лал докла́д ... . 5. Бори́с — студе́нт второ́го ку́рса Моско́вского университе́та. Он у́чится ... . 6. Это институ́т. Никола́й рабо́тает ... . 7. У́тром была́ ле́кция. У́тром Ка́рин была́ ... . 8. Это шко́ла. Мари́я Петро́вна рабо́тает ... . 9. Там больни́ца. А́нна Ива́новна рабо́тает ... .

22. *Complete the sentences. Write them out.*

У́тром они́ бы́ли ... .
Серге́й Никола́евич расска́зывал ... .

> институ́т, университе́т, шко́ла;
> уро́к, ле́кция, семина́р.

23. *Answer the questions, using the words* заво́д, семина́р, уро́к, университе́т, институ́т, библиоте́ка. *Write down your answers.*

1. Где Ви́ктор рабо́тал ле́том? 2. Где А́нна была́ у́тром? 3. Где студе́нты чита́ли и переводи́ли текст? 4. Где у́чится Оле́г? 5. Где рабо́тает ваш това́рищ?

24. *Complete the sentences.*

Он изуча́ет...
Они́ говори́ли...
Вчера́ мы бы́ли...

> ру́сская литерату́ра, америка́нская исто́рия, интере́сный докуме́нт, э́тот пери́од, неме́цкий язы́к, ру́сская му́зыка; приро́да, фи́зика, матема́тика; уро́к ру́сского языка́, интере́сная ле́кция, семина́р

IV

> Мой брат ко́нчил шко́лу в **1976 году́.**
> В како́м году́ он ко́нчил шко́лу?

25. *Answer the questions. Write down your answers.*

1. Когда́ Ве́ра ко́нчила шко́лу? (1977 год) Когда́ она́ поступи́ла в институ́т? (1978 год) 2. Когда́ Йра поступи́ла в шко́лу? (1975 год) Когда́ она́ ко́нчит её? (1985 год) 3. Когда́ Никола́й поступи́л в институ́т? (1973 год) Когда́ он ко́нчил его́? (1978 год) 4. Когда́ Джон был в Москве́? (1974 год) 5. Когда́ Ро́берт был в Ле-нингра́де? (1971 год)

26. *Ask questions and answer them. Write down your answers.*

Model: Джейн ко́нчила шко́лу. (э́тот год)
Когда́ Джейн ко́нчила шко́лу? — Она́ ко́нчила шко́лу в э́том году́.

1. А́нна жила́ в Ки́еве. (1961 год) 2. В э́том райо́не бу́дет но́вая больни́ца. (1982 год) 3. Ма́ша ко́нчила университе́т. (про́шлый год) 4. Джон учи́лся в Москве́. (1972 год) 5. Ни́на реши́ла изуча́ть францу́зский язы́к. (э́тот год) 6. Студе́нты со́здали в университе́те студе́нческий теа́тр. (про́шлый год)

Usage of the Verb говори́ть/сказа́ть

27. *Read and translate.*

1. Ни́на о́чень лю́бит говори́ть. Она́ всегда́ мно́го говори́т. Сейча́с она́ изуча́ет францу́зский язы́к, поэ́тому она́ мно́го говори́т по-францу́зски. Она́ ещё пло́хо говори́т по-францу́зски. Ни́на говори́т, что она́ хо́чет хорошо́ говори́ть по-францу́зски. 2. Ви́ктор сказа́л, что Пётр сейча́с рабо́тает на Ура́ле. 3. Джон сказа́л, что Мэ́ри сде́лала о́чень интере́сный докла́д. 4. Ка́тя сказа́ла, что на пра́ктике она́ бу́дет изуча́ть приро́ду Се́верного Кавка́за. 5. По́сле теа́тра они́ мно́го говори́ли о совреме́нной му́зыке. А́нна Ива́новна сказа́ла, что она́ не понима́ет совре-ме́нную му́зыку.

28. *Supply the verb* говори́ть/сказа́ть. *Write out the sentences.*

1. — Вы ... по-ру́сски? — Да, ... — А по-францу́зски? — По-францу́зски не ... . 2. — Серге́й зна́ет, что за́втра бу́дет семина́р? — Да, зна́ет. Я ..., что за́втра бу́-дет семина́р. 3. По́сле посеще́ния музе́я они́ мно́го ... о ру́сской архитекту́ре. 4. — Оле́г, ты зна́ешь, что ле́том мы бу́дем рабо́тать в Но́вгороде? — Да, зна́ю, Серге́й ... об э́том. 5. Бори́с о́чень лю́бит геогра́фию. Он ..., что по́сле шко́лы он реши́л поступа́ть на географи́ческий факульте́т.

Usage of the Verb конча́ть/ко́нчить

29. *Read and translate.*

1. Ве́ра ко́нчила шко́лу в про́шлом году́. По́сле шко́лы она́ поступи́ла на хи-ми́ческий факульте́т. Когда́ она́ ко́нчит университе́т, она́ бу́дет рабо́тать в лабо-рато́рии. 2. Мой брат конча́ет шко́лу в э́том году́. По́сле шко́лы он хо́чет рабо́тать на заво́де. 3. А́нна, ты написа́ла статью́? — Нет ещё. Я ду́маю, что ко́нчу писа́ть её за́втра. 4. Вы не зна́ете, Ви́ктор Петро́вич ко́нчил писа́ть кни́гу о ру́сском те-а́тре? — Да, ко́нчил. Я уже́ чита́л э́ту кни́гу. 5. — Ка́тя, ты уже́ написа́ла до-кла́д? — Нет, я ещё то́лько ко́нчила собира́ть материа́л.

30. *Put the words in brackets in the required form. Write out the sentences.*

1. Сейчас Зина — студентка университета. Она кончила ... (школа) в этом году. 2. — Катя, ты написала упражнение? — Да, я кончила ... (писать/написать) его час назад. 3. Иван, ты решил задачу № 9? — Нет, я ещё не кончил ... (решать/решить) её. 4. Антон поступил в университет в 1969 году. Он кончил ... (он) 4 года назад. 5. — Мария Ивановна, вы кончили ... (читать/прочитать) этот журнал? — Нет, ещё не кончила. Я думаю, что кончу ... (читать/прочитать) его завтра.

Unit 7

В Москве есть университет.	В Курске нет университета.
В этом городе был (будет) университет.	В этом городе не было (не будет) университета.

1. *Answer the questions.*

Model: — В этом городе есть театр?
— Да, в городе есть театр. (— Да, есть.)

1. В вашем городе есть университет? 2. В этом университете есть физический факультет? 3. В университете есть филологический факультет? 4. На этом факультете есть библиотека? 5. В библиотеке есть русско-английские словари? 6. Там есть учебники русского языка?

2. *Compose sentences and write them down.*

Model: гостиница — ресторан
В гостинице есть ресторан.

университет — студенческий театр, этот район — парк, гостиница — почта, деревня — школа, этот город — театр, школа — библиотека, эта улица — магазин, факультет — лаборатория, наш институт — клуб.

3. *Answer the questions.*

Model: — Это библиотека?
— Нет. Здесь раньше была библиотека.

1. Это театр? 2. Это гостиница? 3. Это больница? 4. Это здание института? 5. Это здания больницы? 6. Это медицинский факультет? 7. Это общежитие? 8. Это студенческое кафе? 9. Это стадион? 10. Это клуб? 11. Здесь выставка картин?

40

4. *Answer the questions, using the words in brackets.*

1. — Сейча́с в э́том зда́нии библиоте́ка музе́я.— А что́ здесь бы́ло ра́ньше? (музе́й) 2. — Вон в том зда́нии нахо́дится рестора́н.— А что́ там бы́ло ра́ньше? (студе́нческое кафе́) 3. — Это гости́ница. — А что́ здесь бы́ло ра́ньше? (общежи́тие) 4. — Вон там но́вая больни́ца. — А что́ там бы́ло ра́ньше? (зда́ние институ́та) 5. — Вот но́вая лаборато́рия.— А что́ здесь бы́ло ра́ньше? (больша́я аудито́рия).

5. *Answer the questions. Write down your answers.*

Model: — Что́ здесь бу́дет?
— Здесь бу́дет стадио́н.

1. Что́ здесь бу́дет? (но́вое зда́ние) 2. Что́ бу́дет на э́том ме́сте? (городска́я больни́ца) 3. Что́ бу́дет в э́той аудито́рии? (лаборато́рия) 4. Что́ бу́дет в э́том зда́нии? (библиоте́ка) 5. Что́ бу́дет о́коло реки́? (но́вые дома́) 6. Что́ бу́дет в це́нтре го́рода? (па́мятник)

6. *Complete the sentences and write them out.*

Model: В ва́шем го́роде есть теа́тр, а в на́шем го́роде нет теа́тра.

1. О́коло реки́ есть па́рк, а в це́нтре го́рода ... . 2. На пе́рвом этаже́ есть лаборато́рия, а на второ́м ... . 3. В ва́шем университе́те есть географи́ческий факульте́т, а в на́шем ... . 4. Я бу́ду отдыха́ть в дере́вне, потому́ что там есть река́, а в го́роде ... . 5. В столи́це есть университе́т, а в на́шем го́роде ... . 6. На э́той у́лице есть гости́ница, а на той ... .

7. *Answer the questions.*

Model: — Здесь есть кинотеа́тр?
— Нет, здесь нет кинотеа́тра.

1. На э́той у́лице есть рестора́н? 2. В институ́те есть студе́нческий клуб? 3. В э́том го́роде есть гости́ница? 4. В э́том журна́ле есть ва́ша статья́? 5. В э́том до́ме есть телефо́н? 6. На э́той у́лице есть апте́ка? 7. В э́том райо́не есть больни́ца?

Model: — Вчера́ была́ ле́кция?
— Нет, вчера́ не́ было ле́кции.

1. Вчера́ был семина́р? 2. Вчера́ был ваш докла́д? 3. В апре́ле была́ конфере́нция? 4. В конце́ декабря́ в клу́бе был конце́рт? 5. В э́том году́ в музе́е была́ фотовы́ставка? 6. В клу́бе бы́ло обсужде́ние студе́нческого журна́ла?

II	У студе́нта есть уче́бник.	У студе́нта нет уче́бника.
	У студе́нта был (бу́дет) уче́бник.	У студе́нта не́ было (не бу́дет) уче́бника.

8. *Answer the questions.*

Model: — У меня́ е́сть бра́т. А у Ви́ктора?
— У него́ то́же е́сть бра́т.

1. У Ле́ны е́сть бра́т. А у ва́с? 2. У Иры е́сть подру́га. А у Ни́ны? 3. У То́ма е́сть дру́г. А у Джо́на? 4. У Са́ши е́сть соба́ка. А у Оле́га? 5. Сего́дня у на́с е́сть семина́р. А у ва́с? 6. У Анто́на е́сть биле́т. А у Ве́ры и Бори́са?

9. *Change the form of each question, replacing the names by the personal pronouns* он, она́, они́.

1. Это моя́ подру́га Ве́ра. — У Ве́ры е́сть бра́т? 2. Я собира́ю ста́рые кни́ги.— У Андре́я е́сть ста́рые кни́ги? 3. Ни́на и Та́ня изуча́ют францу́зский язы́к. — У Ни́ны и Та́ни е́сть уче́бник францу́зского языка́? 4. Оле́г бу́дет сего́дня переводи́ть статью́. — У Оле́га е́сть слова́рь? 5. Сего́дня ве́чером я́ бу́ду у Ка́ти. — У Ка́ти е́сть телеви́зор? 6. Бори́с Петро́вич — моско́вский писа́тель. — У Бори́са Петро́вича е́сть расска́зы о Москве́? 7. Это Жа́н. Он францу́з. — У Жа́на е́сть ру́сские друзья́?

10. *Answer the questions, using personal pronouns and the following words and phrases:* мо́й дру́г, моя́ сестра́, мо́й бра́т, молодо́й челове́к, Ма́ша, Оле́г.

1. У кого́ е́сть уче́бник англи́йского языка́? 2. У кого́ е́сть а́нгло-ру́сский слова́рь? 3. У кого́ е́сть ру́чка и́ли каранда́ш? 4. У кого́ е́сть но́мер телефо́на профе́ссора Ма́ркова? 5. У кого́ е́сть пя́тый но́мер журна́ла «Москва́»? 6. Я не зна́ю Ви́ктора Никити́ча. У ва́с е́сть его́ фотогра́фия? 7. У кого́ е́сть уче́бник хи́мии?

11. *Change the sentences, using the words on the right instead of the personal pronouns.*

1. У меня́ е́сть а́дрес городско́й больни́цы. 2. У него́ е́сть но́вые истори́ческие докуме́нты. 3. Я зна́ю, что у ва́с е́сть кни́га об исто́рии на́шего университе́та. 4. Я ду́маю, что у него́ е́сть но́вые фотогра́фии Ленингра́да.

| на́ш вра́ч |
| э́тот студе́нт |
| ва́ш дру́г |
| э́тот аспира́нт |
| э́тот челове́к |
| э́та же́нщина |

12. *Ask questions and answer them, using the words on the right. Pay attention to the word order in the answers.*

Model: — У кого́ е́сть э́тот журна́л?
— Э́тот журна́л е́сть у мое́й подру́ги.
(— У мое́й подру́ги.)

кни́га о Сове́тском Сою́зе, ка́рта Евро́пы, а́нгло-ру́сский слова́рь, истори́ческий рома́н, э́тот расска́з, уче́бник фи́зики

| мо́й оте́ц, моя́ |
| сестра́, его́ бра́т, |
| э́та студе́нтка, |
| тво́й това́рищ, |
| ва́ша подру́га, |
| на́ш профе́ссор, |
| ты́, о́н, она́, мы́, |
| вы́, они́ |

13. *Complete the sentences and write them out.*

Model: — У меня есть сестра, а у моего друга нет сестры.

1. У моего друга есть машина, а у меня … . 2. У меня есть учебник русского языка, а у моего друга … . 3. У тебя есть сегодня лекция, а у меня … . 4. У Веры есть адрес Виктора, а у нас … . 5. У Тани есть этот словарь, а у меня … .

14. *Insert the words in brackets in the required form. Write out the sentences.*

1. Сегодня у нас нет … (семинар). 2. В нашем городе нет … (театр). 3. В этой гостинице нет … (ресторан). 4. У него ещё нет … (план работы). 5. В этом районе нет … (парк). 6. У моего товарища нет … (сестра). 7. У меня нет … (газета). 8. На этой улице нет … (кинотеатр). 9. В нашем городе нет .. (музей). 10. У меня нет … (этот словарь). 11. У Нины нет … (этот учебник). 12. У него нет … (эта книга).

15. *Give negative answers.*

Model: — У меня есть газета «Известия». А у вас?
        — У меня нет этой газеты.

1. У него есть журнал «Советский Союз». А у вас? 2. У Виктора дома есть библиотека. А у вас? 3. У нас есть русско-английский словарь. А у вас? 4. У меня есть статья о современном театре. А у вас? 5. У Андрея есть фотографии Ленинграда. А у вас? 6. Сегодня у нас есть урок русского языка. А у вас?

16. *Ask your friend how large his/her family is: whether he/she has a father, mother, sister, husband, wife, children.*

Model: — У вас есть семья?
        — Да, у меня есть семья.
        (— Нет, у меня нет семьи.).

17. *Ask questions and answer them. Use the words given below. Write down your questions and answers.*

Model: — В этом районе есть лес?
        — Да, в этом районе есть лес.
        (— Нет, в этом районе нет леса.)

эта деревня — река, ваш город — гостиница, этот учебник — словарь, этот журнал — статья профессора Сомова

Model: — У вас есть сестра?
        — Да, у меня есть сестра.
        (— Нет, у меня нет сестры.)

Фёдор — брат, Антон — жена, она — карта Москвы, этот писатель — исторический роман, эта студентка — ваша статья

Model: — У вас в деревне есть река?
        — Да, у нас в деревне есть река.
        (— Нет, у нас в деревне нет реки.)

они — институт — лаборатория, вы — город — театр, он — дом — библиотека

43

18. *Translate.*

1. When I was at school, I had a friend. 2. There was a girl in our class: she sang very well. 3. Yesterday we had lectures, and today we had a seminar. Tomorrow we'll also have lectures. 4. Tomorrow I'll have a concert at the Conservatory. 5. Yesterday my friend made a report at the conference.

19. *Change the sentences, as in the model, and write them out.*

Model: Завтра у меня будет концерт.
Вчера у меня был концерт.

1. Завтра у нас будет семинар. 2. Завтра у них будет лекция, а у нас будет урок английского языка. 2. Завтра у нас в клубе будет концерт. 4. Завтра будет обсуждение работы Петра Комарова. 5. Завтра в театре будет интересный спектакль.

20. *Read and translate.*

1. У меня был доклад на семинаре, а у Виктора не было доклада на семинаре. 2. — Вы прочитали мою статью? — Нет. У меня не было вашей статьи. 3. Сегодня у нас не было урока и завтра не будет.

21. *Change the sentences, as in the model.*

Model: У нас в институте нет общежития.
Раньше у нас в институте не было общежития.

1. В нашем доме нет магазина. 2. На нашей улице нет дома № 10. 3. Наш город очень маленький. Его нет на этой карте. 4. У нас в этом году нет практики. 5. У нас в клубе нет художника.

22. (a) *Translate the text into English and write it down.*
(b) *Translate your English text back into Russian and compare your translation with the original text.*

Саша учится в школе. Сегодня у него в школе будет урок французского языка. Его товарищи готовят уроки. У каждого ученика есть учебник французского языка и словарь. Только у Саши нет учебника. Неделю назад у него был учебник. Сейчас он не знает, где его учебник. Сегодня Саша будет готовить уроки в библиотеке. У него нет учебника.

23. *Read and translate. Account for the use of* есть *in some sentences and its absence in the others.*

1. У русского человека есть имя и отчество. У этой девушки красивое имя. 2. — У вас есть дом? — Да, есть. — У вас большой дом? 3. У меня есть англо-русский словарь. У меня англо-русский словарь, а у него — русско-английский. 4. У вас есть карта Америки? У вас карта Северной Америки, а у меня карта Южной Америки.

44

24. *Answer the questions and write down your answers.*

1. У вас есть учебник немецкого языка? У вас новый учебник? 2. У вас есть карандаш? У вас чёрный карандаш? 3. На вашей улице есть кинотеатр? Это большой кинотеатр? 4. У вас в городе есть парки? У вас в городе красивые парки? 5. У вас в городе есть стадион? У вас в городе большой стадион? 6. У вас есть карта? У вас карта Европы? 7. У вас в университете есть клуб? У вас хороший студенческий клуб?

25. *Complete the sentences, as in the model.*

Model: У меня есть словарь, а у него нет.
У меня большой словарь, а у него маленький.

1. У него есть американский журнал, а ... . У него американский журнал, а ... . 2. У тебя есть учебник английского языка, а ... . У тебя учебник английского языка, а ... . 3. У вас в городе есть литературный музей, а ... . У вас в городе литературный музей, а ... . 4. У вас в университете есть новый стадион, а ... . У вас в университете новый стадион, а ... .

26. *Give affirmative or negative answers to the questions.*

Model: — У вас есть эта книга?
— Да, у меня есть эта книга.
(— Нет, у меня нет этой книги.)
or: — У него интересная статья?
— Да, у него интересная статья.
(— Нет, у него неинтересная статья.)

1. У вас есть новый учебник? 2. У него интересная работа? 3. У вас трудная задача? 4. У вас есть текст урока? 5. У неё интересный доклад? 6. У вас есть брат? 7. У него есть семья? 8. У него большая семья? 9. У вас сейчас хорошая погода? 10. У вас в стране хороший климат? 11. У вас на факультете есть химическая лаборатория?

27. *Complete the sentences, using proper names in the required form.*

1. Его мать зовут Анна Петровна. Вчера я видел ... . Это дочь ... . Мы говорили об ... . 2. В университете я увидел Виктора Петровича. Её отца зовут ... . Это статья ... . 3. Её зовут Джейн Браун. Вчера мы видели ... . Мы говорили о ... . 4. Это Роберт Джонсон. Это дом ... . Он написал работу о ... . Он знал ... .

28. *Complete the sentences, using proper names in the required form.*

1. Николай Петрович — наш друг. Это сын ..., а Таня — дочь ... . 2. Его имя ... (Николай), а отчество ... (Петрович). 3. В этой книге автор рассказывает о жизни ... (Александр Сергеевич Пушкин). 4. Вчера я видел ... (Сергей Николаевич). 5. Они говорили о ... (Павел Иванович) 6. Это дочь ... (Анна Ивановна). 7. Я знаю ... (Ирина Сергеевна). 8. Он написал книгу о ... (Галина Сергеевна Уланова). 9. Её имя ... (Вера Павловна).

29. *Complete the sentences.*

1. Сергей Николаевич — это полное имя ... (мужчина). 2. — Вы знаете ... (фамилия) этого человека? — Нет, не знаю. 3. — Ты была вчера на концерте? — Нет, не была. У меня не было ... (свободное время). 4. — Ты знаешь имя и отчество ... (мать) Сергея? — Да, её зовут Анна Сергеевна. 5. — Виктор Петрович, у вас есть большой англо-русский словарь? — Нет. Этот словарь есть у ... (моя дочь).

III

Здесь **строят** школу.
Здесь **будут строить** школу.
В газете **писали** об этой школе.

30. *Read and translate.*

Это новый район нашего города. Здесь строят больницу. Там будут строить новую гостиницу. Это здание построили в прошлом году. Говорят, что рядом будут строить библиотеку.

31. *Change the sentences, as in the model.*

Model: Вечером в парке слушают музыку.
Вечером в парке будут слушать музыку.
Вечером в парке слушали музыку.

1. В газете пишут о студенческом театре. 2. В институте много говорят о студенческой практике. 3. На нашем факультете изучают историю Азии и Америки. 4. На этой улице строят новые дома. 5. В этой аудитории читают лекции по литературе.

32. *Supply continuations, using the verbs on the right.*

Model: Это завод. Здесь делают машины.

1. Это филологический факультет.	изучать, слушать, читать, де-
2. Это библиотека.	лать, готовить, смотреть, по-
3. Это большая аудитория.	казывать, разговаривать, гу-
4. Это клуб.	лять, отдыхать, рисовать,
5. Это театр оперы и балета.	петь, танцевать
6. Это фабрика.	
7. Это городской парк.	

33. *Answer the questions.*

1. Когда построили это здание? 2. Что будут здесь строить? 3. Что делают на этом заводе? 4. Что изучают на вашем факультете? 5. Что изучают в медицинском институте? 6. Что писали в газете о студенческом спектакле? 7. Когда будут показывать в клубе новый фильм?

34. *Translate.*

1. A school is being built here. A hotel will be built over there. 2. They like singing in Russia. 3. English is studied at our institute. 4. They often talk about weather in London. They like talking about weather in Moscow, too. 5. It was written in the newspaper that the students at the Biology Department had had their practical training in the North. 6. That man's name is well known in our city.

IV
> Слу́шай(те) внима́тельно.
> Переведи́(те) э́тот текст.
> Не переводи́(те) э́тот текст.

35. (a) *Read and translate.*
(b) *Indicate the aspect of the verbs from which the imperatives have been formed.*
(c) *Point out the sentences conveying: a special request, a request to perform the action regularly, a request not to perform the action, and a request to modify the action.*

1. Здесь живу́т украи́нцы. Расскажи́те об э́том наро́де. 2. Слу́шайте внима́тельно, я расскажу́ вам о контро́льной рабо́те. 3. Напиши́те, пожа́луйста, здесь ва́шу фами́лию. 4. Вы пи́шете о́чень бы́стро. Пиши́те ме́дленно, пиши́те краси́во. 5. Не чита́йте э́тот расска́з. Он неинтере́сный. 6. Слу́шайте ра́дио ка́ждый день. 7. Чита́йте кни́ги по-ру́сски, смотри́те ру́сские фи́льмы, и вы бу́дете хорошо́ знать ру́сский язы́к.

36. (a) *Make specific requests, using the phrases given below.*

Model: — Откро́йте, пожа́луйста, окно́.

чита́ть/прочита́ть текст, открыва́ть/откры́ть кни́гу, переводи́ть/перевести́ текст, дава́ть/дать ка́рту, писа́ть/написа́ть а́дрес

(b) *Give advice to do something regularly.*

Model: Пиши́те по-ру́сски ка́ждый день, и вы бу́дете хорошо́ писа́ть.

говори́ть/сказа́ть по-ру́сски, отдыха́ть/отдохну́ть, рабо́тать, чита́ть/прочита́ть журна́лы, газе́ты, писа́ть/написа́ть пи́сьма по-ру́сски

(c) *Make a request or give advice not to do something, using the phrases given below.*

Model: — Не смотри́те э́тот фильм. Он неинтере́сный.

чита́ть/прочита́ть э́ту кни́гу, переводи́ть/перевести́ э́тот текст, писа́ть/написа́ть э́то упражне́ние, покупа́ть/купи́ть э́тот слова́рь

37. (a) *Make requests, using the following phrases.*

Скажи́те, пожа́луйста, ...	где живёт...
Покажи́те, пожа́луйста, ...	где нахо́дится...
Расскажи́те, пожа́луйста, ...	когда́ (как) вы на́чали...
	когда́ (как) вы ко́нчили...
	почему́ вы поступи́ли...

(b) *Give specific advice, using the following verbs.*

Model: Обязáтельно посмотрúте э́тот фильм

читáть/прочитáть, смотрéть/посмотрéть, посещáть/посетúть.

(c) *Make requests to perform a modified action.*

Model: Говорúте, пожáлуйста, мéдленно. Я плóхо вáс понимáю.

читáть/прочитáть, говорúть/сказáть, слýшать.

(d) *Give advice or make a request not to do something.*

Model: Не разговáривайте на урóке.

смотрéть/посмотрéть, поступáть/поступúть, стоя́ть, спрáшивать/спросúть. плáвать

Usage of the Verbs начинáть/начáть, кончáть/кóнчить, мóчь

38. *Read and translate.*

1. Шкóлы начинáют рабóтать в сентябрé. 2. В э́том годý мы́ кончáем изучáть истóрию XVIII вéка и начинáем изучáть истóрию XIX вéка. 3. В сентябрé здéсь начнýт стрóить больнúцу. 4. — Ты давнó получáешь журнáл «Москвá»? — Нéт, я нáчал получáть егó в э́том годý. 5. Твóй брáт кóнчил писáть статью́? 6. Когдá вы́ кóнчите дéлать урóки? 7. Мы́ начнём слýшать кýрс литератýры в октябрé.

39. *Complete the sentences and write them out.*

1. Я кóнчу шкóлу в э́том годý. А ты́ когдá ...? А óн когдá ...? А вы́ ...? А онú ...? 2. Мы́ начнём изучáть рýсский язы́к в э́том годý. А ты́ когдá ...? А онá когдá ...? А вы́ когдá ...? А онú когдá ...? 3. Я началá готóвить доклáд в сентябрé. А вы́ когдá ...? А ты́, Áня, когдá ...? 4. Вúктор кóнчил инститýт в э́том годý. А когдá вы́ ...? А вáша сестрá когдá ...?

40. *Answer the questions and write down your answers.*

1. Вы́ давнó нáчали изучáть э́ту проблéму? 2. Когдá вы́ начнёте писáть доклáд? 3. Когдá здéсь начнýт стрóить шкóлу? 4. Когдá ты́ кóнчишь решáть э́ту задáчу? 5. Телефóн свобóден? Вáля кóнчила говорúть?

41. *Complete the sentences, using the verbs* начáть *and* кóнчить. *Write out the sentences.*

Model: Андрéй решúл задáчу. Я тóже нáчал решáть задáчу.

1. Áня написáла письмó. 2. Олéг прочитáл тéкст урóка. 3. Мóй дрýг написáл контрóльную рабóту. 4. Вéра перевелá тéкст. 5. Úра прочитáла в журнáле статью́ об Амéрике.

42. *Replace the personal pronouns in the dialogues by other personal pronouns, changing the forms of the verbs accordingly.*

1. — Ты́ бы́л вчера́ ве́чером в теа́тре?
— Не́т, я́ не мо́г. Я́ ве́чером рабо́тал.
2. — Когда́ ты́ ко́нчишь курсову́ю рабо́ту?
— Я́ могу́ ко́нчить её в апре́ле.
— А ты́ мо́жешь ко́нчить рабо́ту в ма́рте?

43. *Complete the sentences, using the verb* мочь *in the required form. Write out the sentences.*

1. — Бори́с, ты́ бу́дешь отдыха́ть в ию́ле? — Не́т, не ..., в ию́ле я́ бу́ду на пра́ктике на Ура́ле. 2. Я́ зна́ю, что э́тот мужчи́на ра́ньше рабо́тал на на́шем заво́де. Но сейча́с я́ не ... вспо́мнить его́ фами́лию. 3. — Ро́берт, ты́ ... бы́стро перевести́ э́тот те́кст? — Да́, ... 4. — Ви́ктор Петро́вич, вы́ ... за́втра сде́лать докла́д в университе́те? — Не́т, не ..., потому́ что за́втра я́ бу́ду чита́ть ле́кцию в шко́ле. 5. В про́шлом году́ Ка́рин начала́ изуча́ть ру́сский язы́к. Сейча́с она́ ... чита́ть и немно́го говори́ть по-ру́сски. 6. Они́ ... бы́стро реша́ть таки́е зада́чи, потому́ что они́ всегда́ внима́тельно рабо́тают на уро́ке. 7. — Джо́н, ты́ бы́л вчера́ на стадио́не? — Не́т, я́ не ..., у меня́ не́ было свобо́дного вре́мени. — А Ка́рин была́? — Не́т, она́ то́же не ... . Она́ была́ в теа́тре.

Unit 8

⏸ В Москве́ мно́го **кинотеа́тров, библиоте́к.**

1. *Read the questions. Point out the nouns in the genitive plural. Determine the gender of these nouns. Answer the questions.*

1. В го́роде мно́го фа́брик и заво́дов? 2. В це́нтре го́рода мно́го теа́тров? 3. Зде́сь мно́го гости́ниц? 4. Ле́том в клу́бе бы́ло мно́го вы́ставок? А фи́льмов пока́зывали мно́го? 5. Ве́чером в клу́бе бы́ло мно́го студе́нтов на́шего ку́рса? 6. О́коло теа́тра бы́ло мно́го авто́бусов и маши́н? 7. Вы́ получа́ете мно́го пи́сем?

2. *Replace the underlined words by the words in brackets.*

1. Зде́сь мно́го ученико́в. (учени́ца, студе́нт, студе́нтка) 2. Он купи́л не́сколько кни́г. (карти́на, портре́т) 3. Я́ не зна́ю, ско́лько арти́стов здесь рабо́тает. (инжене́р) 4. На столе́ лежа́ло не́сколько газе́т. (журна́л, письмо́, кни́га) 5. У моего́ бра́та мно́го ма́рок. (откры́тка, значо́к) 6. На ве́чере бы́ло не́сколько музыка́нтов. (худо́жник, арти́ст теа́тра, арти́стка)

3. *Complete the sentences, using the words in brackets.*

Model: В э́том за́ле музе́я не́т карти́н, зде́сь мно́го кни́г.

1. В э́том райо́не го́рода нет... (заво́д, институ́т — са́д, па́рк) 2. На э́той у́лице нет ... (гости́ница, шко́ла, больни́ца — магази́н, апте́ка) 3. В це́нтре го́рода нет... (фа́брика, заво́д — теа́тр, библиоте́ка) 4. На моём столе́ нет... (газе́та — кни́га, журна́л)

4. *Compose similar dialogues, using the words given below.*

    1. — У ва́с в библиоте́ке е́сть кни́ги на ру́сском языке́?
      — Да́, у на́с мно́го кни́г на ру́сском языке́. (газе́та, журна́л)
    2. — У ва́с в го́роде е́сть институ́ты?
      — Да́, е́сть.
      — Ско́лько институ́тов в ва́шем го́роде?
      — В на́шем го́роде мно́го институ́тов.
        (теа́тр, заво́д, гости́ница, больни́ца)

5. *Read the sentences. Point out the nouns in the genitive plural and give their nominative singular.*

    1. Я купи́л не́сколько уче́бников, словаре́й, ру́чек, тетра́дей. 2. На столе́ лежа́ло мно́го значко́в, карандаше́й. 3. В э́том райо́не го́рода постро́ят не́сколько у́лиц и площаде́й. 4. В э́том до́ме 10 этаже́й, 100 кварти́р. 5. Студе́нты консерва́тории вчера́ дава́ли конце́рт. Та́м выступа́ло мно́го певцо́в, не́сколько студе́нтов-иностра́нцев. 6. В э́том райо́не страны́ ма́ло ре́к, нет море́й, но мно́го лесо́в.

6. *Complete the sentences, using the words in brackets. Write out the sentences.*

    1. В консервато́рии выступа́ли арти́сты: не́сколько ... (музыка́нт, певе́ц). 2. На ве́чере в общежи́тии бы́ло мно́го ... (москви́ч). 3. В «Литерату́рной газе́те» мо́жно встре́тить статьй ... (писа́тель, арти́ст, худо́жник).

7. *Read the sentences. Point out the nouns in the genitive plural and give their nominative singular.*

    1. Я давно́ не́ был в э́том го́роде. Зде́сь появи́лось не́сколько зда́ний. 2. Ви́ктор показа́л не́сколько откры́ток и фотогра́фий. 3. Я сде́лал не́сколько упражне́ний и написа́л 10 сло́в.

8. *Complete the sentences.*

    1. На ве́чере бы́ло не́сколько ученико́в, учени́ц, ... 2. Мы́ купи́ли в магази́не не́сколько ру́чек, ... 3. На по́лке лежа́ло не́сколько газе́т, ... 4. В ко́мнате на стене́ висе́ло не́сколько фотогра́фий, ... 5. У него́ бы́ло не́сколько бра́тьев, ... 6. Э́то бога́тый райо́н. Зде́сь мно́го лесо́в, ... 7. Э́то о́чень большо́й го́род, здесь мно́го теа́тров, ... 8. У Петра́ Ива́новича больша́я семья́. У него́ не́сколько дочере́й и ... . 9. В э́том ме́сяце я прочита́л не́сколько стате́й, ... 10. Около университе́та мы́ уви́дели мно́го автобусов, ...

9. *Answer the questions.*

Model: — У вас в семье есть врачи?
— Нет, у нас в семье нет врачей.

1. У вас в семье есть ученики? 2. У вас в семье есть инженеры? 3. У вас в семье есть студенты или студентки? 4. У вас в институте есть лаборатории? 5. У вас в институте есть машины? 6. У вас сегодня есть уроки, лекции, семинары?

| I | На улице Горького находится **два театра, пять библиотек.** |

10. *Complete the sentences and make up exchanges, using the words on the right and the numerals from 1 to 10.*

Model: — У нас в доме 3 квартиры.
— А у нас в доме 5 квартир.

1. У нас в квартире...   стол, диван, портрет, шкаф
2. У нас в комнате...   лампа, картина, стул
3. У меня в портфеле...   словарь, статья, письмо
4. У нас в городе...   завод, больница, памятник, парк
5. На нашей улице...   магазин, кинотеатр, высокое здание,
6. В нашем районе...   школа, общежитие, гостиница

11. *Compose phrases, using the numerals and nouns given below.*

2, 3, 4, 22, 23, 24; 5, 6 ... 10, 11, 12 ..., 20, 26, 28 ...

страна, район, город, дом, проспект, улица, москвич, автобус, парк, стадион, профессор, писатель, врач, здание, письмо, слово, словарь, учебник, тетрадь, квартира, картина.

12. *Complete the sentences, using the words in brackets.*

На этой улице 70 ... (дом). В нашем доме 12 ... (этаж). На пятом этаже находится 8 ... (квартира). В каждой квартире 5 ... (комната), 4 ... (комната) или 3 ... (комната). В нашей квартире 4 ... (комната). В самой большой комнате 3 ... (окно). В моей комнате 2 ... (окно).

13. *Answer the questions, using the numerals from 1 to 10 and the nouns in brackets.*

1. Что лежит у вас на столе? (журнал, книга, письмо, словарь) 2. Что лежит у вас в портфеле? (учебник, ручка, газета, тетрадь) 3. Что есть у вас в комнате? (стол, диван, шкаф, полка) 4. Что он написал в тетради? (слово, предложение, упражнение) 5. Что вы прочитали? (книга, статья, доклад) 6. Что он нарисовал? (здание, дом, портрет)

| II | —Сколько сейчас времени?
—Сейчас **девять часов пятнадцать минут.** |

14. *Read and translate.*

— Вéра, скóлько сейчáс врéмени?
— Сейчáс 4 часá 15 минýт.
— У меня сегóдня семинáр, и я ужé опáздываю. Ты не знáешь, где мóй портфéль?
— Он лежит на пóлке.
— Спасибо. Скóлько сейчáс врéмени?
— Сейчáс 5 часóв 3 минýты.
— Спасибо, Вéра. До свидáния.

15. *Answer the question.*

Скóлько сейчáс врéмени?

2 ч. 10 м.,[1] 3 ч. 5 м., 5 ч. 3 м., 8 ч. 2 м., 10 ч. 15 м., 4 ч. 20 м., 11 ч. 15 м. 12 ч. 25 м., 4 ч. 4 м.

III

> —Скóлько врéмени они жили на юге?
> —Они жили тáм **четы́ре гóда.**

16. *Answer the questions, using the phrases:*

гóд назáд	мéсяц назáд	недéлю назáд
2 (3, 4) гóда назáд	2 (3, 4) мéсяца назáд	2 (3, 4) недéли назáд
5 (6...) лéт назáд	5 (6...) мéсяцев назáд	5 (6...) недéль назáд
нéсколько лéт назáд	нéсколько мéсяцев назáд	

1. Вы давнó были в теáтре? 2. Когдá вы писáли контрóльную рабóту? 3. Когдá вы познакóмились? 4. Когдá вы узнáли о лéтней прáктике? 5. Когдá вы нáчали собирáть вáшу коллéкцию? 6. Когдá вы узнáли нóмер егó телефóна? 7. Когдá вы прочитáли вáш доклáд на семинáре? 8. Когдá вы пéрвый рáз услы́шали имя этого писáтеля?

17. *Read the sentences. What does the form of the nouns* чáс, минýта, дéнь, недéля, мéсяц *and* гóд *depend on?*

1. — Скóлько врéмени вы сегóдня рабóтали в библиотéке?
   — Я рабóтал в библиотéке

(один) чáс.
2 (3, 4) часá.
5 (6...) часóв.
нéсколько часóв.

2. — Скóлько минýт вы слýшали рáдио?
   — Я слýшал рáдио

(однý) минýту.
двé (3, 4) минýты.
5 (6...) минýт.
нéсколько минýт.

---

[1] ч. is the abbreviation for чáс, часá or часóв and м. for минýта, минýты or минýт.

3. — Ско́лько ме́сяцев вы́ жи́ли о́коло мо́ря?

— Мы́ жи́ли о́коло мо́ря

(оди́н) ме́сяц.
2 (3, 4) ме́сяца.
5 (6...) ме́сяцев.
не́сколько ме́сяцев.

4. — Ско́лько дне́й была́ тёплая пого́да?

— Тёплая пого́да была́ `

(оди́н) де́нь.
2 (3, 4) дня́.
5 (6...) дне́й.
не́сколько дне́й.

5. — Ско́лько неде́ль у ва́с бу́дет пра́ктика?

— Пра́ктика у на́с бу́дет

(одну́) неде́лю.
две́ (3, 4) неде́ли.
5 (6...) неде́ль.
не́сколько неде́ль.

6. — Ско́лько ле́т вы́ живёте в э́том до́ме?

— В э́том до́ме мы́ живём

(оди́н) го́д.
2 (3, 4) го́да.
5 (6...) ле́т.
мно́го ле́т.

18. *Answer the questions and write down your answers.*

1. Ско́лько ле́т вы́ живёте в э́том го́роде? (1, 3, 5, 12) 2. Ско́лько ле́т вы́ рабо́таете в институ́те? (2, 6, 10) 3. Ско́лько ме́сяцев студе́нты бы́ли на пра́ктике? (1, 4, 5) 4. Ско́лько часо́в вы́ реша́ли э́ту зада́чу? (2, 6) 5. Ско́лько часо́в они́ вчера́ смотре́ли телеви́зор? (1, 3) 6. Ско́лько мину́т вы́ говори́ли на семина́ре? (1, 4, 10)

19. *Complete the sentences, using the numbers in brackets and the words* ме́сяц, го́д. *Write out the sentences.*

Model: Ви́ктор зна́ет англи́йский язы́к. О́н изуча́л англи́йский язы́к три́ го́да.

1. Дже́йн зна́ет ру́сский язы́к. ... (4) 2. Ро́берт хорошо́ говори́т по-ру́сски. ... (2) 3. Ве́ра чита́ет по-неме́цки. ... (3) 4. Бори́с пло́хо говори́т по-францу́зски. ... (1) 5. Андре́й изуча́л англи́йский язы́к в шко́ле. ... (6) 6. Ка́рин хорошо́ зна́ет ру́сский язы́к. ... (5)

20. *Answer the questions, as in the model. Write down your answers.*

Model: — Э́то упражне́ние вы́ де́лали ча́с? — Не́т, я де́лал его́ два́ часа́.

1. Вы́ рабо́таете в институ́те го́д? 2. Вы́ писа́ли статью́ 4 ме́сяца? 3. О́н рисова́л ва́ш портре́т 2 дня́? 4. Вы́ жда́ли на́с 3 мину́ты? 5. Вы́ пла́вали в мо́ре 10 мину́т? 6. Они́ гуля́ли в па́рке ча́с? 7. Вы́ писа́ли ва́шу рабо́ту неде́лю? 8. Вы́ переводи́ли

э́тот рома́н 3 неде́ли? 9. Это зда́ние стои́т здесь 10 лет? 10. Вы бы́ли в э́той дере́вне оди́н день? 11. Он был бо́лен 4 дня́?

Model: — Э́тот клуб организова́ли год наза́д? — Нет, его́ организова́ли 2 го́да наза́д.

1. Зда́ние институ́та постро́или год наза́д? 2. Это письмо́ вы получи́ли неде́лю наза́д? 3. Вы отдыха́ли на ю́ге 2 го́да наза́д? 4. Вы́ставку в институ́те откры́ли 3 дня́ наза́д?

21. *Translate. Keep in mind that periods of time over and above twelve months are denoted in Russian in years (plus the extra months), e.g.* 1 год и 3 ме́сяца, полтора́ го́да, два го́да и оди́н ме́сяц, *etc.*

1. He lived here for 13 months. 2. Geologists worked in this region for 18 months. 3. The professor read a lecture for one and a half hours. 4. He studied singing for only 14 months. 5. I did my homework today for 4 hours. 6. He vacationed for 3 weeks, and I for 7 days. 7. He has been working in this café for 15 months. 8. I'll be reading this book for 2 days.

22. *Answer the questions. Write down your answers.*

1. Ско́лько вре́мени вы рабо́таете ка́ждый день? 2. Ско́лько вре́мени вы отдыха́ете ка́ждый год? 3. Ско́лько вре́мени вы занима́етесь в библиоте́ке ка́ждый день? 4. Ско́лько вре́мени вы слу́шаете ра́дио и смо́трите телеви́зор ка́ждый ве́чер? 5. Ско́лько вре́мени вы разгова́риваете ка́ждый день? 6. Ско́лько вре́мени вы гуля́ете ка́ждый день? 7. Ско́лько вре́мени вы гото́вите уро́ки? 8. Ско́лько вре́мени вы живёте в э́том го́роде? 9. Ско́лько вре́мени вы учи́лись в шко́ле? 10. Ско́лько вре́мени вы у́читесь в университе́те? 11. Ско́лько вре́мени вы ещё бу́дете учи́ться в университе́те?

‖ Ви́ктор взял **не́сколько но́вых журна́лов.**

23. *Read and translate.*

1. В э́том райо́не нет высо́ких гор. 2. На Украи́не мно́го краси́вых мест. 3. На Кавка́зе мно́го бы́стрых рек. 4. В Сове́тском Сою́зе мно́го дре́вних городо́в. 5. В Ленингра́де мно́го краси́вых зда́ний. 6. Я купи́л не́сколько но́вых пласти́нок.

24. *Complete the sentences, as in the model.*

Model: Мы получи́ли не́сколько хоро́ших словаре́й.
Мы получи́ли мно́го (5, 6 ...) хоро́ших кни́г.
Мы получи́ли 2 (3, 4) хоро́ших словаря́.
Мы получи́ли 2 (3, 4) хоро́шие кни́ги.

1. У неё в ко́мнате на стене́ виси́т ... (краси́вый портре́т, интере́сная фотогра́фия, географи́ческая ка́рта) 2. Вчера́, когда́ мы говори́ли о Ти́хом океа́не, я вспо́мнил ... (интере́сный расска́з) 3. Преподава́тель объясни́л ... (математи́ческая зада́ча) 4. Шко́льники купи́ли в кни́жном магази́не ... (зелёный каранда́ш, си́няя ру́чка, но́вый уче́бник)

25. *Answer the questions in the negative.*

Model: — В ва́шем магази́не есть ста́рые кни́ги?
— Нет, в на́шем магази́не нет ста́рых кни́г.

1. В э́том го́роде есть высо́кие зда́ния? 2. На э́той у́лице есть краси́вые дома́? 3. В це́нтре го́рода есть ста́рые у́лицы? 4. У ва́с бу́дут сего́дня практи́ческие заня́тия? 5. В ва́шей библиоте́ке есть дороги́е кни́ги? 6. В э́той кни́ге есть интере́сные расска́зы?

26. *Complete the sentences, using the words in brackets. Write out the sentences.*

1. У на́с в больни́це рабо́тает не́сколько ... (ста́рый вра́ч) и 2 ... (молодо́й вра́ч). 2. У меня́ в портфе́ле лежа́т 2 ... (но́вый слова́рь) и 3 ... (но́вая кни́га) на англи́йском языке́. 3. На по́лке лежа́ло 2 ... (ма́ленькая ша́пка). 4. Неда́вно я купи́л не́сколько ... (но́вая пласти́нка).

|| Я зна́ю э́тих иностра́нных студе́нтов.

27. *Change the sentences, as in the model.*

Model: Я зна́ю э́того молодо́го худо́жника.
Я зна́ю э́тих молоды́х худо́жников.

1. Я уже́ ви́дел э́ту весёлую де́вушку. 2. Я зна́ю э́того челове́ка. 3. Мы́ ви́дели в теа́тре э́того знамени́того актёра. 4. В гости́нице мы́ ви́дели иностра́нного тури́ста.

28. *Answer the questions, using the words in brackets.*

Model: Кого́ вы́ ви́дели вчера́ на конце́рте? (наш друг, знако́мый студе́нт).
Вчера́ на конце́рте мы́ ви́дели на́ших друзе́й, знако́мых студе́нтов.

1. Кого́ вы́ зна́ете? (э́тот студе́нт, э́тот учи́тель, э́тот био́лог) 2. Кого́ вы́ пригласи́ли? (наш профе́ссор, наш друг, ва́ша сестра́) 3. Кого́ вы́ ча́сто вспомина́ете? (наш ста́рый друг, наш учи́тель) 4. Кого́ спра́шивает учи́тель? (э́тот учени́к, э́та учени́ца) 5. Кого́ вы́ ви́дели в теа́тре? (знамени́тый арти́ст, знако́мый студе́нт)

IV │ **Ви́ктор до́лжен повтори́ть уро́к.**

29. *Read and translate. Point out the short-form adjectives and state their syntactical function.*

1. Сади́тесь, пожа́луйста. Это ме́сто свобо́дно. 2. Мы́ ра́ды, что вы́ поступи́ли в университе́т. 3. В расска́зе всё бы́ло поня́тно. 4. Мы́ гото́вы обсуди́ть э́тот вопро́с вме́сте.

30. *Change the sentences, as in the model.*

Model: Сего́дня я должна́ прочита́ть статью́.
Вчера́ я должна́ была́ прочита́ть статью́.
За́втра я должна́ бу́ду прочита́ть статью́.

55

1. Сего́дня о́н до́лжен де́лать уро́ки. 2. Сего́дня мы́ должны́ написа́ть 20 сло́в. 3. Сего́дня о́н до́лжен написа́ть пи́сьма. 4. Сего́дня я должна́ перевести́ э́ту статью́. 5. Сего́дня вы́ должны́ посмотре́ть но́вый фи́льм. 6. Сего́дня она́ должна́ организова́ть ле́кцию. 7. Сего́дня мы́ должны́ занима́ться в библиоте́ке. 8. Сего́дня вы́ должны́ показа́ть ва́шу но́вую карти́ну.

31. *Replace the pronoun* я *by the pronouns* о́н, она́, мы́ *and* они́. *Make all the other necessary changes in the sentences.*

1. Я ра́д, что вы́ бу́дете у на́с рабо́тать. 2. Я сего́дня свобо́ден. 3. Я до́лжен посмотре́ть э́тот фи́льм. 4. Я вчера́ бы́л бо́лен. 5. Я гото́в спе́ть не́сколько но́вых пе́сен. 6. Я до́лжен бы́л посети́ть э́тот музе́й. 7. Я до́лжен пригото́вить уро́ки. 8. Я до́лжен купи́ть не́сколько ру́чек и карандаше́й.

32. *Complete the sentences, using the short forms of the adjectives in brackets.*

Model: Для меня́ э́та статья́ интере́сна.

1. Для дете́й э́та зада́ча о́чень ... . (тру́дный) 2. Но́вый рома́н молодо́го писа́теля ... . (совреме́нный и интере́сный) 3. Ле́кция профе́ссора Лукина́ была́ ... . (интере́сный) 4. В э́той ле́кции всё бы́ло ... . (поня́тный) 5. Ю́жные райо́ны страны́ о́чень ... . (бога́тый) 6. Берега́ Чёрного мо́ря о́чень ... . (краси́вый) 7. Извини́те, э́то ме́сто ... ? (свобо́дный) 8. — Вы́ зна́ете э́того челове́ка? — Не́т, мы́ не ... . (знако́мый)

33. *Answer the questions. Write down your answers.*

1. Кто́ до́лжен сего́дня де́лать докла́д? (Серге́й, Еле́на, вы́) 2. Кто́ мо́жет отвеча́ть? Кто́ гото́в? (Никола́й, Ната́ша, они́) 3. Кто́ свобо́ден сего́дня ве́чером? (мы́, А́ня, Андре́й) 4. Кто́ гото́в нача́ть разгово́р об э́том рома́не? (мы́, Ви́ктор, Ве́ра) 5. Кто́ до́лжен бы́л получи́ть кни́ги? (Ни́на, Серге́й, вы́) 6. Кто́ бу́дет свобо́ден за́втра? (мы́, Ве́ра, Анто́н)

V	Этот уче́бник сто́ит во́семьдесят копе́ек.

34. *Read and translate. What does the form of the words* рубль *and* копе́йка *depend on?*

1. Уче́бник ру́сского языка́ сто́ит 90 копе́ек. 2. Биле́т в музе́й сто́ит 20 копе́ек. 3. — Ско́лько сто́ит биле́т в теа́тр? — 2 и́ли 3 рубля́. 4. Я купи́л но́вую ша́пку. Она́ сто́ит 20 рубле́й. 5. Э́та откры́тка сто́ит 23 копе́йки, а ма́рка сто́ит 6 копе́ек.

35. *Make up phrases, using the numbers given below and the words* ру́бль *and* копе́йка. *Use them in sentences.* 21, 4, 7, 22, 35, 41, 9, 26, 33, 58, 12, 18, 44.

36. *Compose similar dialogues, using the words given below.*

Model: — Что́ ты́ хо́чешь купи́ть?
— Я хочу́ купи́ть э́ту кни́гу.
— А ско́лько она́ сто́ит?
— Она́ сто́ит 95 копе́ек.

открытка — 5 коп., часы́ — 15 руб., тетра́дь — 2 коп., ма́рка — 6 коп., журна́л — 23 коп.

Usage of the Verb бра́ть/взя́ть

37. *Complete the sentences, using the verb* бра́ть/взя́ть *in the required form.*

1. — Я беру́ на пе́рвое су́п. А ты́ что ...? — Я то́же ... су́п. Мы́ ... две́ таре́л-ки су́па. 2. Мы́ берём на тре́тье фру́кты, А́ня то́же ... фру́кты. Е́сли вы́ не хоти́те фру́кты, то ... ко́фе.

38. *Complete the sentences, using the verb in the future tense. Write out the sentences.*

1. Оле́г взя́л в библиоте́ке рома́н Шо́лохова, и я́ ... 2. Вы́ взя́ли плащи́, когда́ выходи́ли из до́ма? Мы́ то́же ... 3. Я взя́л тёплое пальто́, и они́ ... 4. Они́ взя́ли в буфе́те два́ стака́на ча́я, и мы́ ... 5. — Ва́ши биле́ты я́ положи́л на сто́л. — Спаси́-бо, я́ и́х взя́л. Вы́ то́же сего́дня ... свои́ биле́ты?

39. *Complete the sentences, using the verb* бра́ть/взя́ть *in the required form.*

1. Ни́на, ты́ не зна́ешь но́мер моего́ телефо́на? ... каранда́ш и запиши́. 2. На столе́ стоя́ла ва́за с цвета́ми. О́ля ... э́ту ва́зу и поста́вила её на окно́. 3. Когда́ у Серге́я е́сть свобо́дное вре́мя, о́н обы́чно ... каранда́ш и рису́ет что́-нибудь. 4. Е́сли вы́ пло́хо зна́ете го́род, то ... ка́рту, когда́ идёте гуля́ть. 5. Тебе́ не нужна́ э́та газе́та? Мо́жно её ... ? 6. Каки́е заня́тия бу́дут у на́с сего́дня? Каки́е кни́ги ты́ ... ? 7. — Ка́к ты́ ду́маешь, сего́дня бу́дет до́ждь? — Не зна́ю, но плащ я́ ... .

Usage of the Verbs зва́ть — называ́ться

40. *Answer the questions.*

1. Ка́к зову́т э́ту де́вушку?
2. Ка́к зову́т ва́шу подру́гу?
3. Ка́к зову́т ва́шего това́рища?
4. Ка́к зову́т ва́шего профе́ссора?
5. Ка́к зову́т э́ту же́нщину?
6. Ка́к зову́т ва́шего врача́?
7. Ка́к зову́т ва́ших дете́й?
8. Ка́к зову́т ва́шу соба́ку?

1. Ка́к называ́ется э́та у́лица?
2. Ка́к называ́ется э́та река́?
3. Ка́к называ́ется э́тот институ́т?
4. Ка́к называ́ется ва́ш факульте́т?
5. Ка́к называ́ется ва́ша статья́?
6. Ка́к называ́ется э́тот расска́з?
7. Ка́к называ́ется э́та дере́вня?
8. Ка́к называ́ется э́тот теа́тр?

41. *Complete the sentences, using the words in brackets. Write out the sentences.*

1. Ка́к зову́т ... (ва́ша сестра́)? 2. Ка́к называ́ется ... (э́та гости́ница)? 3. Ка́к называ́ется ... (э́та пло́щадь)? 4. Ка́к зову́т ... (ва́ш дру́г)? 5. Ка́к называ́ется ... (э́та дере́вня)? 6. Ка́к называ́ется ... (э́тот па́рк)? 7. Ка́к называ́ется ... (э́тот фи́льм)? 8. Ка́к зову́т ... (ва́ш оте́ц)? 9. Ка́к называ́ется ... (ва́ш уче́бник)? 10. Ка́к зову́т ... (ва́ша ко́шка)?

42. *Complete the sentences. Write them out.*

Model: Эту дéвушку зовýт Мáша. Эта плóщадь называется плóщадь Револю́ции.

1. Этот журнáл ... 2. Этого молодóго человéка ... 3. Эта газéта ... 4. Эту студéнтку ... 5. Этого журналúста ... 6. Этого писáтеля ... 7. Эта плóщадь ... 8. Эта ýлица ... 9. Этот гóрод ... 10. Этого инженéра ... 11. Эту дéвушку ...

43. *Compose brief dialogues and write them down.*

1. Find out the names of your friend's sister, brother, father, mother.
2. Find out the name of a city, street, square, hotel, cinema.

Usage of the Verbs **зáвтракать/позáвтракать, обéдать/пообéдать, ýжинать/поýжинать**

44. *Complete the sentences, using the verbs* зáвтракать/позáвтракать, обéдать/пообéдать, ýжинать/поýжинать.

1. Вы́ ещё зáвтракаете? А мы́ ужé ... . 2. Мы́ вчерá обéдали в ресторáне, а зáвтра ... дóма. 3. Он кáждый дéнь ... в этом кафé. 4. Виктор и Пáвел всегдá ... в этом ресторáне. Вчерá я тóже ... тáм. 5. Мы́ ещё обéдаем, а они́ ужé ... . 6. Сейчáс пять часóв. Почемý вы́ тáк рáно ...? 7. Вы́ ужé поýжинали? — Нéт, мы́ ещё не ... .

45. *Answer the questions, using the following verbs.*
зáвтракать/позáвтракать, читáть/прочитáть, писáть/написáть, переводúть/перевестú, обсуждáть/обсудúть, готóвить/приготóвить, покáзывать/показáть, слýшать/послýшать, объяснять/объяснúть.

1. Чтó вы́ дéлали сегóдня ýтром? 2. Я знáю, что вы́ сегóдня рабóтали дóма. Чтó вы́ сдéлали? 3. Чтó вы́ дéлали сегóдня в институ́те? 4. Вы́ рабóтали в библиотéке три часá. Чтó вы́ сдéлали?

Unit 9

I | Начáло концéрта в 19 часóв 30 минýт.

1. *Answer the questions. Write down your answers.*

1. Когдá у вáс сегóдня урóк францýзского языкá? (9 ч.) 2. Когдá у ни́х бýдет лéкция? (11 ч.) 3. Когдá у ни́х семинáр? (2 ч.) 4. Когдá у ни́х вчерá бы́л урóк рýсского языкá? (12 ч.) 5. Когдá зáвтра бýдет лéкция? (3 ч.)

2. *Ask questions and answer them. Use* 17.10, 15.20, 18.35, 19.30, 21.30, 20.35 *and the words* фильм, концерт, спектакль, лекция, сеанс.

Model: — Скажи́те, пожа́луйста, когда́ нача́ло уро́ка?
         — В 9 часо́в 30 мину́т.

3. *Complete the sentences. Write them out.*

1. Магази́н начина́ет рабо́тать … . (8 ч.) 2. Нача́ло спекта́клей в Большо́м теа́тре … . (19 ч. 30 м.) 3. Нача́ло концертов в консервато́рии … . (19 ч.) 4. Сего́дня ле́кция бу́дет … . (1 ч.) 5. Библиоте́ка начина́ет рабо́тать … . (10 ч.) 6. Ви́ктор начина́ет рабо́тать … . (9 ч. 30 м.) и конча́ет рабо́тать … . (6 ч. 15 м.)

4. *Answer the questions. Write down your answers.*

1. Когда́ у ва́с сего́дня уро́к ру́сского языка́? 2. Когда́ у ва́с сего́дня ле́кция? 3. Когда́ у ва́с вчера́ бы́л уро́к ру́сского языка́? 4. Когда́ у ва́с вчера́ была́ ле́кция? 5. Когда́ у ва́с за́втра бу́дет ле́кция?

II   **Ле́кция бу́дет в сре́ду.**

5. *Answer the questions. Write down your answers.*

1. Анто́н изуча́ет англи́йский язы́к. Когда́ у него́ уро́к англи́йского языка́? (понеде́льник, среда́, пя́тница) 2. Ви́ктор слу́шает ле́кции в университе́те. Когда́ у него́ ле́кция? (вто́рник, четве́рг) 3. Когда́ у ва́с ле́кции профе́ссора Сми́та? (понеде́льник, среда́) 4. Когда́ у Бори́са быва́ют семина́ры? (вто́рник, пя́тница) 5. Когда́ о́н отдыха́ет? (суббо́та, воскресе́нье) 6. Когда́ Ве́ра была́ в теа́тре? (четве́рг) 7. Когда́ А́нна Ива́новна была́ в больни́це? (вто́рник) 8. Когда́ Мэ́ри была́ в консервато́рии? (среда́) 9. Когда́ Джо́н де́лал докла́д на семина́ре? (пя́тница)

6. *Complete the sentences, using the words* понеде́льник, вто́рник, среда́, четве́рг, пя́тница, суббо́та, воскресе́нье.

Model: Ка́тя была́ в теа́тре в четве́рг.

1. Джейн была́ на конце́рте… 2. Ве́ра рабо́тала в библиоте́ке… 3. До́ктор Смирно́ва рабо́тает… 4. Я́ бу́ду в университе́те… 5. Уро́к неме́цкого языка́ бу́дет… 6. Никола́й Серге́евич выступа́л на конфере́нции… 7. Профе́ссор Комаро́в чита́ет ле́кции… 8. Они́ бы́ли на вы́ставке совреме́нного иску́сства…

7. *Answer the questions. Write down your answers.*

1. Когда́ рабо́тает до́ктор Соро́кин? 2. Когда́ Мэ́ри была́ у врача́? 3. Когда́ у неё бу́дет экза́мен? 4. Когда́ вы́ отдыха́ете? 5. Когда́ вы́ бы́ли в кино́? А в теа́тре? 6. Когда́ вы́ бы́ли на конце́рте? 7. Когда́ вы́ бы́ли в музе́е?

8. *Supply continuations. Give the day of the week and the time. Write down your sentences.*

Model: Я был в библиоте́ке. — В пя́тницу я был в библиоте́ке в 11 часо́в.

1. Я бу́ду до́ма. 2. Ви́ктор был в институ́те. 3. Ве́ра Серге́евна начала́ рабо́тать. Оля ко́нчила рабо́тать. 4. Инжене́р Серге́ев бу́дет на заво́де. 5. Профе́ссор Во́лков бу́дет в университе́те. 6. До́ктор Петро́в начнёт принима́ть. 7. Арти́ст Ма́слов бу́дет в теа́тре. 8. Дире́ктор бу́дет на рабо́те.

9. *Combine each pair of sentences into one. Write down your sentences.*

Model: Сего́дня понеде́льник. Сего́дня у нас конфере́нция.
— В понеде́льник у нас конфере́нция.

1. Вчера́ был вто́рник. У нас была́ ле́кция. 2. За́втра бу́дет среда́. За́втра у нас семина́р. 3. Сего́дня четве́рг. Сего́дня у меня́ конце́рт. 4. За́втра бу́дет пя́тница. За́втра у них спекта́кль. 5. Вчера́ была́ суббо́та. Ве́ра была́ на вы́ставке. 6. За́втра бу́дет воскресе́нье. За́втра магази́ны не бу́дут рабо́тать.

III | А. С. Пу́шкин роди́лся **6 ию́ня 1799 го́да.**

10. *Answer the questions. Write down your answers.*

1. Когда́ они́ бы́ли в теа́тре? (1/I) 2. Когда́ они́ слу́шали конце́рт в консервато́рии? (2/II) 3. Когда́ они́ бы́ли на вы́ставке? (14/III) 4. Когда́ Ви́ктор был в Большо́м теа́тре? (16/IV) 5. Когда́ Ве́ра бу́дет выступа́ть на конце́рте? (23/V) 6. Когда́ бу́дет ле́кция профе́ссора Лавро́ва? (25/VI) 7. Когда́ А́нна бу́дет де́лать докла́д? (27/VII) 8. Когда́ Оле́г бу́дет выступа́ть на конфере́нции? (10/VIII) 9. Когда́ начнёт рабо́тать вы́ставка молоды́х худо́жников? (15/IX) 10. Когда́ Серге́й начнёт рабо́тать в институ́те? (21/X) 11. Когда́ Ива́н Никола́евич чита́ет ле́кцию? (4/XI) 12. Когда́ Ро́берт сдаёт экза́мены? (6/XII)

11. *Oral Practice.*

Give your date of birth, the date of birth of your father, mother, brother, sister, friend (refer to them by name).

Model: Бори́с роди́лся 12 ма́я 1954 го́да.

12. *Complete the sentences. Give different dates, days of the week and times.*

Model: Конце́рт ру́сской му́зыки.

(a) Конце́рт ру́сской му́зыки бу́дет (был) в сре́ду.
(b) Конце́рт ру́сской му́зыки бу́дет (был) в сре́ду пе́рвого ма́рта.
(c) Конце́рт ру́сской му́зыки бу́дет (был) в сре́ду пе́рвого ма́рта в девятна́дцать часо́в.

1. Ле́кция профе́ссора Кузнецо́ва. 2. Докла́д до́ктора Смирно́ва. 3. Конце́рт молоды́х музыка́нтов. 4. Уро́к францу́зского языка́. 5. Студе́нты бы́ли на вы́ставке. 6. Джон выступа́л на семина́ре. 7. Ро́берт чита́л докла́д на конфере́нции.

‖ В газе́те писа́ли **о молоды́х худо́жниках** Ленингра́да.

13. *Answer the questions. Write down your answers.*

1. О ко́м э́та статья́? (молоды́е музыка́нты) 2. О ко́м э́та кни́га? (ру́сские компози́торы?) 3. О чём пи́шут в э́том журна́ле? (совреме́нные города́) 4. О ко́м писа́ли в газе́те? (молоды́е врачи́) 5. О ко́м э́тот расска́з? (францу́зские худо́жники) 6. О ко́м э́та кни́га? (америка́нские арти́сты) 7. О чём расска́зывал профе́ссор Серге́ев? (ленингра́дские мосты́) 8. О чём вы́ чита́ли в журна́ле? (бы́стрые ре́ки Кавка́за)

14. *Complete the sentences, using the phrases given below in the required case.*

Мы́ чита́ли... (о к о́ м? о ч ё м?)   Мы́ чита́ли статьи́... (ч ь й?)
Мы́ ви́дели... (к о г о́? ч т о́?)   Мы́ чита́ли статьи́... (о к о́ м?
                                                   о ч ё м?)

молоды́е учёные; бы́стрые ре́ки, высо́кие го́ры; документа́льные фи́льмы; знамени́тые арти́сты; америка́нские писа́тели; совреме́нные музыка́нты; интере́сные спекта́кли; ру́сские худо́жники.

‖ Студе́нты лю́бят пе́ть **свои́** студе́нческие пе́сни.

15. *Supply continuations, as in the model. Use the correct possessive pronouns.*

Model: Я́ студе́нт. Мо́й институ́т нахо́дится в Ленингра́де. Я́ о́чень люблю́ **свой** институ́т.

1. Ты́ студе́нт. 2. О́ля — студе́нтка. 3. Мы́ студе́нты. 4. И́горь и Пётр — студе́нты. 5. Я́ мно́го о ва́с слы́шал. Я́ зна́ю, что вы́ студе́нты. 6. Ви́ктор — студе́нт.

16. *Supply object clauses to the main clause on the left. Use the correct possessive pronouns. Write out the sentences.*

Model: Я́ зна́ю, что о́н бу́дет де́лать **свой** докла́д за́втра.
        Я́ зна́ю, что **его́** докла́д бу́дет интере́сный.

Я́ зна́ю, ...
1. О́н пи́шет кни́гу давно́.
   Кни́га об иску́сстве Арме́нии.
2. Серге́й на́чал рисова́ть карти́ну в про́шлом году́.
   Карти́на бу́дет интере́сная.
3. Ве́ра пи́шет статью́ на англи́йском языке́.
   Статья́ об англи́йской литерату́ре.

17. *Answer the questions. Write down your answers.*

Model: — Почему́ вы́ лю́бите свою́ рабо́ту?
        — Я́ люблю́ свою́ рабо́ту, потому́ что моя́ рабо́та о́чень интере́сная.

1. Почему́ о́н та́к до́лго пи́шет сво́й докла́д? 2. Почему́ вы́ не бу́дете чита́ть сво́й докла́д за́втра? 3. Почему́ она́ та́к ма́ло говори́т о свое́й жи́зни? 4. Почему́ они́ не хотя́т показа́ть свою́ колле́кцию?

18. *Answer the questions, using* свой *or other possessive pronouns in your answers.*

1. Чей учебник ты взял? Чей учебник лежит на столе? 2. О ком она рассказывала? О брате? Он ученик? Где он учится? 3. Что вы здесь написали? Адрес? Вы правильно написали адрес? Это новый или старый адрес? 4. У вас есть друг? Как его зовут? Вы можете показать фотографию друга? Это старая фотография?

19. *Supply the required possessive pronouns. Write out the sentences.*

1. Я живу в этой квартире. Это ... квартира. 2. — Антон, ты не видел ... портфель? — Вот он. 3. Он работает в этой больнице. Он очень любит ... работу. 4. — Нина, где живёт ... брат? — В Таллине. 5. — Анна Ивановна, где работает ... сын? — ... сын? В институте. 6. Ира, ты знаешь, я вчера видел на концерте ... подругу. 7. Мы живём в Киеве. Мы очень любим ... город. ... город — столица Украины. 8. Я знаю ... адрес и ... фамилию. 9. Он хорошо знает ... район. 10. Я географ, и я люблю ... профессию.

20. *Supply the required pronoun:* свой, его, её *or* их. *Write out the sentences.*

Анна — моя сестра. Она инженер. Она любит ... работу. ... муж тоже работает на заводе. Николай — ... сын. Он студент. ... институт находится в этом районе. Анна и ... семья живут тоже в этом районе. Володя — товарищ Николая. ... отец — журналист. Николай и Володя читали ... книгу об Африке.

21. *Complete the sentences, using the required possessive pronouns. Write out the sentences.*

1. Это мои друзья. Я давно знаю ... . Моя мама и я часто говорим о ... . Этот проект создали ... . 2. Это студенческий театр. Студенты часто смотрят спектакли в ... . Студенты строят здание ... . А где сейчас находится ... ? 3. Это моя библиотека. Я люблю работать в ... . Я хочу показать ... . В той комнате находится ... .

Usage of the Verb получать/получить

22. *Read and translate.*

1. — Антон, что ты читаешь? — Я получил пятый номер журнала «Москва». В нём есть очень интересные рассказы. — В прошлом году ты получал этот журнал? — Нет, не получал. 2. — Вера, ты получила письмо от Олега? — Нет, не получила. 3. Молодые учёные получили очень интересные результаты. Сейчас они пишут статью. 4. Борис, ты знаешь, Виктор сейчас болеет. Я получила от него письмо.

23. *Insert the verb* получать/получить *in the required form. Write out the sentences.*

1. — У вас дома есть журналы «Москва», «Октябрь», «Нева»? — Я ... журнал «Октябрь». 2. — Нина, что ты читаешь? — Это письмо от Виктора. Я ... его утром. 3. — Борис, дай мне, пожалуйста, журнал «Наука и жизнь» № 3. — Сегодня не могу. Я ... его только вчера и ещё не прочитал. 4. Сейчас я читаю статью ленинградских физиков. Они ... интересные результаты.

Usage of the Verb сдава́ть/сда́ть

24. *Read and analyze.*

1. — Оле́г, когда́ у ва́с бу́дут экза́мены? — Я бу́ду сдава́ть экза́мены в ию́не. 2. — Ро́берт, ка́к твои́ дела́? У тебя́ бы́ли экза́мены? — Да́, бы́ли. Я сда́л все́ экза́мены хорошо́. 3. — Джейн, у ва́с бы́ли экза́мены? — Не́т, на́ша гру́ппа ещё не сдава́ла экза́мены. 4. — Джи́м, ты́ сдава́л сего́дня экза́мен? — Да́, сдава́л. — И ка́к твои́ дела́? — Пло́хо, я не сда́л э́тот экза́мен. — Ты́ бу́дешь сдава́ть его́ ещё ра́з? — Обяза́тельно бу́ду.

25. *Insert the verb* сдава́ть/сда́ть *in the required form. Write out the sentences.*

1. — У тебя́ бы́ли экза́мены? — Не́т, я ещё не ... экза́мены. Я ... и́х в ма́е. 2. — Джейн, у тебя́ бы́ли экза́мены? — Да́, бы́ли. — Ка́к твои́ дела́? — Хорошо́. Я ... все́ экза́мены. 3. — Вы́ не зна́ете, ка́к дела́ у Ви́ктора? — Пло́хо. — У него́ бы́л экза́мен? — Да́, он ... экза́мен, но не ... . — Когда́ он ... экза́мен ещё ра́з? — В пя́тницу. 4. — Когда́ у ва́с бу́дет экза́мен? — Мы́ ... экза́мен во вто́рник.

Unit 10

I │ Ве́ра **покупа́ет** пода́рки **бра́ту** и **сестре́.**

1. *Answer the questions. Write down your answers.*

1. Ты́ не зна́ешь, кому́ он да́л мо́й слова́рь? (Оле́г и́ли Ни́на) 2. Кому́ ты́ купи́л э́ту кни́гу? (бра́т и́ли сестра́). 3. Скажи́, пожа́луйста, кому́ ты́ написа́л э́то письмо́? (оте́ц и́ли бра́т). 4. Кому́ ты́ помога́ешь реша́ть зада́чи? (А́нна и́ли Ви́ктор) 5. Вы́ не зна́ете, кому́ она́ дала́ а́дрес на́шего профе́ссора? (Ива́н и́ли Андре́й) 6. Кому́ ты́ купи́л уче́бник? (това́рищ и́ли сестра́) 7. Кому́ она́ сказа́ла о семина́ре? (Бори́с и́ли А́нна)

2. *Answer the questions, using the words in brackets. Write down your answers.*

1. Кому́ вы́ купи́ли портфе́ли? (бра́т, сестра́) 2. Кому́ вы́ да́ли ва́ш а́дрес? (Серге́й) 3. Кому́ вы́ да́ли но́мер ва́шего телефо́на? (Ро́берт) 4. Кому́ вы́ сего́дня звони́ли? (подру́га) 5. Кому́ вы́ помога́ете изуча́ть англи́йский язы́к? (бра́т) 6. Кому́ вы́ помогли́ написа́ть докла́д? (това́рищ) 7. Кому́ он расска́зывал о свое́й жи́зни? (дире́ктор институ́та) 8. Кому́ он говори́л о свое́й рабо́те? (профе́ссор)

3. *Complete the sentences. Write them out.*

Model: Óн дáл свóй учéбник **товáрищу.**

Онá далá свóй словáрь...	отéц, брáт, ученńк, профéссор, мáма,
Óн купńл билéт...	сестрá, подрýга
Óн помогáет переводńть э́тот рас- скáз...	
Онá сказáла о лéкции...	
Óн показáл э́тот журнáл...	

4. *Compose dialogues, as in the model. Write down your dialogues.*

Model: — Áнна ужé перевелá статью́.
— Ктó помóг **éй** перевестń статью́? — Антóн.

1. Вńктор ужé написáл курсовýю рабóту. 2. Мы́ бы́стро собрáли студéнтов пéрвого кýрса. 3. Я́ хорошó сдáл экзáмены. 4. Вéра сдéлала интерéсный доклáд о Шекспńре. 5. Сергéй и Натáша организовáли вéчер. 6. Мы́ приготóвили хорóший ýжин.

5. *Complete the sentences, using all possible personal pronouns. Write out the sentences.*

1. Дáйте ... э́ту газéту. 2. Я́ хочý показáть ... э́тот словáрь. 3. Купńте, пожá-луйста, ... журнáл. 4. Расскажńте ... о вáшей семьé. 5. Скажńте ... об э́той статьé. 6. Óн хóчет рассказáть ... об э́том институ́те. 7. Я́ могý помóчь ... организовáть конферéнцию. 8. Помогńте ... прочитáть э́тот текст.

6. *Answer the questions, replacing the underlined words by pronouns.*

Model: — Ктó сказáл Áнне о лéкции?
— О лéкции éй сказáл Сергéй.

1. Ктó дáл Вńктору мóй áдрес? 2. Ктó сказáл Вéре, что семинáра не бýдет? 3. Ктó помогáл Кáте и Олéгу переводńть текст? 4. Ктó дáл мáльчику э́ти кнńги? 5. Ктó звонńл Натáше сегóдня вéчером?

7. *Translate.*

1. Anya always helped me. 2. I know that you will help him. 3. Your sister has helped her to buy that book. 4. She showed us her library. 5. He always gives us books (as presents). 6. Vera will show you her collection. 7. He will give you his book (as a present). 8. I will tell them about the concert.

8. *Compose sentences.*

Model: Это **нóвый** ученńк.
Расскажńте **емý** о нáшей шкóле. Покажńте емý, гдé нахóдится сто-лóвая. Помогńте емý получńть учéбники в библиотéке.

1. Это нóвая студéнтка. 2. Это нóвые ученńцы. 3. Это мóй брáт. 4. Это сестрá Джóна. 5. Это нóвые студéнты. 6. Это нáш нóвый профéссор.

9. *Translate.*

1. In the morning we had a lecture. After the lecture the professor told us that there would be no seminar. Anton and Nina had not been at the lecture and they did not know that there would be no seminar. In the afternoon I saw them at the library. I told Anton and Nina that there would be no seminar. I showed Nina the fifth issue of the journal *Voprosy Istoriyi (Problems of History)*. There was an interesting article in it. I had bought that journal for a friend. 2. We explained to the woman where the hotel was. 3. Katya wrote a letter to a friend. 4. Boris showed Vera several interesting books.

II | Помогите этому молодому человеку написать адрес по-русски.

10. *Answer the questions. Write down your answers.*

1. Кому вы помогли купить книги? (этот студент) 2. Кому он написал письмо? (мой товарищ) 3. Кому вы сказали о семинаре? (ваш студент) 4. Кому он рассказал о новом фильме? (твой брат) 5. Кому она показала свою коллекцию? (моя мама) 6. Кому Том купил словарь? (твоя сестра) 7. Кому он рассказал о Ленинграде? (эта студентка)

11. *Complete the sentences. Write them out.*

1. Покажите эту фотографию ... . (этот новый студент) 2. Купите эту книгу ... . (ваш маленький брат) 3. Дайте несколько карандашей ... . (эта симпатичная девушка) 4. Покажите ваши картины ... . (этот художник) 5. Скажите «спасибо» ... . (этот молодой человек) 6. Расскажите о спектакле ... . (мой товарищ) 7. Помогите кончить работу ... . (эта студентка) 8. Расскажите о вашей профессии ... . (этот профессор) 9. Напишите письмо ... . (ваша старая учительница)

12. *Answer the questions. Write down your answers.*

1. Кому помогает Анна? (мой брат и моя сестра) 2. Кому Джон хочет подарить красивую марку? (школьный товарищ) 3. Кому вы показали дорогу? (эта симпатичная девушка и этот молодой человек) 4. Кому Лена звонила сегодня утром? (твой брат и школьная подруга) 5. Кому Борис рассказывал о Киеве? (знакомая девушка и мой товарищ)

13. *Compose sentences, using the following words and phrases.*

1. помогать/помочь — этот школьник; 2. рассказывать/рассказать — наш учитель, выставка; 3. писать/написать — его товарищ, письмо; 4. дарить/подарить — мой брат, интересная книга; 5. сообщать/сообщить — иностранный студент, лекция; 6. объяснять/объяснить — эта студентка, новые слова.

14. *Compose dialogues, as in the model.*

Model: — Анна сегодня показывала свои фотографии.
— Кому она показывала фотографии?
— Она показывала фотографии своей подруге.

1. Сегóдня Вúктор расскáзывал о Ленингрáде. 2. Áнна óчень хорошó отвечáла на экзáмене. 3. Сегóдня я написáл три письмá. 4. Учúтель двá рáза объяснúл задáчу.

15. *Answer the questions, using the words in brackets in your answers.*

Model: — Комý Вéра Ивáновна сказáла о семинáре?
— Одномý студéнту.

1. Комý Сергéй покáзывал свои картúны? (одúн стáрый худóжник) 2. Комý Кирúлл расскáзывал о своéй прáктике? (одúн студéнт-истóрик) 3. Комý Джóн помогáет изучáть рýсский язык? (однá английская студéнтка) 4. Комý Джóн рассказáл о своéй статьé? (одúн инострáнный профéссор) 5. Комý Кáрин написáла письмó? (однá францýзская дéвочка) 6. Комý Рóберт помóг написáть доклáд? (одúн студéнт-геóлог)

16. *Answer the questions. Write down your answers.*

Model: — Почемý у вáс нéт учéбника?
— Я дáл учéбник одномý студéнту, моемý дрýгу.

1. Почемý у вáс нéт тетрáди? 2. Почемý у вáс нéт словаря? 3. Почемý у тебя нéт рýчки? 4. Почемý у тебя нéт билéта? 5. Почемý у тебя нéт журнáла «Вопрóсы литератýры»?

III

> —Скóлько лéт вáшему брáту?
> —Емý четырнадцать лéт.

17. *Answer the questions, using the phrases in brackets. Write down your answers.*

1. Скóлько лéт вáшей сестрé? (1 гóд) 2. Скóлько лéт брáту Тóма? (21 гóд) 3. Скóлько лéт вáшему брáту? (2 гóда) 4. Скóлько лéт этому студéнту? (22 гóда) 5. Скóлько лéт этой дéвочке? (5 лéт) 6. Скóлько лéт этой жéнщине? (25 лéт) 7. Скóлько лéт этому здáнию? (100 лéт) 8. Скóлько лéт этому гóроду? (1000 лéт)

18. *Complete the sentences. Write them out.*

1. Мнé тогдá было 17 … . 2. Этому человéку 60 … . 3. Этому врачý 31 … . 4. Егó дóчери 18 … . 5. Этому профéссору 54 … . 6. Моéй подрýге 19 … . 7. Нáшему дирéктору 43 … . 8. Моéй сестрé 22 …, моéй мáтери — 55 … .

19. *Answer the questions, using the numbers in brackets. Write down your answers.*

1. Скóлько вáм лéт? (21, 23, 17, 27) 2. Это вáша сестрá? Скóлько éй лéт? (1, 4, 9, 16) 3. Это вáш отéц? Скóлько емý лéт? (50, 31, 47) 4. Ты ýчишься в шкóле? Скóлько тебé лéт? (8, 13)

20. *Ask questions and answer them, using the words* ты, óн, онá, Áнна, вáш товáрищ, вáша мáма *and* вáш отéц *in the required form.*

Model: — Скóлько вáм лéт? — Мнé 18 лéт.

21. *Complete the sentences,* *using* конча́ть, рабо́тать, учи́ться.

Model: У моего́ бра́та взро́слая до́чь. Ей 18 ле́т. В э́том году́ она́ конча́ет
· шко́лу.

1. У меня́ е́сть бра́т. 2. У мое́й подру́ги е́сть сестра́. 3. У моего́ отца́ е́сть дру́г.
4. У мои́х друзе́й е́сть сы́н. 5. У на́с в шко́ле е́сть учи́тель. 6. У на́с в до́ме живёт
оди́н молодо́й челове́к.

IV
> Ва́ш сы́н хорошо́ поёт, **ему́ на́до учи́ться** в музыка́льной шко́ле.
> Ви́ктор бо́лен. **Ему́ нельзя́ кури́ть.**

22. *Answer the questions. Write down your answers.*

1. Кому́ на́до посмотре́ть но́вый фи́льм? (э́тот студе́нт) 2. Кому́ нельзя́ жи́ть
на ю́ге? (э́та больна́я же́нщина) 3. Кому́ нельзя́ кури́ть? (э́тот молодо́й челове́к)
4. Кому́ на́до пе́ть в теа́тре? (э́тот арти́ст) 5. Кому́ мо́жно рабо́тать в лаборато́рии?
(э́та студе́нтка) 6. Кому́ на́до мно́го гуля́ть? (э́та ма́ленькая де́вочка)

23. *Change the sentences, using the words* мо́жно, на́до *and* нельзя́.

Model: Вы́ должны́ сда́ть э́тот экза́мен весно́й.
Ва́м на́до сда́ть э́тот экза́мен весно́й.

1. Э́то библиоте́ка. Зде́сь не ку́рят. 2. Врачи́ говоря́т, что Ро́берт не до́лжен
жи́ть на ю́ге. 3. В э́той ко́мнате ку́рят. 4. Ве́ра боле́ет. Врачи́ говоря́т, что сейча́с
она́ не должна́ рабо́тать. 5. Никола́й хо́чет изуча́ть фи́зику. О́н до́лжен учи́ться
в университе́те.

24. *Translate. Write down your translation.*

1. A new school should be built in the district. 2. A Russian Language Club will
have to be organized in this school. 3. He should now decide where he wants to
study. 4. No films should have been shown in this building. 5. Anna is preparing
a report: she will have to study the literature and collect the documents. 6. He
may live in this area: the climate is good here.

25. *Change the sentences, using* мо́жно, на́до *and* нельзя́.

Model: Прочита́йте э́ту статью́.
Ва́м на́до прочита́ть э́ту статью́.

1. Посмотри́те э́тот фи́льм. 2. Не кури́те. 3. Ка́ждый де́нь говори́те по-ру́сски.
4. Напиши́те об э́том статью́. 5. Зде́сь не разгова́ривают гро́мко. 6. Зде́сь смо́трят
фи́льмы. 7. Переведи́те э́ту статью́.

26. *Compose dialogues based on the following situations.*

Your friend invites you for a walk, to watch TV, to see a new film. You decline
his invitation because you must finish reading a story, translate a text, write a report;

you are to take an exam tomorrow; you have a seminar, a Russian class tomorrow and you must prepare for it.

Model: — Ро́берт, сего́дня в клу́бе хоро́ший фильм. Не хо́чешь посмотре́ть?
— Я не могу́. Мне́ ну́жно сего́дня мно́го рабо́тать. За́втра у меня́ экза́мен.

V
> Сейча́с у на́с бу́дет **ле́кция по матема́тике.**

27. *Supply continuations and write them down.*

Model: Я изуча́ю геогра́фию. Сейча́с у меня́ ле́кция по геогра́фии.

1. Джо́н изуча́ет исто́рию. 2. Ве́ра изуча́ет эконо́мику. 3. Мэ́ри изуча́ет литерату́ру. 4. Кэ́т изуча́ет хи́мию. 5. Джейн изуча́ет фи́зику. 6. То́м изуча́ет биоло́гию. 7. Дже́к изуча́ет геогра́фию.

28. *Answer the questions, using the words in brackets in your answers. Write down your answers.*

1. Кака́я у ва́с сейча́с ле́кция? (хи́мия) 2. Како́й уче́бник вы́ купи́ли? (литерату́ра) 3. Како́й у ва́с бы́л семина́р? (матема́тика) 4. Кака́я ле́кция была́ у ва́с у́тром? (исто́рия) 5. Како́й уче́бник ты́ и́щешь? (фи́зика) 6. На како́й ле́кции ты́ ви́дела А́нну? (геогра́фия) 7. Кака́я э́то тетра́дь? (ру́сский язы́к)

VI
> Э́то **журна́л, кото́рый** вчера́ получи́л Ви́ктор.
> Э́то **кни́га, кото́рую** написа́л америка́нский писа́тель.

29. *Change the sentences, replacing the underlined words by the words in brackets. Write out your sentences.*

Model: Я чита́л кни́гу, кото́рую о́н мне́ да́л.
Я чита́л журна́л, кото́рый о́н мне́ да́л.
Я чита́л письмо́, кото́рое о́н мне́ да́л.

1. О́н живёт в до́ме, кото́рый нахо́дится в це́нтре го́рода. (гости́ница, зда́ние)
2. Э́то фотогра́фия челове́ка, кото́рый ра́ньше рабо́тал зде́сь. (де́вушка, профе́ссор)
3. Э́то клу́б, кото́рый постро́или ле́том. (шко́ла, зда́ние, институ́т, библиоте́ка)
4. О́н показа́л на́м портфе́ль, кото́рый о́н неда́вно купи́л. (кни́га, слова́рь, журна́л, карти́на)

30. *Change the questions, as in the model. Answer the questions and write down both the questions and the answers.*

Model: Ка́к зову́т э́того студе́нта? О́н у́чится в ва́шем институ́те.
— Ка́к зову́т студе́нта, кото́рый у́чится в ва́шем институ́те?
— Его́ зову́т Бори́с.

1. Ка́к зову́т э́ту де́вушку?

Она́ де́лала докла́д.
Мы́ ви́дели её вчера́ в институ́те.
Вы́ написа́ли ей письмо́.
Её роди́тели живу́т в Ки́еве.

2. Ка́к фами́лия э́того молодо́го челове́ка?

Он стои́т о́коло окна́.
Вы́ расска́зывали о нём.
Вы́ купи́ли ему́ журна́л.

3. Ка́к называ́ется университе́т?

Вы́ у́читесь в нём.
Его́ ко́нчил Джо́н.
О́коло него́ нахо́дится стадио́н.

4. Ка́к называ́ется у́лица?

Вы́ живёте на ней.
На ней нахо́дится теа́тр.
Фотогра́фию э́той у́лицы вы́ мне пока́зывали.

31. *Write out the sentences, inserting the word* кото́рый *in the required form.*

1. На столе́ лежа́ло письмо́, ... я сего́дня получи́л. Я рассказа́л това́рищу о письме́, ... я получи́л. Мо́й това́рищ ви́дел письмо́, о ... я ему́ говори́л. 2. Я зна́ю де́вушку, ... зову́т Ната́ша: Ната́ша живёт у подру́ги, ... у́чится на истори́ческом факульте́те. Подру́га, у ... живёт Ната́ша, хорошо́ зна́ет литерату́ру. 3. Это гру́ппа гео́логов, ... рабо́тают в Сиби́ри. Это до́м, в ... живу́т гео́логи. Это мо́й бра́т, гео́лог, ... я пишу́ пи́сьма ка́ждый ме́сяц. А э́то его́ това́рищ, о ... о́н на́м расска́зывал. 4. Вчера́ по́сле обе́да я бы́л у Никола́я, моего́ това́рища, ... живёт в це́нтре го́рода. Он живёт о́коло больни́цы, в ... рабо́тает его́ оте́ц. Он хо́чет рабо́тать в больни́це, в ... рабо́тает его́ оте́ц, и́ли в медици́нском институ́те, в ... сейча́с Никола́й у́чится.

32. *Combine each pair of sentences into one, using the word* кото́рый *in the required form. Write out your sentences.*

Model: Мы́ говори́ли о фи́льме, кото́рый смотре́ли вчера́.

1. Это вра́ч, ...
Мы́ говори́ли о враче́, ...
Это до́м врача́, ...

Он рабо́тает в э́той больни́це.

2. Я написа́л письмо́ дру́гу, ...
Это фотогра́фия моего́ дру́га, ...

Он живёт в Ленингра́де.

3. Мы́ чита́ли пье́су, ...
Мы́ говори́ли о пье́се, ...

Пье́су написа́л писа́тель Васи́льев.

4. Серге́й показа́л на́м карти́ну, ...

Он неда́вно нарисова́л карти́ну.

5. Ве́ра показа́ла на́м зда́ние институ́та, ...

Она́ рабо́тает в институ́те.
Она́ говори́ла об институ́те.

6. Я да́м тебе́ кни́гу, ...

Я сейча́с чита́ю кни́гу.
Я говори́л тебе́ о кни́ге.

7. Мы́ купи́ли журна́л, ...

Ты́ говори́л о журна́ле.

8. Это фотогра́фия на́шего профе́ссора, ...

Он рабо́тал в э́том университе́те.

9. Небольшо́й музе́й расска́зывает о приро́де Кавка́за.

Музе́й организова́ли студе́нты.

10. Эти докуме́нты собра́л мо́й бы́вший учени́к.

Докуме́нты я сейча́с изуча́ю.

33. *Translate. Write down your translation.*

1. The museum is in a building which was built recently.. 2. We shall study in a new school, which has been built on our street. 3. I have a friend whose name is Tom. 4. This is a photograph of a professor who worked at our institute. 5. This is the book I told you about. 6. What is the name of the woman who gave you this ·picture? 7. Where is the school in which Nina studies?

Usage of Verbs

34. *Compose sentences with the following verbs and write them down.*

Model: Я по́мню но́мер ва́шего телефо́на.
Я по́мню, что за́втра у на́с бу́дет ве́чер.

по́мнить ч т о́/*subordinate clause*, сообщи́ть к о м у́ о ч ё м, подари́ть ч т о́ к о м у́, забы́ть ч т о́/*subordinate clause*, помо́чь к о м у́ + *inf*., запо́мнить ч т о́/*subordinate clause*, объясни́ть ч т о́ к о м у́/*subordinate clause*

35. *Oral Practice.*

Ask your friends whether they have found the things they lost: their chess, textbook, dictionary, briefcase, newspaper, ballpoint, exercise book, magazine, book. If they have not found them, ask them where they have looked for them.

36. *Insert the verb* вспомина́ть/вспо́мнить *or* запомина́ть/запо́мнить *as required by the sense. Write out the sentences.*

1. Я хорошо́ ... э́тот расска́з, о́н мне́ о́чень понра́вился. 2. Она́ всегда́ бы́стро и хорошо́ ... стихи́. 3. Я зна́ю, что э́того челове́ка я ви́дел мно́го ра́з, но сейча́с не могу́ ... его́ фами́лию. 4. То́лько в институ́те Ни́на ..., что не взяла́ свою́ тетра́дь. 5. У него́ прекра́сная па́мять, о́н о́чень бы́стро ... стихи́, но́вые слова́. 6. В англи́й-ском языке́ не́т о́тчеств, поэ́тому я всегда́ пло́хо ... ру́сские о́тчества.

37. *Oral Practice.*
Compose similar dialogues, using the words on the right.

— Вы́ вспо́мнили меня́?	его́ а́дрес, её и́мя, её и́мя и о́тчество, его́
— Нет, ника́к не могу́ вспо́м-нить.	фами́лия, э́ти слова́, слова́ э́той пе́сни.

38. *Translate.*

(a) 1. I can't remember the words of that song. I know that I have already heard it. 2. You must remember that word. You wrote it many times. 3. She remembered that she had not taken that book from the library. 4. In the summer we were in Moscow, and now we often recollect our Moscow friends. 5. "Do you remember when we are to hold a seminar in literature?" "No, I don't."

(b) 1. She has a good memory. She remembers new words quickly. 2. "Did you remember my address?" "Yes, I did." 3. I remembered well what the professor had been speaking about at the lecture.

70

Unit 11

I

> — Куда́ иду́т э́ти студе́нты?
> — Они́ иду́т в университе́т.

1. *Read and translate.*

— Здра́вствуйте, Ната́ша. Куда́ вы та́к бы́стро идёте?
— Я иду́ в кино́. Нача́ло сеа́нса в три́ пятна́дцать. Я опа́здываю.
— В како́й кинотеа́тр вы идёте?
— Я иду́ в кинотеа́тр «Прогре́сс».

2. *Replace the verb* е́хать *by the appropriate form of the verb* идти́. *Write out the sentences.*

У на́с больша́я семья́. У́тром на́ш оте́ц е́дет на рабо́ту. Он рабо́тает на заво́-де. Ма́ма е́дет в институ́т. Я и моя́ сестра́ е́дем в университе́т. Мы у́чимся в уни-верситете. Ма́ленький бра́т и сестра́ е́дут в шко́лу.

3. *Answer the questions, using the words in brackets. Write down your answers.*

Model: — Где́ ты была́, О́ля? Куда́ ты идёшь? (институ́т, общежи́тие)
— Я была́ в институ́те. Сейча́с иду́ в общежи́тие.

1. Где́ ты бы́л? Куда́ ты идёшь? (шко́ла, клу́б) 2. Где́ вы бы́ли? Куда́ вы идёте? (больни́ца, апте́ка) 3. Где́ игра́л ва́ш бра́т? Куда́ он идёт? (па́рк, стадио́н) 4. Где́ ты бы́л сего́дня днём? А куда́ ты идёшь? (кино́, у́лица) 5. Где́ О́ля была́ у́тром? Куда́ она́ идёт? (институ́т, библиоте́ка) 6. Где́ вы сего́дня обе́дали? А куда́ вы идёте сейча́с? (рестора́н, гости́ница)

4. *Complete the sentences, using the verbs* идти́ *and* е́хать *in the required form. Write out the sentences.*

(a) 1. Мы идём на стадио́н. А ты́ ...? А он то́же ...? А ва́ша подру́га ...? 2. — Э́то ва́ши де́ти? Они́ ... в кино́? Вы то́же ... туда́? — Не́т. Я ... . 3. Я ... домо́й, а ты́ куда́ ...? 4. Де́вочка ... в ци́рк. 5. Мо́й дру́г ... в клу́б, а я́ ... в теа́тр. 6. Мы́ ... на по́чту. 7. Вы́ ... на вокза́л? 8. Шко́льники ... в музе́й.

(b) 1. Ты́ е́дешь на Кавка́з, а я́ ... в Кры́м. 2. Они́ ... на Ура́л. 3. Вы́ ... в Ки́ев, а они́ ... в Оде́ссу. 4. Она́ ... в гости́ницу, а мы́ ... на вокза́л. 5. Мы́ ... на за́пад, а вы́ ... на се́вер. 6. Я е́ду на мо́ре. А вы́ куда́ ...? Э́то ва́ш сы́н? Почему́ он та́к бы́стро ...? 7. Ты́ ... в дере́вню? Почему́ ты́ ... оди́н? Почему́ твоя́ жена́ и де́ти не ...? 8. Мы́ е́дем в Ри́гу. Вы́ то́же ... в Ри́гу? А та́м кто́ сиди́т? Ва́ши друзья́? Куда́ они́ ...?

71

5. *Read and translate the sentences. Which underlined phrases answer the question* г д é? *and which the question* к у д á?

1. Этот студéнт ýчится в университéте. Сейчáс óн идёт в университéт. 2. Ýтром мóй брáт спешит на завóд. Óн рабóтает на завóде. 3. Нáша семья живёт в Ленингрáде. Мóй товáрищ éдет в Ленингрáд. 4. Этот врáч рабóтает в больнице. Сейчáс óн идёт в больницу. 5. Ýтром мóй сын идёт в шкóлу. Óн ýчится в шкóле. 6. Мóй брáт éдет отдыхáть на Украйну. Мы тóже отдыхáли на Украйне. 7. Моя сестрá сейчáс на рабóте. Кáждое ýтро онá спешит на рабóту.

6. *Complete the sentences, using the adverbs:*

Г д é? — здéсь, тáм, дóма.
К у д á? — сюдá, тудá, домóй.

1. Это химический завóд. Ивáн Петрóвич давнó рабóтает ... . 2. Сегóдня Дима нé был в шкóле, óн был ... . 3. Инженéр идёт ... . 4. Однá машина éдет ..., а другáя éдет ... . 5. Моя мáть живёт в Ростóве. Я тóже éду ... . 6. Вчерá мы обéдали в ресторáне. Сегóдня тóже идём ... . 7. Я учýсь в университéте. Олéг тóже ýчится ... . 8. Я идý в университéт. Олéг тóже идёт ... .

7. *Complete the dialogues. Write them down.*

Model: — Гдé Антóн?
— Óн в клáссе.
— Мы тóже идём тудá.

1. — Гдé Áнна? — Онá в кинó. 2. — Гдé Виктор? — Óн в столóвой. 3. — Гдé Мария? — Онá в лаборатóрии. 4. — Гдé Джóн? — Óн дóма.

Model: — Ты идёшь в институт?
— Нéт. Я ужé был тáм.

1. Вы идёте в клýб? 2. Они éдут в пáрк? 3. Ты идёшь домóй обéдать?

8. *Read the dialogue. Compose similar dialogues, using the words given below.*

На вокзáле

— Скажите, пожáлуйста, кудá идёт этот пóезд?
— Это пóезд Москвá — Киев. Óн идёт в Киев.
— Мнé нýжен вторóй вагóн.
— Вторóй вагóн нахóдится в начáле пóезда. Идите вóн тудá.
— Спасибо.

Рига—Ленингрáд, Москвá—Париж, Москвá—Владивостóк, Москвá—Берлин, Киев—Новосибирск.

| II | Вчерá мы гуляли **по гóроду.** |

9. *Write out the sentences, inserting the words given in brackets in the required form.*

1. Оле́г бы́стро идёт по ... (коридо́р). 2. Мы лю́бим ве́чером гуля́ть по ... (у́лица Го́рького). 3. Вчера́ мы два часа́ гуля́ли ... (парк). 4. Я люблю́ гуля́ть по ... (лес) весно́й. 5. Тури́сты иду́т по ... (бе́рег реки́). 6. Ве́чером мы до́лго гуля́ли по ... (го́род). 7. Тури́сты бы́стро шли по ... (доро́га).

идти́	ходи́ть
Он **идёт** в институ́т.	Он **ходи́л** по ко́мнате.
	Я ча́сто **хожу́** в теа́тр.
	Он лю́бит **ходи́ть** пешко́м.
	Вчера́ я **ходи́л** в теа́тр.
	(*Past tense only.*)

10. *Read and translate.*

1. Он журнали́ст и мно́го е́здит по стране́. 2. Гру́ппа журнали́стов е́дет на строи́тельство. 3. Шко́льники бы́стро иду́т по коридо́ру. Они́ иду́т в класс. 4. Я люблю́ ходи́ть по́ лесу одна́. 5. Маши́ны иду́т по доро́ге в го́род. 6. Де́ти бе́гают по па́рку, е́здят на велосипе́дах. 7. Ви́ктор бежи́т в институ́т. Он опа́здывает. 8. Де́ти е́дут на авто́бусе на мо́ре.

11. *Read and translate.*

1. У́тром шко́льники иду́т в шко́лу. 2. Шко́льники ка́ждый день хо́дят в шко́лу. 3. Оле́г е́дет на рабо́ту. 4. Он всегда́ е́здит на рабо́ту на авто́бусе. 5. По шоссе́ е́дет маши́на. Она́ везёт молоко́. 6. Де́вушка несёт кни́ги в библиоте́ку. 7. Почтальо́н но́сит нам газе́ты. 8. Пе́тя и А́ня — студе́нты. Они́ хо́дят в институ́т.

III | Ма́льчик е́дет на велосипе́де.

12. *Compose dialogues, using the words given below. Write down your dialogues.*

Model: — Воло́дя, ты обы́чно е́здишь в институ́т на авто́бусе и́ли хо́дишь пешко́м?
— Я е́зжу на авто́бусе.

библиоте́ка — метро́, шко́ла — авто́бус, парк — трамва́й

13. *Insert the verb* ходи́ть *or* е́здить *in the required form. What words denote the repetition of action?*

1. Студе́нты ча́сто ... на стадио́н игра́ть в волейбо́л. 2. Ка́ждый день он ... на по́чту. 3. В ию́не мы иногда́ ... в дере́вню. 4. Куда́ ты обы́чно ... ле́том? 5. Ра́ньше мы ча́сто ... на Кавка́з. 6. Я живу́ в дере́вне. У́тром я ... на́ реку, а днём я ... в лес.

14. *Read and translate. Note the correlation of the transitive and intransitive verbs of motion.*

Вот идёт наша тётя Вера Петровна и несёт нам цветы. У Веры Петровны в саду всегда хорошие цветы, и она часто носит нам цветы. В субботу или в воскресенье Вера Петровна ездит к своей дочери и тоже всегда возит ей свои цветы.

15. *Insert the transitive verb of motion* нести — носить *or* везти — возить, *as required by the sense.*

1. Девушка едет домой, она ... хлеб, сыр. 2. По шоссе едут машины. Они ... мясо и молоко. 3. Здесь часто ездят машины. Они ... лес. 4. Мальчик идёт в библиотеку. Он ... книгу. 5. Это Коля. Он живёт в деревне. Он часто ходит сюда. Он ... нам фрукты.

16. *Compose similar dialogues, using the words given below. Write down your dialogues.*

Model: — Саша, куда ты идёшь?
        — На почту. Несу письмо.

    библиотека — книга, институт — журнал

Model: — Саша, куда ты идёшь?
        — Веду брата в парк.

    музей — сестра, школа — сын

Model: — Саша, куда ты едешь?
        — На вокзал. Везу брата.

    музей — картина, институт — учебники, город — сестра

17. (a) *Read and translate. Write out the nouns denoting means of transportation with the prepositions preceding them.*

1. Виктор ездит в институт на трамвае, а я хожу пешком, но сегодня и я еду в институт: сегодня у меня мало времени. 2. Николай не любит ездить на поезде, он всегда ездит на автобусе. 3. Мы ехали в Москву на машине. 4. На работу мои родители ездят на метро, на автобусе или на троллейбусе.

(b) *Answer the questions. Write down your answers.*

Model: — Вы ездите на работу на машине?
        — Нет, я люблю ездить на метро.

1. Вы ездите в университет на трамвае? 2. Вы ездите в деревню на автобусе? 3. Валя ездит в театр на метро? 4. Ты ездишь домой на троллейбусе?

18. *Answer the questions. Write down your answers.*

1. Здесь ходят автобусы? 2. Когда начинают ходить автобусы? 3. Куда идёт этот автобус? 4. Здесь автобусы ходят часто? 5. Куда вы едете на этом автобусе? 6. Вы всегда ездите на этом автобусе? 7. Вы любите ездить на автобусе?

19. *Insert the verbs* идти — ходить, ехать — ездить *and* нести — носить *in the required form. Write out the sentences.*

1. — Здра́вствуй, Ле́на. Куда́ э́то ты́ ... та́к ра́но?
   — Я́ ... в институ́т.
   — Почему́ ты́ ... пешко́м?
   — Обы́чно я́ ... в институ́т на авто́бусе, но сего́дня у меня́ свобо́дное вре́-
   мя, и я́ могу́ ... пешко́м. Я́ люблю́ ... пешко́м.

2. — Куда́ ты́ идёшь, Воло́дя?
   — Я́ ... на по́чту письмо́.
   — Ка́жется, ты́ о́чень ча́сто ... на по́чту?
   — Да́, я́ ... на по́чту ка́ждую суббо́ту.

3. — Где́ вы́ сейча́с рабо́таете, Мари́я Петро́вна?
   — Я́ рабо́таю в университе́те.
   — А ка́к вы́ ... на рабо́ту? На авто́бусе?
   — Не́т, я́ ... на рабо́ту на метро́. А вы́?
   — А я́ рабо́таю в шко́ле и ... на рабо́ту пешко́м.

20. *Read and translate.*

1. Вчера́ студе́нты ходи́ли на стадио́н. 2. Ве́чером я́ ходи́л в клу́б игра́ть в ша́хматы. 3. Ле́том мы́ е́здили на мо́ре. 4. В ноябре́ Никола́й е́здил на пра́ктику. 5. Днём я́ ходи́л в библиоте́ку.

21. *Change the sentences, as in the model, using the verbs* ходи́ть *and* е́здить.

Model: Вчера́ они́ бы́ли в клу́бе.
      Вчера́ они́ ходи́ли в клу́б.

1. Ле́том мы́ бы́ли на се́вере. 2. Зимо́й я́ бы́л в Ташке́нте. 3. Вчера́ они́ бы́ли на семина́ре. 4. Ты́ бы́л сего́дня на уро́ке литерату́ры? 5. Мои́ сёстры вчера́ бы́ли на конце́рте. 6. Мо́й дру́г — журнали́ст в э́том году́ бы́л в Аме́рике. 7. Э́тот молодо́й челове́к неда́вно бы́л в столи́це. 8. Ле́том мо́й бра́т бы́л в Ерева́не.

22. *Answer the questions. Write down your answers.*

Model: — Ты́ бы́л сего́дня в университе́те?
      — Да́, я́ е́здил (ходи́л) в университе́т.
      — Не́т, я́ не е́здил (не ходи́л) в университе́т.

1. Ты́ бы́л сего́дня в библиоте́ке? 2. Ты́ бы́л на конце́рте францу́зских арти́стов? 3. В воскресе́нье ты́ бы́л на стадио́не? 4. Ва́ш това́рищ бы́л сего́дня в институ́те? 5. В про́шлом году́ вы́ отдыха́ли на Чёрном мо́ре?

23. *Ask questions and answer them, using the words given below. Write down your questions and answers.*

Model: — Ко́ля, где́ ты́ бы́л сего́дня?
      — Я́ ходи́л в клу́б.

вчера́ ве́чером — теа́тр, сего́дня у́тром — институ́т, сего́дня днём — па́рк, вчера́ у́тром — музе́й.

24. *Insert the required verb chosen from those in brackets. Write out the sentences.*

1. Я мно́го ... пешко́м. (хожу́ — иду́) 2. Вот ... ма́льчик. Он ... в шко́лу. (хо́дит — идёт) 3. Е́сли хоти́те узна́ть го́род, ... пешко́м. (ходи́те — иди́те) 4. Я люблю́ ... . (ходи́ть — идти́) 5. Но́чью Москва́ не спит. Вот ... маши́на. (е́здит — е́дет) Она́ ... хлеб в магази́н. (во́зит — везёт) 6. Э́та де́вочка не ..., а ... потому́ что она́ опа́здывает в шко́лу. (хо́дит — идёт, бе́гает — бежи́т) 7. Ра́ньше он жил на Ура́ле. В про́шлом году́ он ... туда́. (е́здил — е́хал) 8. Ви́дите авто́бус? Он ... в центр го́рода. (хо́дит — идёт) 9. — Э́то ваш сын? Како́й большо́й! — Да, он уже́ ... в шко́лу. (хо́дит — идёт)

25. *Translate.*

1. There is a taxi over there. It's going to the center of the town. 2. The truck is carrying bread to the store. This truck always carries bread. 3. The school students are going to school. They always go along this street. 4. I don't like riding on a bus. I usually go to my work on foot. 5. Yesterday at three o'clock we walked to the stadium and then we drove to the theater. 6. I like that theater. I often go there. Yesterday we went there too. 7. That young man rides a bicycle very well. 8. "Kolya, what are you carrying?" "I am carrying exercise-books."

IV

Е́сли я́ бу́ду учи́ться в Москве́, я́ бу́ду ча́сто ходи́ть в музе́и и теа́тры.
Е́сли вы́ дади́те мне́ а́дрес, то я́ напишу́ ва́м.

---

26. *Read and translate.*

1. Е́сли вы́ зна́ете слова́, вы́ бы́стро переведёте текст. 2. Е́сли вы́ говори́те по-ру́сски, вы́ смо́жете поня́ть, когда́ говоря́т по-украи́нски и по-белору́сски. 3. Е́сли конце́рт бу́дет хоро́ший, в клу́бе бу́дет мно́го наро́да. 4. Е́сли он бу́дет учи́ться в э́том институ́те, то он бу́дет изуча́ть фи́зику и матема́тику.

27. *Complete the sentences, using the verbs in brackets in the imperative. Write out the sentences.*

1. Е́сли вы́ уже́ прочита́ли расска́з, ... (перевести́) 2. Е́сли вы́ хоти́те слу́шать му́зыку, ... (посеща́ть консервато́рию) 3. Е́сли у ва́с есть а́дрес, то ... . (написа́ть письмо́) 4. Е́сли у ва́с есть рома́н «Война́ и мир», ... (прочита́ть) 5. Е́сли вы́ хоти́те зна́ть свою́ страну́, ... (путеше́ствовать) 6. Е́сли вы́ не по́няли зада́чу, ... (спроси́ть преподава́теля) 7. Е́сли вы́ хоти́те зна́ть о на́шем университе́те, ... (чита́ть на́шу газе́ту)

28. *Offer a stamp, record, badge, an old book, photographs, used theater tickets to a collector friend. Write down your sentences.*

Model: Е́сли вы́ собира́ете фотогра́фии городо́в, возьми́те э́ту фотогра́фию.

Usage of the Verbs

бежа́ть — бе́гать, лете́ть — лета́ть, нести́ — носи́ть, везти́ — вози́ть, плы́ть — пла́вать

29. *Insert the required verbs in the correct form. Write out the sentences.*

бежа́ть — бе́гать

1. — Смотри́те, сюда́ ... соба́ка. — Э́то моя́ соба́ка. Днём она́ обы́чно ... в на́шем саду́. 2. — Вон там нахо́дится стадио́н. Ка́ждый вто́рник мы там ... . Я о́чень люблю́ ... . А вы хорошо́ ...? — Нет. После́дний раз я ... пять лет наза́д. — Смотри́те, сюда́ ... шко́льники. Они́ о́чень хорошо́ ... .

лете́ть — лета́ть

— Куда́ вы ...? — Я ... в Ки́ев. — Вы там живёте? — Нет, я ... посмотре́ть го́род. — Моя́ жена́ то́же ... в Ки́ев. Мы тури́сты. — Да, я ви́жу, что сего́дня в самолёте ... тури́сты. Отку́да вы ...? — Мы ... из Ми́нска. — Вы лю́бите ... на самолёте? — Не о́чень. Я бо́льше люблю́ е́здить на по́езде.

нести́ — носи́ть

1. — Кто э́то идёт? — Э́то идёт Никола́й. Он ... большо́й портфе́ль и кни́ги. — Он всегда́ ... так мно́го книг? — Да, он ... и уче́бники, и словари́. А я ... то́лько тетра́ди. Не люблю́ ... мно́го книг. — А что вы сего́дня ...? — Сего́дня я ... альбо́мы. Здесь фотогра́фии.

везти́ — вози́ть

1. — Э́то Андре́й е́дет на велосипе́де? Что он ...? — Он ... газе́ты. Андре́й и его́ друг Пётр ле́том рабо́тают на по́чте. Они́ ... газе́ты и журна́лы. — Андре́й что вы сего́дня ...? — Сего́дня я ... газе́ты, журна́л «Здоро́вье» и «Неде́лю».

плы́ть — пла́вать

1. — Куда́ ... э́тот кора́бль? — Он... из Ло́ндона в Ленингра́д. По Балти́йскому мо́рю ... мно́го корабле́й. — А вы куда́ ...? — Я ... в Ленингра́д. Я люблю́ ... на больши́х корабля́х. Э́то о́чень интере́сно.

30. *Supply responses, using the verb of the required aspect chosen from those in brackets.*

Model: — Я забы́л до́ма уче́бник. Что мне де́лать?
— Тебе́ на́до взять уче́бник в библиоте́ке.

1. Я потеря́л биле́т. Что мне де́лать? (покупа́ть/купи́ть) 2. Я пло́хо зна́ю э́тот го́род. Я не зна́ю, где я сейча́с нахожу́сь. Что мне де́лать? (узнава́ть/узна́ть) 3. Я не по́мню а́дрес това́рища, кото́рому до́лжен написа́ть письмо́. Что мне де́лать? (спра́шивать/спроси́ть) 4. В сре́ду у нас экза́мены, а мы не гото́вы. Что нам де́лать? (брать/взять, чита́ть/прочита́ть)

Unit 12

где?	куда?	откуда?
Áнна **в школе**.	Áнна идёт **в школу**.	Áнна идёт **из школы**.
Víктор **на заводе**.	Víктор идёт **на завод**.	Víктор идёт **с завода**.

1. *Read and translate. What questions* (г д é?, к у д á?, о т к ý д а?) *do the underlined phrases answer? Note the correlation of the prepositions* в — из *and* на — с.

1. Ýтром дéти идýт в шкóлу, днём они́ идýт из шкóлы. 2. Одни́ маши́ны éдут на завóд, а други́е éдут с завóда. 3. Мáть ведёт ребёнка в пáрк. Они́ гуля́ют в пáрке. 4. Я несý письмó на пóчту. С пóчты я несý газéты. 5. Вчерá мы́ бы́ли на стадиóне. Со стадиóна я́ и Волóдя шли́ вмéсте. 6. Лéтом дéти éдут в пионéрский лáгерь. Óсенью они́ éдут из лáгеря.

2. *Change the sentences and write them out.*

Model: Óн бы́л на ю́ге. Óн éдет на ю́г. Óн éдет с ю́га.

1. Я́ бы́л на сéвере. 2. Мы́ бы́ли на Урáле. 3. Я́ бы́л в Сиби́ри. 4. Они́ бы́ли на Кавкáзе. 5. Я́ бы́л на Украи́не. 6. Óн бы́л в Филадéльфии. 7. Я́ бы́л в Ри́ме.

3. *Compose dialogues. Write them down.*

Model: — Где́ бы́ли днём вы́ и вáш брáт?
— Я́ бы́л в инститýте, а брáт бы́л на рабóте.
— Откýда вы́ идёте?
— Я́ идý из инститýта, а брáт с рабóты.

1. Где́ бы́ли вы́ и вáша подрýга? (университéт, пóчта) 2. Где́ бы́ли вы́ и вáш дрýг? (лаборатóрия, лéкция) 3. Где́ былá вáша сестрá и её подрýга? (шкóла, стадиóн) 4. Где́ отдыхáли вы́ и вáши друзья́? (пáрк, сáд) 5. Где́ рабóтали вы́ и студéнты вáшей грýппы? (больни́ца, строи́тельство) 6. Где́ отдыхáли лéтом вы́ и вáши роди́тели? (дерéвня)

4. *Supply the adverbs* тáм, тудá *and* оттýда. *Write out the sentences.*

1. — Где́ ты́ бы́л? — В садý. — Чтó ты́ ... дéлал? — Я́ ... рабóтал. 2. Вéра дóлго жилá в Áнглии. Вчерá онá получи́ла письмó ... . 3. — Кудá э́то идёт Ми́ша? — В клýб. Óн чáсто хóдит ... . 4. — Кудá éдет Вáля? — На Украи́ну. — Чтó онá бýдет ... дéлать? — ... онá бýдет отдыхáть. — Онá дóлго бýдет жи́ть ...? Когдá онá éдет ...? — В пя́тницу. — Когдá онá вернётся ...? — Я́ не знáю. 5. — Где́ вáш брáт? — Óн на Дáльнем Востóке. — Óн ... отдыхáет? — Нéт, óн ... рабóтает. Недáвно óн присла́л ... нéсколько фотогрáфий.

5. *Answer the questions. Write down your answers.*

1. Куда́ идёт учени́к? Куда́ идёт учени́ца? 2. Куда́ е́дут де́ти на авто́бусе в воскресе́нье у́тром? Отку́да они́ е́дут днём? 3. Куда́ бегу́т де́ти? Отку́да они́ бегу́т? 4. Куда́ лети́т самолёт? Отку́да лети́т самолёт? 5. Куда́ плывёт англи́йский кора́бль? Отку́да плывёт австрали́йский кора́бль? 6. Куда́ молодо́й челове́к несёт кни́ги? Отку́да де́вушка несёт кни́ги? 7. Куда́ везу́т фру́кты? Отку́да везу́т фру́кты?

	г д е́?	к у д а́?	о т к у́ д а?
II	Ви́ктор бы́л **у това́рища.**	Ви́ктор идёт **к това́рищу.**	Ви́ктор идёт **от това́рища.**

6. *Read the sentences. What questions (г д е́?, к у д а́?, о т к у́ д а?) do the underlined phrases answer?*

1. Вчера́ бы́ло воскресе́нье. Никола́й бы́л у Ви́ктора, а я у Йры. 2. Профе́ссор Семёнов чита́л ле́кцию у нас в институ́те. 3. Он идёт домо́й от врача́. Я то́же вчера́ бы́л у врача́. 4. Мы́ вчера́ бы́ли в больни́це у това́рища. 5. Оле́г идёт в университе́т к профе́ссору. 6. Ле́том мы́ е́здили в дере́вню к знако́мому учи́телю.

7. *Compose sentences, as in the model, using the words given below.*

Model: Он бы́л в Ки́еве. Он е́дет в Ки́ев. Он е́дет из Ки́ева.
Он бы́л на вокза́ле. Он е́дет на вокза́л. Он е́дет с вокза́ла.

Ми́нск, Кавка́з, Украи́на, шко́ла, юг, дере́вня, институ́т, семина́р, ле́кция.

Model: Он бы́л у това́рища. Он идёт к това́рищу. Он идёт от това́рища.

инжене́р, ма́ть, дру́г, вра́ч, профе́ссор, сестра́, учи́тель.

8. *Change the sentences, as in the model.*

Model: Мо́й дру́г отдыха́л в дере́вне у роди́телей. — Он е́дет из дере́вни от роди́телей.

1. Они́ бы́ли в больни́це у врача́. 2. Они́ отдыха́ли в дере́вне у де́душки. 3. Они́ жи́ли на Кавка́зе у бра́та. 4. Он бы́л в общежи́тии у дру́га. 5. Он бы́л в го́роде у адвока́та. 6. Он бы́л на заво́де у дире́ктора.

9. *Complete the sentences and write them out.*

1. А́ня была́ у подру́ги.
— А́ня, отку́да ты́ идёшь? — Я иду́ ... .
2. Ди́ма бы́л у Андре́я в общежи́тии.
— Отку́да ты́ идёшь, Ди́ма? — Я бы́л ... . Я иду́ ... .
— А где́ ты́ бы́л в воскресе́нье? — Я ходи́л ... .
3. Студе́нты иду́т к профе́ссору Петро́ву.
— Где́ бы́ли студе́нты? — Они́ бы́ли ... .
— А вы́ отку́да идёте? — Я то́же иду́ ... .

10. *Insert the prepositions required by the sense. Put the words in brackets in the correct case.*

1. Óльга идёт ... (магазин) ... (магазин) она несёт хлеб, масло, молоко. 2. Вечером я был ... (гостиница) ... (товарищ). 3. Летом мы жили ... (дом) ... (знакомый геолог). 4. Брат и сестра сидят ... (вагон) поезда. Они едут ... (отец). 5. Мы были ... (университет) ... (занятие). Сергей идёт ... (товарищ) ... (общежитие). 7. Брат идёт домой ... (театр). 8. Товарищи были ... (концерт). Обратно ... (концерт) они шли вместе. 9. Семья брата летом жила ... (юг) ... (друг).

‖ В субботу я ездил **к своим родителям**.

11. *Read and translate.*

1. В прошлом году летом он ездил отдыхать к своему старшему брату и к своим родителям. 2. Вчера я послал открытки своей сестре в Ереван и своим друзьям в Новосибирск. 3. Оля купила пластинки своей подруге и марки младшим братьям.

12. *Change the sentences, as in the model.*

Model: Виктор купил значки младшему брату. — Виктор купил значки младшим братьям.

1. Он послал открытки младшей сестре. 2. Олег обо всём рассказывает своему старшему брату. 3. Он показал новые фотографии своему старому другу. 4. Николай рассказал о своей коллекции учителю. 5. Вера была в магазине и забыла купить своей подруге тетради. 6. Мать дала деньги своему сыну.

13. *Put the words in brackets in the correct form. Write out the sentences.*

Я хочу написать письмо ... (старый друг). Я не забываю ... (старые друзья). Я всегда пишу им ... (письмо). У меня много ... (хороший друг). Один мой друг — археолог. Сейчас он работает на севере. Там он и его товарищи нашли ... (место), где раньше, много веков назад, жили люди. Мой друг очень любит ... (эта профессия). Он много рассказывает ... (товарищи) о ... (трудная жизнь) и об ... (интересная работа) археологов. Он рассказывает об этом ... (студенты-историки, школьники, родители и друзья). В квартире ... (мой друг) много ... (интересные фотографии, книги, альбомы). Я люблю ездить к нему в гости.

‖ **при-** Сергей недавно **пришёл** домой. (Он дома.)
Олег часто **приходит** к нам.

‖ **у-** Сергей недавно **ушёл** из дома. (Его нет дома.)
Утром он всегда **уходит** (из дома) на работу.

14. *Read and compare the sentences. Write out the pairs of perfective and imperfective verbs.*

1. В субботу к нам пришли гости. В субботу к нам всегда приходят гости. 2. Летом Миша приехал к дедушке. Он всегда летом приезжает к дедушке. 3. Иностранные туристы приехали в Новгород. Они часто приезжают в Новгород.

4. Ва́ля принесла́ нам но́вый журна́л. Она́ ча́сто прино́сит нам журна́лы. 5. Оте́ц прие́хал из Ташке́нта и привёз де́тям пода́рки. Он ча́сто приво́зит им пода́рки.

15. *Change the sentences, using the words* ча́сто, обы́чно, иногда́, всегда́, ка́ждый день. *Do not forget to change the aspect of the verb.*

Model: Брат прие́хал (пришёл) к нам. — Брат ча́сто приезжа́л (приходи́л) к нам.

1. Студе́нты прие́хали на заво́д на пра́ктику. 2. Оле́г пришёл к това́рищу. 3. К нам прие́хал наш хоро́ший друг из Му́рманска. 4. Студе́нты-фило́логи пришли́ на семина́р к профе́ссору исто́рии. 5. Ко мне́ пришли́ това́рищи из общежи́тия. 6. Никола́й пришёл из шко́лы о́чень по́здно. 7. Ве́чером в клуб пришли́ студе́нты. 8. К студе́нтам в клуб прие́хали арти́сты. 9. Ве́чером к нам пришёл Андре́й игра́ть в ша́хматы.

16. *Complete the dialogue, using the words on the right. Write out the dialogue.*

— Что вы хоти́те?	ча́шка ча́я
— Принеси́те, пожа́луйста, стака́н воды́.	ча́шка ко́фе
— А вы что хоти́те?	стака́н молока́
—	

17. *Ask questions and answer them. Write out your sentences.*

Model: — Я иду́ на уро́к.
        — Когда́ ты вернёшься с уро́ка?
        — Я приду́ в два часа́.

1. Я иду́ на ле́кцию. 2. Мы е́дем в музе́й. 3. Де́ти е́дут в лес. 4. Рабо́чие е́дут на заво́д. 5. Ребя́та е́дут в го́род. 6. Студе́нты иду́т в буфе́т. 7. Шко́льники иду́т в парк. 8. Рабо́чие е́дут на строи́тельство.

18. *Read and compare the sentences. Write out the pairs of perfective and imperfective verbs.*

1. Вчера́ Бори́с о́чень по́здно ушёл из клу́ба. Он всегда́ по́здно ухо́дит. 2. Ка́жется, когда́ я уходи́л, я забы́л у вас свой портфе́ль. Я ушёл вчера́ ра́но: я пло́хо себя́ чу́вствовал. — Вы всегда́ ра́но ухо́дите. 3. За́втра мы уезжа́ем на мо́ре. На́ши друзья́ уже́ уе́хали.

19. *Change the sentences, using the words* ча́сто, обы́чно, иногда́, всегда́, ка́ждый день. *Do not forget to change the aspect of the verb.*

Model: Брат уе́хал на рабо́ту в шесть часо́в. — Он всегда́ уезжа́ет на рабо́ту в шесть часо́в.

1. Ни́на ушла́ в институ́т в во́семь часо́в. 2. Пе́рвый по́езд ушёл в пять часо́в. 3. Го́сти уе́хали по́здно, в двена́дцать часо́в. 4. Вчера́ Ви́ктор ушёл с рабо́ты в семь часо́в. 5. В ию́не Ивано́вы уе́хали из го́рода и увезли́ свои́х дете́й.

20. *Read the sentences.* (1) *Point out the prepositional phrases denoting* (a) *the place of the action,* (b) *the direction of the action to and* (c) *from some place.* (2) *List the verbs after which:* (a) *the place of the action is indicated,* (b) *the place towards which and* (c) *from which the action proceeds.*

Ви́ктор учи́лся в шко́ле на Украи́не. К ним в дере́вню ча́сто приезжа́л из Ки́ева друг его́ отца́, кото́рый давно́ живёт и рабо́тает в Ки́еве. Он ка́ждый год приезжа́л к ним в дере́вню отдыха́ть. Он не́сколько раз приглаша́л Ви́ктора прие́хать в Ки́ев. Когда́ Ви́ктор ко́нчил шко́лу, он уе́хал в Оде́ссу учи́ться да́льше. Он прие́хал в Оде́ссу в сентябре́. А в декабре́, когда́ Ви́ктор уже́ учи́лся в Оде́ссе в институ́те, он приезжа́л и в Ки́ев. Там он три дня жил у ста́рого дру́га своего́ отца́.

21. *Make up phrases, as in the model, and use them in sentences.*

Model: оте́ц — жить у отца́, прие́хать к отцу́, уе́хать от отца́.

брат, това́рищ, врач, профе́ссор, э́тот студе́нт, ма́ма, сестра́, подру́га, э́та студе́нтка, э́та де́вушка.

22. *Compose sentences telling about a person in whose house (apartment) the action occurs or towards whom or from whom it proceeds. Use the words* брат, сестра́, ба́бушка, врач, э́тот инжене́р, э́тот писа́тель, наш профе́ссор.

23. *Change the sentences, as in the model.*

Model: Ле́том он жил в Москве́ у това́рища.
Он прие́хал в Москву́ к това́рищу.
Он прие́хал домо́й из Москвы́ от това́рища.

1. Ле́том я жил в дере́вне у бра́та. 2. О́сенью он был в Москве́ у дру́га. 3. В октябре́ она́ была́ в Ленингра́де у до́чери. 4. Он был в гости́нице у това́рища. 5. Мы бы́ли в теа́тре у знако́мых арти́стов. 6. В 1979 году́ Ко́ля жил в Ри́ге у ста́ршего бра́та.

24. (a) *Add a second sentence showing the place towards which the action proceeds. Write down your sentences.*

Model: Он рабо́тает в шко́ле. Ка́ждый день он хо́дит в шко́лу.

1. Э́то Ри́га. Я прие́хал ... год наза́д. 2. Мои́ роди́тели живу́т сейча́с в Волго-гра́де. Они́ прие́хали ... в 1929 году́. 3. Сейча́с он рабо́тает в на́шем го́роде. Он прие́хал ... ле́том. 4. Ле́том мой сын отдыха́л в ла́гере. Моя́ дочь то́же е́дет ... . 5. Мои́ роди́тели живу́т на Ура́ле. Они́ прие́хали ..., когда́ мне бы́ло пять лет. 6. Э́тот инжене́р рабо́тает на заво́де. Он хо́дит ... ка́ждый день.

(b) *Add a second sentence showing the place from which the action proceeds.*

Model: Он рабо́тает в шко́ле. Сейча́с он идёт из шко́лы.

1. Мои́ роди́тели живу́т в э́том го́роде. А я уе́хал ... в Москву́ учи́ться. 2. В э́том райо́не есть у́голь. ... у́голь во́зят на се́вер и на юг страны́. 3. Мой оте́ц

долго жил в Англии. Сейчас мы летим ... в Италию. 4. Наш город находится на горе. ... мы хорошо видим море.

25. *Read the sentences and answer the questions.*

1. Виктор приехал в Москву. Где сейчас Виктор? 2. Виктор приезжал в Москву летом. Сейчас он в Москве? 3. Виктор приехал в Москву с Украины. Где он жил раньше? 4. К ним из Киева часто приезжала подруга сестры. Она сейчас у них? 5. Олег хочет поехать учиться в Москву. Он сейчас в Москве? 6. Летом Сергей уезжал отдыхать к бабушке. Он сейчас у бабушки? 7. Антон уехал из Магнитогорска в Москву. Где сейчас находится Антон? 8. Летом этот мальчик ездил в пионерский лагерь. Он сейчас в лагере? 9. Анна приедет в Харьков весной. Когда Анна будет в Харькове? 10. Они приехали на Урал во время войны. Где они жили во время войны?

26. *Insert the appropriate verbs of motion chosen from those in brackets.*

1. Сейчас он живёт и учится в Москве. Он ... (приезжал — приехал) в Москву с Украины, из Одессы. 2. Когда я училась в школе, к нам из деревни часто... (приезжала — приехала) подруга моей матери. 3. Когда Нина закончила школу, она решила ... (поехать — приехать) учиться в Киев. 4. Раньше она не ... (уезжала — уехала) из своей деревни. 5. Летом он ... (ездил — ехал) к брату в Харьков. 6. Раньше он всегда осенью ... (приезжал — приехал) обратно в свой город. 7. Сейчас Антона нет в Москве. Он ... (уезжал — уехал) работать в Магнитогорск. 8. — Ты не знаешь, когда Анна будет в Ленинграде? — Она ... (приезжает — приедет) в Ленинград в сентябре. 9. Вчера вечером меня не было дома. Я ... (уходил — ушёл) к Сергею. 10. Сейчас мои родители живут на Украине. Они ... (приезжали — приехали) на Украину осенью, в октябре.

по- — Где Сергей?
— Он **пошёл** в университет.
— Где ты будешь завтра?
— Я **пойду** в университет.

27. *Read and translate. Point out the cases in which the verbs with the prefix* **по-** *denote:* (a) *a destination,* (b) *a new stage of motion and* (c) *intention to perform the action.*

1. — Оля, где Аня?
   — Она, кажется, пошла в магазин.
   — А Виктор тоже ушёл?
   — Да, он пошёл купить билеты в кино.

2. Мы шли пешком из парка. Сначала шли медленно, потом пошли быстрее. Увидели автобус, сели на автобус и поехали.

3. — Сергей, ты пойдёшь завтра на консультацию?
   — Нет, завтра у меня свободный день.
   — И что же ты будешь делать?
   — Днём пойду в библиотеку, буду работать.
   — А вечером?
   — Вечером пойду к Олегу в общежитие, будем играть в шахматы.

28. *Compose questions and answers, using the words given below. Write out the questions and answers.*

Model: — Виктор, ты не знаешь, где Нина?
 — Она пошла (поехала) в университет к профессору Дмитриеву.

больница — хирург, город — адвокат, школа — директор, театр — артист Лавров, газета «Известия» — знакомый журналист.

29. *Answer the questions, expressing your wish or intention to perform the action. Write down your answers.*

Model: — Светлана, где ты будешь вечером?
 — Я хочу пойти в клуб или к подруге.

1. Где вы будете отдыхать летом? 2. В какой институт будет поступать ваш товарищ? 3. Вы будете летом в Советском Союзе? В какие города вы поедете? 4. Какие музеи вы посетите, когда будете в Москве? 5. Как вы хотите провести ваш свободный день?

30. *Complete the sentences and write them out.*

Model: Виктор и Наташа купили билеты и пошли в кино.

1. Никита сел в такси и ... . 2. Зоя шла на встречу, которая должна быть в семь часов. Она посмотрела на часы и ... быстрее. 3. Сегодня в театре выступают французские артисты. Галя купила билеты и ... в театр. 4. Мы десять минут ждали Лёну. Когда она пришла, мы встали и ... . 5. Валя долго сидела в парке. Ей стало холодно. Она встала и ... домой. 6. Антон Петрович получил на почте деньги и ... . 7. Мы взяли в библиотеке книги и ... . 8. Анна Ивановна купила мясо, рыбу и молоко и ... .

31. (a) *Read and translate. Note the use of the underlined words. Write down your translation.*
  (b) *Then translate it back into Russian and compare your translation and the original text.*

1. — Я больше не пойду в школу,— сказал ученик после первого дня занятий.— Читать и писать я не могу, а разгаривать мне не разрешают. **разрешать** to allow

2. Профессор пришёл домой из университета и говорит жене:
 — Вот ты всегда говоришь, что я всё везде забываю. А сегодня я не забыл и принёс зонтик домой. **зонтик** umbrella

 — Милый, но ты не брал сегодня зонтик в университет. **милый** darling

32. *Supply continuations. Write down the sentences.*

Model: Мой школьный друг живёт в Киеве. В марте он приедет к нам из Киева. А потом он поедет в Ригу.

1. Алексей — студент. Он учится в Ереване. 2. Михаил Розов — геолог. Он работает на Урале. 3. Сейчас мои друзья отдыхают на море. 4. Сейчас студенты нашей группы живут в Харькове.

33. *Invite your friends to go to the park, theater, club, exhibition, stadium with you. Write down your invitation and their response.*

Model: — Дава́йте пойдём в кино́. Сего́дня пока́зывают но́вый фи́льм.
— Дава́йте пойдём.

III

> **Через го́д** Ната́ша ко́нчит шко́лу.

34. *Read and translate.*

Мы́ е́дем на авто́бусе в Кры́м. Мы́ е́дем уже́ де́сять часо́в. Кто́ зна́ет, когда́ мы́ прие́дем? Я́ ду́маю, что мы́ прие́дем через три́ часа́. Да́, мы́ прие́дем через три́ и́ли четы́ре часа́, е́сли бу́дем е́хать бы́стро. Е́сли мы́ бу́дем е́хать та́к, как е́дем сейча́с, мы́ прие́дем через пя́ть и́ли через ше́сть часо́в.

35. *Answer the questions, using the construction with the preposition* через.

1. Когда́ ва́м бу́дет два́дцать ле́т? 2. Когда́ вы́ ко́нчите университе́т? 3. Когда́ вы́ пое́дете отдыха́ть? 4. Е́сли мы́ пойдём в го́род пешко́м, когда́ мы́ придём? 5. Вы́ идёте в теа́тр? Когда́ нача́ло спекта́кля? 6. Когда́ вы́ должны́ получи́ть письмо́ от роди́телей? 7. Когда́ к ва́м прие́дут ва́ши друзья́? 8. Когда́ вы́ прочита́ете э́ту кни́гу? 9. Когда́ вы́ хоти́те показа́ть сво́й докла́д профе́ссору? 10. Когда́ мы́ пойдём на конце́рт?

Unit 13

I

> О́н бы́л студе́нтом.
> Ке́м о́н ста́л тепе́рь?
> О́н ста́л врачо́м.

1. *Answer the questions. Write down your answers.*

1. Ке́м бы́л Никола́й? (футболи́ст) Ке́м о́н ста́л? (тре́нер) 2. Ке́м была́ его́ сестра́? (студе́нтка) Ке́м она́ ста́ла? (журнали́стка) 3. Ке́м бы́л Андре́й? (студе́нт) Ке́м о́н ста́л? (инжене́р) 4. Ке́м бы́л Достое́вский? (писа́тель) 5. Ке́м бы́л Ле́рмонтов? (поэ́т)

2. *Answer the questions. Write down your answers.*

Model: — Вы́ не зна́ете, ке́м бу́дет То́м? (инжене́р и́ли журнали́ст)
— То́м бу́дет журнали́стом.

1. Вы́ не зна́ете, ке́м бы́л Макси́м Го́рький? (писа́тель и́ли поэ́т) 2. Вы́ зна́ете, ке́м бы́л Ни́льс Бо́р? (фи́зик и́ли матема́тик) 3. Вы́ не зна́ете, ке́м бы́л Менделе́ев? (хи́мик и́ли фи́зик) 4. Вы́ не зна́ете, ке́м бы́л Эйнште́йн? (фи́зик и́ли гео́граф) 5. Вы́ не зна́ете, ке́м бы́л Джо́ Луи́с?(боксёр и́ли шахмати́ст) 6. Вы́ не зна́ете, ке́м бы́л Че́хов? (писа́тель и́ли вра́ч) 7. Вы́ не зна́ете, ке́м бы́л Бороди́н? (компози́тор и́ли хи́мик)

3. *Compose sentences, as in the model, using the words given below. Write down the sentences.*

   Model: Бори́с ста́л врачо́м.
   Ве́ра бу́дет писа́тельницей.

   инжене́р, студе́нт, студе́нтка, гео́лог, хи́мик, шахмати́ст, вра́ч, учи́тельница, преподава́тель, журнали́ст, журнали́стка.

4. *Answer the questions. Write down your answers.*

   1. Ва́ш дру́г у́чится в медици́нском институ́те. Ке́м о́н бу́дет? 2. Ро́берт изуча́ет фи́зику. Ке́м о́н ста́нет? 3. Джи́м рабо́тал на заво́де. Ке́м о́н бы́л? 4. Ра́ньше Мэ́ри рабо́тала в больни́це. Ке́м она́ была́? 5. Али́са бу́дет рабо́тать в газе́те. Ке́м она́ бу́дет? 6. И́ра в э́том году́ конча́ет хими́ческий институ́т. Ке́м она́ бу́дет? 7. Джо́н поступи́л в университе́т. Ке́м о́н ста́л?

II │ Студе́нты **разгова́ривали с профе́ссором.**

---

5. *Complete the sentences. Write them out.*

   1. Ле́том я́ рабо́тал ... (Анто́н). 2. О́н разгова́ривал ... (журнали́ст). 3. Ле́том в Белору́ссии о́н познако́мился ... (Бори́с). 4. На уро́ке мы́ разгова́риваем по-францу́зски ... (профе́ссор). 5. В лаборато́рии я́ рабо́тала ... (А́нна). 6. До́ма я́ ча́сто говорю́ по-ру́сски ... (бра́т и сестра́). 7. Ве́чером я́ встре́чусь в теа́тре ... (дру́г). 8. Ни́на до́лго разгова́ривала ... (подру́га).

6. *Answer the questions. Write down your answers.*

   1. С ке́м вы́ бы́ли в теа́тре? (бра́т и сестра́) 2. С ке́м вы́ отдыха́ли ле́том? (ма́ть и оте́ц) 3. С ке́м вы́ бы́ли в Ленингра́де? (профе́ссор) 4. С ке́м вы́ встре́тились в клу́бе? (журнали́стка) 5. С ке́м вы́ рабо́тали в библиоте́ке? (Оле́г и И́ра) 6. С ке́м вы́ разгова́ривали по́сле ле́кции? (Анто́н, Та́ня и Зи́на)

7. *Complete the sentences, using personal pronouns.*

   Model: Э́то Ро́берт Сми́т. Я́ учи́лся с ни́м в Босто́не.

   1. Э́то Па́вел Никити́н. Я́ познако́мился ... в Белору́ссии. 2. Э́то Кэ́т Ро́бертсон. Мы́ разгова́ривали ... по́сле ле́кции. 3. Мо́й бра́т хорошо́ зна́ет неме́цкий язы́к. Я́ то́же изуча́ю э́тот язы́к. Мо́й бра́т ча́сто говори́т ... по-неме́цки. Ты́ то́же

изуча́ешь неме́цкий язы́к? Е́сли хо́чешь, о́н мо́жет говори́ть ... по-неме́цки. 4. Профе́ссор сказа́л на́м, что ле́том о́н пое́дет ... на экску́рсию. 5. Зи́на и Ле́на — сёстры. Вчера́ я́ ходи́ла ... в теа́тр. 6. — Вы́ по́мните меня́? — Да́, я́ по́мню, что мы́ познако́мились ... в университе́те. 7. Я́ зна́ю его́. Я́ рабо́тал ... ле́том. 8. Дже́йн хорошо́ говори́т по-ру́сски. Я́ всегда́ разгова́риваю ... по-ру́сски. 9. Ты́ по́мнишь, как мы́ встре́тились ... в Москве́ на у́лице Го́рького?

8. *Supply responses, as in the model. Write down both the statements and the responses.*

Model: — Джо́н хорошо́ говори́т по-ру́сски.
— Я́ с удово́льствием бу́ду говори́ть с ни́м по-ру́сски.

1. Дже́йн хорошо́ игра́ет в те́ннис. 2. Мы́ пойдём сего́дня в теа́тр. 3. То́м бу́дет рабо́тать в на́шей лаборато́рии. 4. Я́ зна́ю, что ве́чером вы́ пойдёте на конце́рт. 5. Ты́ хорошо́ зна́ешь францу́зскую литерату́ру.

‖ Его́ бра́т бы́л **знамени́тым футболи́стом.**

9. *Complete the sentences, using the preposition* с + *the instrumental case construction. Write out the sentences.*

Model: Ле́том я́ е́здил отдыха́ть в дере́вню с мои́м бра́том.

1. Ве́чером я́ игра́л в ша́хматы ... . (мо́й това́рищ) 2. Вчера́ я́ ходи́л в теа́тр ... . (твоя́ сестра́) 3. Я́ пойду́ на ма́тч ... . (э́та спортсме́нка) 4. Я́ познако́мился... . (интере́сный челове́к) 5. Ви́ктор в Ленингра́де встре́тился ... . (ста́рый това́рищ) О́н учи́лся с ни́м в институ́те. 6. О́н разгова́ривает ... то́лько по-ру́сски. (на́ш преподава́тель) 7. В Ленингра́де мы́ познако́мились ... . (сове́тская писа́тельница)

10. *Complete the sentences. Write them out.*

1. Ви́ктор бы́л шко́льником, о́н ста́л ... . (хоро́ший спортсме́н) 2. Моя́ сестра́ была́ студе́нткой, она́ ста́ла ... . (хоро́шая спортсме́нка) 3. Бори́с учи́лся в на́шем институ́те. Сейча́с о́н ста́л ... . (знамени́тый учёный) 4. Ро́берт бы́л студе́нтом. О́н ста́л ... . (хоро́ший вра́ч) 5. Мэ́ри учи́лась в на́шем университе́те. Она́ ста́ла ... . (популя́рная журнали́стка) 6. Мы́ зна́ли её, когда́ она́ была́ ма́ленькой де́вочкой. Сейча́с она́ ста́ла ... . (хоро́ший преподава́тель)

11. *Complete the sentences. Write them out.*

Model: Его́ ма́ть была́ спортсме́нкой, и о́н хо́чет ста́ть хоро́шим спортсме́ном.

1. Её оте́ц бы́л популя́рным журнали́стом, и она́ ... . 2. Его́ бра́т бы́л рабо́чим, и о́н ... . 3. Её бра́т бы́л знамени́тым спортсме́ном, и она́ ... . 4. Её това́рищ бы́л хоро́шим баскетболи́стом, и она́ ... . 5. Его́ подру́га была́ популя́рной волейболи́сткой, и о́н ... . 6. Его́ сестра́ была́ хоро́шей шахмати́сткой, и о́н ... .

12. *Answer the questions. Write down your answers.*

1. Каки́е иностра́нные языки́ вы́ изуча́ете? С ке́м вы́ говори́те по-ру́сски, по-францу́зски, по-неме́цки? 2. Вы́ сего́дня ходи́ли в кино́? С ке́м вы́ ходи́ли в кино́? 3. Вы́ вчера́ обе́дали в столо́вой? С ке́м вы́ обе́дали? 4. Вчера́ вы́ бы́ли в библиоте́ке?

С кем вы встретились там? 5. Вы ходили в музей современного искусства? С кем вы ходили в музей? 6. Вы были вчера на концерте? С кем вы познакомились там?

III | **Он занимается спортом.**

13. *Answer the questions. Write down your answers.*

1. Чем руководит профессор Белов? (институт механики) 2. Чем руководит товарищ Антонов? (эта лаборатория) 3. Чем руководит инженер Сергеев? (этот институт) 4. Чем руководит Сергей Петрович? (этот студенческий театр) 5. Чем занимается Павел? (народная музыка) 6. Чем занимается Антон? (французский язык) 7. Чем интересуется Ирина? (биология) 8. Чем занимается Нина? (балет) 9. Чем интересуется Вера? (древняя архитектура)

14. *Insert the verb* руководить, заниматься, интересоваться, учиться *or* являться *as required by the sense.*

Владимир Королёв ... в институте физкультуры. Он ... физиологией и психологией человека. Сегодня днём он был на семинаре по психологии, которым ... профессор Попов. Вечером он ... в спортивном зале. Королёв — хороший спортсмен. Он ... чемпионом института по спортивной гимнастике.

15. *Answer the questions, using the words* история, музыка, русская архитектура, бокс, шахматная секция.

1. Чем руководит Антон Сергеев в спортивном клубе? 2. Чем интересуется Коля? 3. Я слышал, что вы уже не занимаетесь русской литературой. А чем вы сейчас занимаетесь? 4. Виктор, чем ты интересовался в школе? 5. Ты не знаешь, чем интересуется Лена? Я хочу подарить ей книгу.

16. *Answer the questions.*

1. Вы занимаетесь спортом? 2. Каким видом спорта вы занимаетесь сейчас? 3. Каким видом спорта вы занимались в школе? 4. Часто у вас бывают тренировки? 5. Вы любите смотреть футбольные матчи? А хоккейные? 6. Вы смотрите эти матчи по телевизору или ходите на стадион?

17. *Compose dialogues, as in the model, using the words* музыка, гимнастика, футбол, шахматы, теннис, волейбол; заниматься, интересоваться.

Model: — Вы занимаетесь спортом?
— Нет, у меня нет времени заниматься спортом.

|| **во-** Лена **вошла** в класс и сказала: «Здравствуйте».
|| **вы-** В 7 часов он **вышел** из дома и пошёл на станцию.

18. *Read the sentences and answer the questions.*

1. Сергей вышел из комнаты. Он сейчас в комнате? 2. Антон вошёл в зал. Он в зале? 3. Анна стояла на улице, а потом вошла в дом. Она сейчас в доме? 4. Про-

88

фéссор бы́л в лаборатóрии, а потóм вы́шел в коридóр. Óн сейчáс в лаборатóрии? 5. Вéра вошлá в кóмнату. Онá в кóмнате?

19. *Insert the correct verbs of motion chosen from those in brackets.*

1. (пришлá — вошлá) — Вы́ не знáете, Áнна Петрóвна сейчáс на завóде? — Дá, онá ... . 2. (ушлá — вы́шла) — Скажи́те, пожáлуйста, где́ Ни́на Васи́льевна? — Онá должнá бы́ть здéсь, в лаборатóрии. Мóжет бы́ть, онá ... . 3. (ушёл — вы́шел) — Вéра, Олéг дóма? — Нéт, он ... в библиотéку. 4. (пришёл — вошёл) Ви́ктор ... домóй, ... в кóмнату, сéл в крéсло и нáчал читáть нóвый журнáл. 5. (ушли́ — вы́шли) Мы́ встрéтили Антóна на у́лице, когдá ... из институ́та. 6. (пришлá — вошлá) Сегóдня Тáня опоздáла. Когдá онá ... в аудитóрию, лéкция ужé началáсь.

20. *Translate.*

1. When Sergei entered the hall, we were training. 2. The professor entered the room, and the lecture began. 3. She entered the room and sat down in a chair. 4. When we entered the hall, the film had already begun. 5. Sergei told us that the seminar in history would be held the next day, and (then) he left. 6. The lecture was over and the professor ·and the students left the room. 7. She left the house and (then) remembered that she had left her dictionary behind.

|| Мнé **нрáвится** э́та кни́га.
|| Балéт **кóнчился** пóздно вéчером.

21. *Supply continuations. Write down your sentences.*

Model: Мы́ бы́ли на концéрте.
Нáм (не) понрáвился э́тот концéрт.

1. Сáша бы́л на нóвом спектáкле. 2. Мы́ ви́дели интерéсный фи́льм. 3. Я́ слу́шал харóшую лéкцию. 4. Вéра ви́дела нóвое здáние музыкáльного теáтра. 5. Ты́ смотрéл вчерá балéт? 6. Вы́ бы́ли в музéе архитекту́ры?

22. *Translate.*

1. John was at the Bolshoi Theater and saw the ballet *Spartacus*. He liked the ballet. 2. Vera visited the exhibition of modern art. She is interested in modern art. She liked the exhibition. 3. Robert was at a concert of folk music. He likes folk music. He liked the concert. 4. "Do you like old architecture?" "Yes, I do." "And what about modern architecture?" "I don't like modern architecture."

23. *Change the sentences, as in the model. Write out your sentences.*

Model: Профéссор нáчал лéкцию в 9 часóв. — Лéкция началáсь в 9 часóв.

1. Студéнты консерватóрии нáчали свóй концéрт в 19 часóв. 2. Профéссор кóнчил лéкцию в 11 часóв. 3. Áнна началá доклáд в 2 часá. Онá кóнчила доклáд в 2 часá 30 мину́т. 4. Преподавáтель нáчал урóк в 8 часóв. Óн кóнчил урóк в 8 часóв 45 мину́т.

24. *Translate.*

1. I like this film. 2. Many people are interested in old books. 3. I met a famous writer recently. 4. The lesson was over and everyone went home. 5. In the evening the boys and girls gathered together at their club. 6. At the stadium a soccer match began. 7. The lecture was over at 2 o'clock.

IV	Пого́да была́ плоха́я, поэ́тому мы́ не пое́хали в ле́с.

25. *Combine pairs of suitable sentences in the two columns into complex sentences containing the conjunction* поэ́тому.

Model: Пе́тя — чемпио́н институ́та по ша́хматам.   Его́ зна́ют все́ студе́нты.

Пе́тя — чемпио́н институ́та по ша́хматам, поэ́тому его́ зна́ют все́ студе́нты.

1. Вчера́ ве́чером у Ви́ктора была́ трениро́вка.	1. Мы́ его́ бы́стро перевели́ без словаря́.
2. Кома́нда на́шего заво́да вы́играла футбо́льный ма́тч.	2. О́н не ходи́л в библиоте́ку.
3. Ещё в шко́ле Анто́н интересова́лся геогра́фией.	3. О не́й написа́ли в заводско́й газе́те.
4. Бори́с Смирно́в бы́л чемпио́ном респу́блики по ша́хматам.	4. Она́ почти́ всегда́ улыба́ется.
5. Ни́на о́чень весёлый челове́к.	5. О́н поступи́л на географи́ческий факульте́т.
6. Это о́чень просто́й те́кст.	6. О́н сейча́с руководи́т ша́хматной се́кцией спорти́вного клу́ба.

26. *Translate.*

1. Anton became a good boxer because he had trained a lot. Anton had trained a lot, that is why he became a good sportsman. 2. Our team won the match because everyone had played very well. All the sportsman had played very well, that is why our team won the match. 3. Komarov has become a popular singer because he sings Russian songs very well. Komarov sings Russian songs very well, that is why he has become a popular singer.

Usage of Verbs

27. *Answer the questions in the negative. Give a reason for your failure to perform the action.*

Model: — Ты́ купи́л хле́б?
— К сожале́нию, не́т. Магази́н уже́ закры́лся.

1. Вы́ бы́ли на ле́кции профе́ссора Королёва? (забы́ть) 2. Вы́ бы́ли вчера́ в теа́тре? (боле́ть) 3. Вы́ бы́ли в пя́тницу на стадио́не? (рабо́тать) 4. Вы́ бы́ли на конце́рте совреме́нной му́зыки? (интересова́ться)

28. *Answer the questions,* *using the verbs* учи́ться, рабо́тать, познако́миться, уча́ствовать, гото́виться.

1. Вы́ знако́мы с Юрой Смирно́вым? 2. Вы́ знако́мы с Йрой Бело́вой? 3. Вы́ зна́ете дире́ктора на́шего институ́та? 4. Кого́ из на́шего университе́та вы́ зна́ете? 5. Вы́ зна́ете э́тих спортсме́нов?

29. *Answer the questions,* *using the words in brackets in your answers.*

1. Вы́ зна́ете пье́су А. П. Че́хова «Дя́дя Ва́ня»? (смотре́ть) 2. Ва́ш дру́г интересу́ется теа́тром? (ходи́ть) 3. Каки́е литерату́рные журна́лы е́сть у ва́с до́ма? (получа́ть) 4. У ва́с до́ма е́сть библиоте́ка? (покупа́ть) 5. Ва́ши друзья́ лю́бят му́зыку? (быва́ть)

Unit 14

‖ Через го́д студе́нты **ста́нут инжене́рами.**

1. *Answer the questions.*

1. Че́м интересу́ется Джо́н? (ша́хматы, ма́рки) 2. Ке́м ста́нут э́ти студе́нты? (врачи́, инжене́ры) 3. Ке́м бу́дут Бори́с и Никола́й? (журнали́сты, исто́рики) 4. С ке́м вы́ ходи́ли в теа́тр? (друзья́, бра́тья) 5. С ке́м вы́ познако́мились на вы́ставке? (писа́тели, худо́жники) 6. С ке́м о́н встре́тился на конфере́нции? (биоло́ги, хи́мики)

‖ Эти де́вочки ста́нут **хоро́шими гимна́стками.**

2. *Complete the sentences.* *Write them out.*

Model: Его́ бра́т интересу́ется австрали́йскими ма́рками.

1. Ро́берт интересу́ется... (дре́вние кни́ги, совреме́нные пе́сни, наро́дные та́нцы).
2. А́нна познако́милась с... (молоды́е худо́жники, англи́йские учёные, совреме́нные знамени́тые музыка́нты).

I ‖ **Никто́ ничего́ не зна́л** о конфере́нции.

3. *Supply continuations,* *as in the model. Note the use of the verb. Write out the sentences.*

Model: За́втра я́ пойду́ в э́тот музе́й. Я́ никогда́ не́ был в э́том музе́е.

1. Ле́том я́ пое́ду во Фра́нцию. 2. Я́ хочу́ прочита́ть расска́зы Че́хова. 3. Ро́берт хо́чет пое́хать в Ки́ев. 4. Джо́н хо́чет пойти́ в Эрмита́ж. 5. А́нна хо́чет прочита́ть рома́ны Л. Толсто́го. 6. Они́ пошли́ в Ру́сский музе́й.

4. *Give negative answers, using negative pronouns. Write down your answers.*

Model: — Что́ вы́ зна́ете о го́роде Магнитого́рске? — Я́ ничего́ не зна́ю о го́роде Магнитого́рске.

1. Что́ вы́ зна́ете о реке́ Ле́не? 2. Что́ вы́ де́лали вчера́ ве́чером? 3. Что́ отве́тил профе́ссор э́тому студе́нту? 4. Что́ о́н рассказа́л о свое́й рабо́те? 5. Что́ вы́ говори́ли ва́шему дру́гу об экспеди́ции? 6. Кому́ о́н помога́л переводи́ть те́кст? 7. Кому́ о́н подари́л свою́ карти́ну? 8. Кому́ о́н чита́л свои́ стихи́? 9. Кому́ она́ пока́зывала свои́ фотогра́фии? 10. О чём расска́зывал э́тот студе́нт? 11. У кого́ е́сть кни́га об Ура́ле?

5. *Translate. Write down your translation.*

1. I don't know anyone at this institute. 2. We asked him. He answered nothing. 3. I haven't met anyone in the library. 4. She didn't go anywhere on Sunday. She was at home. 5. No one has a dictionary today. 6. No one has that journal. 7. She spoke quickly and we didn't understand anything. 8. We've never been to Paris. 9. I won't tell anyone about it.

6. *Supply responses. Write down the sentences.*

Model: — В воскресе́нье мы́ бы́ли на конце́рте.
— А мы́ нигде́ не́ были.

1. Вчера́ я́ чита́ла интере́сный расска́з. 2. Ле́том о́н бы́л в Ло́ндоне. 3. Мэ́ри со все́ми лю́бит разгова́ривать. 4. В суббо́ту мы́ ходи́ли в музе́й. 5. Джо́н лю́бит все́м объясня́ть. 6. Я́ ча́сто игра́ю в ша́хматы.

II
> Мы́ пошли́ на конце́рт, **чтобы послу́шать** молоду́ю певи́цу.
> Мы́ сказа́ли Ви́ктору, **чтобы** ве́чером **о́н пришёл** к на́м.

7. *Combine the pairs of sentences into complex sentences containing the conjunction* чтобы. *Write down your sentences.*

Model: Ве́ра купи́ла кни́гу. Она́ хо́чет подари́ть её бра́ту.
Ве́ра купи́ла кни́гу, чтобы подари́ть её бра́ту.

1. О́ля купи́ла пласти́нку. Она́ хо́чет подари́ть её сестре́. 2. А́нна звони́ла Ро́берту. Она́ хоте́ла сказа́ть ему́ о конце́рте. 3. Дже́йн написа́ла письмо́ сестре́. Она́ хоте́ла рассказа́ть ей о своём экза́мене. 4. Ви́ктор позвони́л Ле́не. О́н хоте́л да́ть ей сво́й а́дрес.

Model: Ве́ра дала́ кни́гу бра́ту. Бра́т прочита́ет её.
Ве́ра дала́ кни́гу бра́ту, чтобы о́н прочита́л её.

1. А́нна звони́ла Ро́берту. Ро́берт придёт в институ́т в де́вять часо́в. 2. Он написа́л письмо́ дру́гу. Друг до́лжен прие́хать в ию́ле. 3. Джейн позвони́ла сестре́. Сестра́ ку́пит ей биле́т на конце́рт. 4. Ни́на дала́ журна́л И́ре. И́ра прочита́ет его́.

8. *Put the verbs in brackets in the correct form. Write out the sentences.*

1. Я реши́л е́хать на трамва́е, чтобы не ... (опозда́ть) на рабо́ту. 2. Оте́ц привёз меня́ в институ́т на маши́не, чтобы я не ... (опозда́ть) на заня́тия. 3. Мы купи́ли биле́ты в цирк, чтобы ... (посмотре́ть) выступле́ние знамени́того арти́ста. 4. Мы купи́ли биле́ты в цирк, чтобы все на́ши това́рищи ... (посмотре́ть) выступле́ние знамени́того арти́ста. 5. Андре́й купи́л гита́ру, чтобы его́ сестра́ ... (учи́ться) игра́ть на гита́ре. 6. Андре́й купи́л гита́ру, чтобы ... (учи́ться) игра́ть на гита́ре. 7. Я взял слова́рь, чтобы ... (перевести́) текст. 8. Ви́ктор взял слова́рь, чтобы Ле́на ... (перевести́) ему́ текст.

9. *Compose complex sentences, using sentences* (a) *and* (b) *as clauses.*

Model: Я взял э́тот журна́л (a) Я прочита́ю его́.
          (b) Ро́берт прочита́ет его́.
  (a) Я взял журна́л, чтобы прочита́ть его́.
  (b) Я взял журна́л, чтобы Ро́берт прочита́л его́.

1. Он купи́л биле́ты. (a) Он пойдёт на конце́рт. (b) Кэт пойдёт на конце́рт. 2. Ро́берт взял слова́рь. (a) Он переведёт статью́. (b) Ма́ша переведёт ему́ статью́. 3. Джон ча́сто покупа́ет пласти́нки. (a) Его́ сын слу́шает му́зыку. (b) Он слу́шает му́зыку. 4. Анто́н купи́л биле́ты в теа́тр. (a) Он посмо́трит бале́т «Спарта́к». (b) Никола́й посмо́трит бале́т «Спарта́к». 5. Ве́ра взяла́ э́тот журна́л. (a) Ни́на прочита́ет интере́сный расска́з. (b) Ве́ра прочита́ет интере́сный расска́з. 6. Серге́й купи́л уче́бник англи́йского языка́. (a) Ка́тя бу́дет изуча́ть англи́йский язы́к. (b) Он бу́дет изуча́ть англи́йский язы́к.

10. *Translate.*

1. Viktor came to Moscow to see the Tretyakov Gallery. 2. The parents wanted their son to become an engineer. 3. To become a good singer, he studied a lot. 4. The school pupils wrote a letter to the famous footballer so that he should help them organize a sports club. 5. Not to get tired, they often rested.

11. *Answer each question twice, as in the model. Write down your answers.*

Model: Заче́м ты купи́л уче́бник англи́йского языка́?
  (a) Я купи́л уче́бник, чтобы изуча́ть англи́йский язы́к.
  (b) Я купи́л уче́бник, чтобы мой брат изуча́л англи́йский язы́к.

1. Заче́м вы звони́ли Джо́ну? 2. Заче́м вы купи́ли э́ту кни́гу? 3. Заче́м вы взя́ли в библиоте́ке э́тот журна́л? 4. Заче́м вы ходи́ли в библиоте́ку? 5. Заче́м вы е́здили в Ки́ев? 6. Заче́м вы купи́ли ру́сско-англи́йский слова́рь?

Denoting the Time of Action

12. *Answer the questions. Write down your answers.*

1. Когда́ вы́ бы́ли на вы́ставке? (понеде́льник и вто́рник) 2. Когда́ у ва́с быва́ют уро́ки ру́сского языка́? (понеде́льник, среда́ и четве́рг) 3. Когда́ вы́ занима́лись в библиоте́ке? (вто́рник и пя́тница) 4. Когда́ вы́ бы́ли в теа́тре? (суббо́та и и воскресе́нье) 5. Когда́ Джо́н е́здил в Вашингто́н? (четве́рг и суббо́та) 6. Когда́ Қароли́на выступа́ет на конце́рте? (вто́рник и пя́тница)

13. *Ask questions and answer them.*

Model: — За́втра у меня́ ле́кция.
— Когда́ у ва́с начина́ется ле́кция?
— В 10 часо́в.

1. За́втра мы́ пойдём в музе́й. (3 ч.) 2. Сего́дня мы́ пойдём в теа́тр. (6 ч.) 3. Ско́ро начина́ется ле́кция. (11 ч. 30 мин.) 4. Идём быстре́е. Ско́ро начина́ется фи́льм. (16 ч. 15 м.) 5. Вчера́ я ходи́ла в библиоте́ку. (1 ч.) 6. Ско́ро мы́ пойдём обе́дать. (2 ч.) 7. Сего́дня я уезжа́ю. (20 ч. 43 м.)

14. *Complete the sentences, using the words in brackets in the required form and with the correct preposition. Write out the sentences.*

Model: Они́ прие́дут в сре́ду в два́ часа́.

1. Ви́ктор Никола́евич бу́дет чита́ть ле́кцию ... . (понеде́льник, 10 ч.) 2. Семина́р по матема́тике бу́дет... . (вто́рник, 1 ч.) 3. Конце́рт совреме́нной му́зыки бы́л ... . (четве́рг, 8 ч.) 4. Уро́к ру́сского языка́ бу́дет ... . (среда́, 2 ч.) 5. Они́ пойду́т в музе́й ... . (суббо́та, 5 ч.) 6. Она́ пойдёт в теа́тр ... . (пя́тница, 7 ч.) 7. А́нна прие́дет из Ленингра́да ... . (воскресе́нье, 9 ч.)

15. *Expand the questions and answer them. Write down the questions and answers.*

Model: — Когда́ о́н роди́лся: в 1944 году́ и́ли в 1945 году́?
— О́н роди́лся в 1945 году́.

1. Когда́ о́н поступи́л в шко́лу? (1958 и́ли 1959) 2. Когда́ о́н ко́нчил шко́лу? (1968 и́ли 1969) 3. Когда́ она́ поступи́ла в университе́т? (1959 и́ли 1960) 4. Когда́ она́ ко́нчила университе́т? (1965 и́ли 1966) 5. Когда́ они́ жи́ли в Ки́еве? (1939 и́ли 1940) 6. Когда́ о́н прие́хал в Москву́? (1972 и́ли 1973) 7. Когда́ она́ начала́ рабо́тать в э́той лаборато́рии? (1972 и́ли 1973)

16. *Complete the sentences, using the words in brackets. Write them out.*

Model: Они́ прие́хали в Москву́ в сентябре́ 1977 го́да.

1. О́н ко́нчил шко́лу ... . (ию́ль, 1954) 2. О́н на́чал учи́ться в университе́те ... . (сентя́брь, 1961) 3. О́н на́чал рабо́тать в э́том институ́те ... . (а́вгуст, 1962) 4. Они́ прие́хали в Ленингра́д ... . (дека́брь, 1973) 5. О́н бы́л на пра́ктике в Ми́нске ... .

(апрель, 1974) 6. Он кончил свой роман ... . (март, 1977) 7. Они ездили во Францию ... . (май, 1966)

17. *Expand the questions and answer them.*

Model: Когда вы будете ужинать? В 7 часов или в 9 часов?

1. Когда начинается концерт? (7 ч. или 7 ч. 30 м.) 2. Когда вы будете обедать? (3 ч. или 5 ч.) 3. Когда вы уйдёте на работу? (8 ч. или 9 ч.) 4. Когда вы ходили в музей?(суббота или воскресенье) 5. Когда у них будет экзамен? (вторник или среда) 6. Когда у вас будет лекция по истории? (понедельник или пятница) 7. Когда жил Тургенев? (XIX или XX век) 8. Когда жил Шекспир? (XVI или XVII век)

18. *Complete the sentences. Write them out.*

1. Обычно мы завтракаем ... . (9 ч.) 2. Пойдёмте в кино. Начало фильма ... . (3 ч. 15 мин.) 3. У нас очень мало времени: гости придут ... . (6 ч.) 4. Нам надо спешить: концерт начинается ... . (7 ч. 30 мин.) 5. Я познакомился со студентами из Грузии на вечере ... . (понедельник) 6. Вчера мы не работали, но ... будем работать. (пятница) 7. Я к вам приду или сегодня, или ... . (суббота) 8. Вчера у нас не было лекции по литературе, она будет ... . (среда) 9. Геологи уехали в экспедицию ... . (май) 10. Наша команда победила ... команду студентов-физиков. (декабрь) 11. Комаров стал чемпионом ... . (этот год) 12. Наша группа участвовала в соревнованиях по волейболу ... . (1980 г.) 13. Город Магнитогорск появился на карте ... . (XX век) 14. Город Одесса стал крупным портом ещё ... . (прошлый век)

19. *Answer the questions, using the words in brackets with the preposition* через.

Model: Лекция начинается через 10 минут.

1. Вы написали письмо товарищу? Когда вы получите ответ? (неделя) 2. В городе начали строить гостиницу. Когда её построят? (3 месяца) 3. В зале идёт репетиция хора. Когда она кончится? (час) 4. Когда у вас начинаются экзамены? (5 дней) 5. Когда откроют книжный магазин? (5 минут) 6. — Николай дома? — Нет, он пошёл в институт.— Когда он придёт? (2 часа)

20. *Insert the preposition* через *or* после. *Write out the sentences.*

1. Сейчас Виктор учится в институте . ... пять лет, ... окончания института он будет работать в лаборатории. 2. Ира учится в школе. ... восемь лет, ... окончания школы она станет студенткой. 3. Студенты были на концерте народной музыки. ... концерта они долго разговаривали. 4.— Когда мы с тобой встретимся? — Сейчас у меня лекция. Встретимся ... два часа, ... лекции. 5. В воскресенье мы ходили в театр. ... театра мы гуляли. 6.— Когда начинается фильм? — ... десять минут.

21. *Answer the questions, using temporal constructions.*

Model: — Когда он кончил школу?
— Он кончил школу год назад.
— Когда он начнёт работать?

— Он начнёт рабо́тать через три ме́сяца.
— Ско́лько вре́мени вы бу́дете сего́дня рабо́тать?
— Я бу́ду рабо́тать во́семь часо́в.

1. Когда́ вы ко́нчили шко́лу? 2. Когда́ вы ко́нчите университе́т? 3. Ско́лько вре́мени вы бу́дете учи́ться в университе́те? 4. Когда́ вы пришли́ в библиоте́ку? 5. Ско́лько вре́мени вы бу́дете занима́ться в библиоте́ке? 6. Когда́ вы пойдёте домо́й? 7. Когда́ вы прие́хали в Москву́? 8. Когда́ вы уе́дете из Москвы́? 9. Ско́лько вре́мени вы бу́дете жи́ть в Москве́?

22. *Answer the questions. Write down your answers.*

Model: — Вы ча́сто хо́дите в бассе́йн?
— В январе́ я ходи́л в бассе́йн ка́ждый де́нь.

1. Вы ча́сто хо́дите в кино́? 2. Вы ча́сто хо́дите в теа́тр? А на конце́рты? 3. У вас ча́сто быва́ют уро́ки ру́сского языка́? А ле́кции по литерату́ре? 4. Вы ча́сто игра́ете в те́ннис? А в волейбо́л? 5. Вы ча́сто хо́дите в музе́й? А на вы́ставки? 6. Вы ча́сто занима́етесь в библиоте́ке?

23. *Answer the questions, giving the day of the week and the date.*

Model: — Когда́ вы идёте в теа́тр?
— Мы идём в теа́тр в понеде́льник пя́того января́.

1. Когда́ у вас бу́дет докла́д? 2. Когда́ начина́ется конфере́нция? 3. Когда́ в Большо́м теа́тре бу́дет бале́т «Роме́о и Джулье́тта»? 4. Когда́ бу́дет ле́кция профе́ссора Корне́ева? 5. Когда́ бу́дет конце́рт ру́сской му́зыки? 6. Когда́ у вас бу́дет пе́рвый экза́мен?

Usage of the Verb уча́ствовать

24. *Read and translate.*

1. Э́тот молодо́й музыка́нт уча́ствовал в Междунаро́дном ко́нкурсе и́мени П. И. Чайко́вского в Москве́. 2. Бори́с уча́ствовал в спорти́вных соревнова́ниях по гимна́стике. 3. Сове́тские спортсме́ны уча́ствуют в Олимпи́йских и́грах. 4. В конце́рте уча́ствовали арти́сты моско́вских теа́тров 5. В ма́е Ви́ктор Петро́вич был на конфере́нции в Ки́еве. В конфере́нции уча́ствовали сове́тские и иностра́нные учёные. 6. В суббо́ту Серге́й и Оле́г бы́ли на ша́хматном ма́тче. В э́том ма́тче уча́ствовали студе́нты Моско́вского университе́та.

25. *Supply continuations, using the verb* уча́ствовать *in the required form and the phrases* студе́нты из ра́зных городо́в СССР, сове́тские и иностра́нные спортсме́ны, учёные-фи́зики из ра́зных стра́н, сове́тские шахмати́сты, арти́сты бале́та, молоды́е учёные.

Model: Вчера́ мы бы́ли на конце́рте. В конце́рте уча́ствовали украи́нские арти́сты.

1. Ле́том в Москве́ бы́ли соревнова́ния гимна́стов. 2. Вчера́ мы смотре́ли по телеви́зору интере́сную переда́чу. 3. В ма́рте в Ленингра́де была́ нау́чная конфере́нция. 4. В воскресе́нье в клу́бе бу́дет интере́сный конце́рт. 5.— Вы не зна́ете, что́ сейча́с в ша́хматном клу́бе?— Та́м сейча́с интере́сный ма́тч. 6. В а́вгусте в Ми́нске бу́дет ко́нкурс студе́нческой пе́сни.

Usage of the Verbs советовать/посоветовать, обещать/пообещать

26. *Read and translate.*

1. Антон любит советовать. Он часто советует всем, как надо жить и работать. Надо посоветовать ему меньше говорить и больше делать. 2. Я не знаю, куда пойти учиться. Все советуют мне поступать в университет. 3.— Почему ты решил идти сегодня в кино?— Виктор посоветовал мне посмотреть этот новый французский фильм. 4.— Вы не знаете, когда будет товарищ Петров?— Он обещал прийти в 10 часов. 5. Он всегда много обещает и мало делает. 6.— Катя, ты плохо себя чувствуешь. Пообещай мне, пожалуйста, что завтра ты пойдёшь к врачу.— Хорошо, обещаю, что пойду. 7. Николай, ты свободен в воскресенье?— Нет. Я пообещал Анне, что пойду с ней на выставку молодых художников.

27. *Insert the verbs* советовать/посоветовать *and* обещать/пообещать *in the required form. Write out the sentences.*

1. Зимой Ира болела гриппом. Врачи ... ей после болезни много гулять. Она ... им, что обязательно будет много гулять. 2. После школы все ... Николаю поступать в медицинский институт. 3. «Анна Каренина» — интересный балет. ... вам посмотреть его. 4.— Вы не знаете, Вера Сергеевна будет сегодня в институте?— Должна быть. Она ... прийти в 11 часов. 5. Когда мы готовились к соревнованиям, наш тренер всегда был рядом. Он помогал нам, ..., воспитывал нас. Когда мы поехали на соревнования, мы ... ему обязательно победить.

28. *Translate.*

1. Friends advised him to enter the university after his graduation from high school. 2. "Vera, when is Ivan coming?" "He promised to come at five o'clock." 3. *Andrei Rublyov* is a fine film; I advise you to see it. 4. "I'll go to the south in the spring." "Why did you decide to vacation in the spring?" "Doctors have advised me to vacation in the spring this year." 5. "Boris, have you got tickets for the movies?" "Not yet. Andrei has promised to buy me tickets." 6. I advise you to go to the conference. Young scientists from our University are to take part in it. 7. The coach has advised us to go to the chess tournament. Chess-players from various countries will be taking part in it.

Unit 15

I

> Красная площадь **больше площади** Маяковского.
> Красная площадь **больше, чем** площадь Маяковского.
> Первая задача была **более трудная, чем вторая.**

1. *Ask questions and answer them, using the words in brackets.*

Model: — Ты не зна́ешь, что́ бо́льше, Москва́ и́ли Ленингра́д?
— Москва́ бо́льше Ленингра́да.

1. Что́ бо́льше? (Ки́ев — Ха́рьков, Ло́ндон — Нью-Йо́рк, Фра́нция — Ита́-лия) 2. Что́ интере́снее? (вы́ставка де́тского рису́нка — фотовы́ставка, спорти́в-ная газе́та — спорти́вный журна́л, фильм о космона́втах — кни́га о космона́в-тах) 3. Кто́ ста́рше? (вы — ваш това́рищ, ваш оте́ц — ва́ша мать, вы — ва́ша сестра́, ва́ша сестра́ — ваш брат)

Model: — Како́е мо́ре бо́льше, Бе́лое и́ли Чёрное?
— Чёрное мо́ре бо́льше, чем Бе́лое.

1. Каки́е го́ры вы́ше? (Ура́льские — Кавка́зские, Тибе́т — Кордилье́ры) 2. Кака́я река́ длинне́е? (Во́лга — Днепр, Ле́на — Енисе́й) 3. Како́е о́зеро глу́б-же? (Байка́л — Сева́н)

2. *Complete the sentences, as in the model, using the words in brackets.*

Model: Стол, кото́рый стои́т о́коло окна́, бо́льше стола́, кото́рый стои́т о́коло две́ри.

1. В ко́мнате два кни́жных шка́фа. Шкаф, кото́рый стои́т спра́ва, ... (высо́-кий) 2. Фотогра́фия, кото́рая виси́т о́коло шка́фа, ... (ма́ленький) 3. Цветы́, кото́-рые привезли́ с ю́га, ... (краси́вый) 4. Журна́л «Спу́тник», кото́рый вы нам пока-за́ли, ... (интере́сный) 5. Кинофи́льм, кото́рый мы смотре́ли в понеде́льник, ... (хоро́ший) 6. Контро́льная рабо́та, кото́рую мы писа́ли, ... (тру́дный) 7. Те́ксты, кото́рые мы перево́дим, ... (лёгкий)

3. *Complete the sentences, putting the words in brackets in the required form.*

1. Де́рево ле́гче ... (вода́). 2. Э́тот газ тяжеле́е ... (во́здух). 3. Ле́тние кани́кулы бо́льше ... (зи́мние кани́кулы). 4. Янва́рь длинне́е ... (февра́ль). 5. Одна́ э́та ма́рка доро́же ... (все ва́ши ма́рки). 6. Проспе́кт Ми́ра ши́ре ... (э́та у́лица). 7. Э́тот вело-сипе́д лу́чше ... (ваш ста́рый велосипе́д).

4. *Answer the questions. Write down your answers.*

1. Что трудне́е: фи́зика и́ли хи́мия? 2. Что поле́знее: пла́вание и́ли гимна́сти-ка? 3. Что доро́же: биле́т на самолёт и́ли биле́т на по́езд? 4. Что краси́вее: мо́ре и́ли го́ры? 5. Что для вас интере́снее: бале́т и́ли о́пера?

5. *Complete the sentences. Write them out.*

Model: Ты, коне́чно, си́льный, но он сильне́е тебя́.

1. Он, коне́чно, высо́кий, но Андре́й ... . 2. Москва́, коне́чно, дре́вний го́род, но Ки́ев ... . 3. В Крыму́, коне́чно, тёплый кли́мат, но ... . 4. Ивано́в о́чень популя́р-ный певе́ц, но ... . 5. Зда́ние по́чты о́чень высо́кое, а зда́ние гости́ницы бу́дет ... .

6. *Form the comparatives of the following adjectives and compose sentences with them. Write down your sentences.*

Model: Эта кни́га интере́снее то́й кни́ги.
Эта кни́га интере́снее, чем та́ кни́га.

тру́дный/ зада́ча, лёгкий/ экза́мен, ва́жный/ пробле́ма, оригина́льный/ рису́нок, ко́мната/ све́тлый, плохо́й/ аудито́рия, хоро́ший/ кварти́ра, за́л/ ма́ленький, па́рк/ большо́й, доро́га/ дли́нный.

7. *Complete the sentences, as in the model, using the words in brackets.*

Model: О́зеро в гора́х ме́ньше э́того о́зера.
О́зеро в гора́х ме́ньше, чем э́то о́зеро.

1. Зда́ние вокза́ла ... . (высо́кий) 2. Пло́щадь Револю́ции ... . (большо́й) 3. Кли́мат в э́том райо́не ... . (плохо́й) 4. Вода́ в реке́ ... . (чи́стый) 5. Преподава́тель матема́тики ... . (молодо́й) 6. Се́верный ве́тер ... . (холо́дный)

II | Пами́р—**са́мые высо́кие** го́ры в СССР.
Сиби́рь—**богате́йший** райо́н страны́.

8. *Change the sentences. Write them out.*

Model: Сего́дня я счастли́вейший челове́к в ми́ре.
Сего́дня я са́мый счастли́вый челове́к в ми́ре.

1. На́ша шко́ла лу́чшая в го́роде. 2. Петро́в — популя́рнейший арти́ст в на́шем го́роде. 3. Мо́й де́душка — добре́йший челове́к. 4. Тури́зм явля́ется интере́снейшим ви́дом спо́рта. 5. Ле́то — лу́чшее вре́мя го́да. 6. Эльбру́с — высоча́йшая гора́ Кавка́за. 7. Эту доро́гу на́до постро́ить в кратча́йший пери́од вре́мени. 8. Его́ оте́ц бы́л популя́рнейшим спортсме́ном своего́ вре́мени. 9. Я не мо́г реши́ть просте́йшую зада́чу.

9. *Compose sentences, using the words and phrases given below.*

Model: Это о́зеро — са́мое глубо́кое о́зеро в на́шей стране́.

1. предложе́ние в те́ксте/дли́нный; 2. пра́здник в э́том году́/весёлый; 3. спортсме́н в на́шей кома́нде/си́льный; 4. те́кст в уче́бнике/тру́дный. 5. о́тдых в гора́х/хоро́ший.

III | Лю́да поёт **лу́чше** А́ни.
Лю́да поёт **лу́чше, чем** А́ня.
Анто́н **бо́льше** лю́бит **слу́шать, чем чита́ть.**

10. *Read and translate.*

1. Ве́ра живёт далеко́ от институ́та, а Та́ня ещё да́льше. 2. Этот молодо́й арти́ст поёт лу́чше, чем други́е арти́сты. 3. Никола́й выступа́ет на семина́рах лу́чше други́х студе́нтов. 4. Я бо́льше люблю́ купа́ться в мо́ре, чем в о́зере. 5. Учи́тель сказа́л, что мы́ должны́ лу́чше реша́ть зада́чи. 6. Ми́ша чита́ет бо́льше всех в кла́ссе.

11. *Complete the sentences, as in the model.*

Model: Ви́ктор рабо́тает хорошо́, а мы́ бу́дем рабо́тать ещё лу́чше.

1. А́нна бежи́т бы́стро, а Ле́на бежи́т ещё ... . 2. Карти́на виси́т высоко́, а портре́т виси́т ещё ... . 3. Биле́т на авто́бус сто́ит дёшево, а биле́т на трамва́й сто́ит ещё ... . 4. Воло́дя расска́зывает интере́сно, а его́ бра́т расска́зывает ещё ... . 5. Я́ непло́хо (хорошо́) игра́ю в ша́хматы, но вы́ игра́ете ... . 6. Пе́рвая гру́ппа бы́стро сдала́ все́ экза́мены, но втора́я гру́ппа сдала́ экза́мены ещё ... .

12. *Give advice, using the words given below. Write down your sentences.*

Model: Говори́те ме́дленнее.

говори́ть (ти́хо, гро́мко); слу́шать (внима́тельно); ходи́ть (мно́го); идти́ (бы́стро).

IV

> У́тром ва́м **кто́-то** звони́л по телефо́ну.
> Расскажи́те **что́-нибу́дь** о ва́шем институ́те.
> Да́йте мне́ **каку́ю-нибу́дь** тетра́дь.
> Воло́ди не́т до́ма. О́н **куда́-то** ушёл.

13. *Read the sentences. When are indefinite adverbs and pronouns with the particle -то or -нибу́дь used?*

1. О́н тепе́рь живёт где́-то в Крыму́. 2. Ле́том о́н е́здил куда́-то на Кавка́з. 3. Скажи́те кому́-нибудь из ва́шей гру́ппы, что за́втра я́ не приду́. 4. Студе́нты пе́ли каку́ю-то незнако́мую пе́сню. 5. В за́ле бы́ло мно́го студе́нтов. Кто́-то выступа́л, но его́ не слу́шали. 6. Я́ хочу́ что́-нибудь почита́ть. 7. Никола́й что́-то чита́л, а Ва́ля сиде́ла ря́дом и слу́шала.

14. *Replace the underlined words by the indefinite pronouns and adverbs* кто́-то, что́-то, где́-то, куда́-то.

Model: У Серге́я в ко́мнате пе́л <u>Никола́й</u>.— У Серге́я в ко́мнате кто́-то пе́л.

1. О́н написа́л письмо́ <u>Ни́не</u>. 2. Ле́том о́н е́здил отдыха́ть <u>в Кры́м</u>. 3. О́н ко́нчил шко́лу и тепе́рь рабо́тает <u>в Ленингра́де</u>. 4. Преподава́тель объясня́л ученика́м <u>пра́вило</u>. 5. Ви́ктор до́лго иска́л <u>тетра́дь</u> у себя́ в портфе́ле. 6. А́ня расска́зывает <u>о жи́зни на се́вере</u>, а ребя́та её внима́тельно слу́шают. 7. Я́ ви́дел вчера́ <u>Ю́рия</u> в институ́те: о́н разгова́ривал <u>с Ни́ной</u> в коридо́ре.

15. *Insert indefinite pronouns or adverbs with the particle* -нибудь.

1. Сего́дня мы́ идём к Анто́ну. На́до купи́ть ... для его́ жены́. 2. Вы́ говори́ли с ... о ва́шей рабо́те? 3. Когда́ вы́ шли́ на стадио́н, вы́ встре́тили ... по доро́ге? 4. Ви́ктор сейча́с подходи́л к ва́м. О́н о ... спра́шивал ва́с? 5. Вы́ чита́ли стихи́ М. Ю. Ле́рмонтова. Ва́м ... понра́вилось?

I
> Этот райо́н хорошо́ **изу́чен** гео́логами.
> Этот райо́н **был** хорошо́ **изу́чен** гео́логами.
> Этот райо́н **бу́дет** хорошо́ **изу́чен** гео́логами.

1. *Read and translate.*

1. Валенти́на Гага́нова — депута́т Верхо́вного Сове́та СССР. Она́ была́ вы́бра-
на рабо́чими заво́да, на кото́ром она́ рабо́тает. Её вы́брали в депута́ты в тре́тий
ра́з. 2. Арти́ст М. Улья́нов чита́л по ра́дио рома́н М. Шо́лохова «Ти́хий До́н».
Вчера́ бы́ло прочи́тано нача́ло рома́на. 3. Недалеко́ от Бре́ста архео́логами бы́ло
откры́то ме́сто, где́ мно́го веко́в наза́д жи́ли лю́ди. Та́м на́чаты археологи́ческие
рабо́ты. Рабо́ту та́м на́чали не́сколько ле́т наза́д.

2. *Change the sentences.*

Model: Этот рома́н напи́сан молоды́м писа́телем.
Этот рома́н написа́л молодо́й писа́тель.

1. Телегра́мма по́слана Ви́ктором из Ки́ева. 2. Эта пе́сня давно́ забы́та все́ми.
3. Мы́ живём в до́ме, кото́рый постро́ен на́шим де́дом. 4. Эта колле́кция ма́рок
со́брана мои́м бра́том.

Model: Телегра́мма была́ полу́чена то́лько в понеде́льник.
Телегра́мму получи́ли то́лько в понеде́льник.

1. В воскресе́нье магази́н бы́л откры́т в де́вять часо́в. 2. Ма́льчик бы́л на́зван
Ива́ном по и́мени де́душки. 3. Эта рабо́та была́ начата́ го́д наза́д. 4. Вре́мя нача́ла
конце́рта бы́ло изменено́. 5. Эти цветы́ бы́ли привезены́ с Украи́ны. 6. В во́семь
часо́в ве́чера магази́н уже́ бы́л закры́т. 7. Чья́ э́то ру́чка? Мо́жет бы́ть, она́ забы́та
и́ли поте́ряна? 8. Эти дере́вья привезены́ сюда́ из Кана́ды.

3. *Complete the sentences on the left, using those on the right as relative clauses.*

Model: Михаи́л подари́л мне́ небольшу́ю ла́мпу, кото́рая была́ сде́лана из
де́рева.

1. Институ́т нахо́дится в зда́нии, ...	Это зда́ние постро́ено в 1952 году́.
2. В музе́е на́м показа́ли колле́кцию дре́вних кни́г, ...	Колле́кция со́брана ста́рым писа́те-лем.
3. Хоти́те посмотре́ть кни́ги, ...	Кни́ги ку́плены для студе́нтов пе́рво-го ку́рса.
4. Я могу́ показа́ть ва́м откры́тки, ...	Откры́тки при́сланы мне́ из А́нглии.

5. Мы занимаемся в клубе туристов, ...	Клуб туристов создан в 1975 году.
6. Недавно мы были на выставке, ...	Выставка открыта в здании Дома художников.
7. Мы получили телеграмму, ...	Телеграмма послана перед праздником.
8. Мы прочитали рассказ, ...	Рассказ написан писателем-биологом.

Expression of Spatial Relations

4. *Insert the preposition* в *or* на. *Write out the sentences.*

1. Ложки и вилки лежат ... столе. Тарелки стоят ... полке. 2. Костюм висит ... шкафу. Портфель лежит ... стуле. Телеграмма лежит ... портфеле. 3. Птица сидит ... дереве. 4. Ребята сидят ... диване и играют в шахматы. Шахматы стоят ... стуле. 5. Ваза с цветами стоит ... окне.

5. *Compose sentences with the following nouns. Note their endings. Write down your sentences.*

г д е? — в саду, в лесу, в порту, на берегу, в шкафу.

6. *Read the phrases. Compose sentences with them and write them down.*

(a) в школе, в городе, в деревне, в здании;
(b) на стадионе, на улице, на площади, на пятом этаже, на берегу, на острове, на дороге;
(c) на лекции, на семинаре, на конференции, на уроке, на выставке, на концерте.

7. *Complete the sentences, using the words in brackets in the required form with the preposition* в *or* на.

1. Мы живём ... (небольшой город). Наш дом находится ... (улица), недалеко от вокзала. Наша квартира находится ... (третий этаж). 2. ... (площадь) Маяковского стоит памятник. Памятник находится ... (центр) площади. 3. Это здание биологического факультета. ... (это здание) находятся аудитории, лаборатории. Здесь же студенты могут пообедать ... (студенческая столовая). 4. Летом мы жили ... (берег) озера. Недалеко от берега был небольшой остров. Иногда мы плавали туда. ... (этот остров) был небольшой домик, где жили рыбаки. 5. Сегодня праздник. Везде много народа: ... (улицы, площади, парки).

8. *Compose dialogues, as in the model, and write them down.*

Model: — Смотрите, вот карта. Это наш район. Здесь небольшой лес.
— А что там?
— За этим лесом несколько деревень.

1. Это озеро. 2. Здесь река, а дальше горы. 3. Здесь дома, парк. 4. В этом месте будут строить гостиницу. 5. Здесь деревня, а немного дальше дорога. 6. Деревня находится недалеко от леса.

102

9. *Compose sentences with the following phrases. Write them down.*

(a) о́коло ле́са, недалеко́ от реки́, вокру́г дере́вни;
(b) ря́дом с заво́дом, пе́ред зда́нием, за до́мом, над го́родом, под горо́й, за реко́й.

10. *Answer the questions, using nouns preceded by the prepositions in brackets in your answers.*

1. Вы́ живёте далеко́ от шко́лы? (ря́дом с, о́коло) 2. Что́ стро́ят та́м, на берегу́ реки́? (о́коло, за) 3. Зде́сь бу́дут дома́. А где́ бу́дут дере́вья, па́рки? (вокру́г, ря́дом с, пе́ред) 4. Зде́сь бу́дут дере́вья. А где́ бу́дут цветы́? (о́коло, за) 5. Э́то центра́льная пло́щадь? Зде́сь по́чта. А та́м что́ нахо́дится? (ря́дом с, недалеко́ от, за)

11. *Complete the sentences, using the words in brackets in the required case.*

Мы́ тури́сты. Мы́ лю́бим ходи́ть по ... (незнако́мые доро́ги). В про́шлое воскре-се́нье мы́ бы́ли за ... (го́род). Де́нь бы́л тёплый. Мы́ вы́брали хоро́шее ме́сто недале-ко́ от ... (доро́га), на ... (бе́рег реки́), в ... (ле́с). Де́вушки пошли́ гуля́ть по ... (ле́с), мы́ на́чали гото́вить обе́д. Пото́м мы́ обе́дали под... (дере́вья), разгова́ривали, пе́ли. Вокру́г ... (мы́) бы́ло мно́го цвето́в. Над ... (река́) лета́ли каки́е-то пти́цы.

12. *Read the text. Ask questions* (г д е́ ?, к у д а́ ?, о т к у́ д а ?) *about the underlined phrases.*

Мы́ шли из ле́са в дере́вню и о́чень уста́ли. Неда́вно шёл до́ждь, и доро́га была́ плоха́я. С реки́ возвраща́лись ребя́та. Они́ спеши́ли домо́й: бы́ло уже́ хо́лодно. Ле́том в на́шу дере́вню приезжа́ют отдыха́ть лю́ди из го́рода. Ле́том хо́чется отдыха́ть та́м, где е́сть ле́с, река́. Ле́том у на́с хорошо́. К на́м приезжа́ет мно́го моло-дёжи, быва́ет ве́село. Ве́чером мы́ собира́емся на гла́вной пло́щади и́ли о́коло клу́ба. Мно́го ра́зных люде́й прихо́дит к на́м на вечера́. Одни́ прихо́дят к на́м, что́бы послу́шать выступле́ние хо́ра, други́е — что́бы танцева́ть, встре́титься с друзья́ми.

13. *Ask questions and answer them, using the words given below.*

Model: — Куда́ де́ти иду́т у́тром?
— Они́ иду́т в шко́лу.
— Отку́да они́ возвраща́ются днём?
— Они́ возвраща́ются из шко́лы.

студе́нты, спортсме́ны, врачи́, инжене́ры, учителя́.

14. *Change the sentences. Write them out.*

Model: Мы́ идём в клу́б на конце́рт.
Мы́ идём из клу́ба с конце́рта.

1. Студе́нты иду́т в институ́т на ле́кции. 2. Мы́ спеши́м в университе́т на семи-на́р. 3. Шко́льники иду́т в шко́лу на уро́к англи́йского языка́. 4. Рабо́чие е́дут

в го́род на заво́д. 5. А́нна е́дет в центр го́рода на рабо́ту. 6. Ве́чером мы́ идём в теа́тр на но́вый спекта́кль. 7. По́сле заня́тий де́ти иду́т в па́рк на стадио́н. 8. Гру́ппа студе́нтов идёт в музе́й на вы́ставку.

15. *Answer the questions, using the words on the right.*

> *Model:* — Куда́ и к кому́ о́н идёт сего́дня ве́чером?
> — О́н идёт в общежи́тие к дру́гу.
> — Отку́да о́н идёт?
> — О́н идёт из общежи́тия от дру́га.

1. Куда́ и к кому́ вы́ е́дете?   Ки́ев, ма́ть
   Отку́да вы́ е́дете?
2. Куда́ вы́ пойдёте ве́чером?   теа́тр, знако́мый арти́ст
   Отку́да вы́ пришли́ та́к по́здно?
3. Куда́ они́ пое́дут в воскресе́нье?   друго́й го́род, друзья́
   Отку́да они́ верну́лись в понеде́льник?
4. Куда́ вы́ е́здили с ва́шими друзья́ми?   дере́вня, шко́льный това́рищ
   Отку́да вы́ прие́хали с ва́шими друзья́ми?

16. *Complete the sentences, inserting the words in brackets in the required case.*

Ве́ра Миха́йловна давно́ не была́ в ... (сво́й родно́й го́род): два́ го́да она́ рабо́тала за ... (грани́ца). Она́ с удово́льствием шла́ по ... (знако́мая у́лица). Заме́тила, что за ... (шко́ла) появи́лся па́рк и вокру́г ... (шко́ла) бы́ло мно́го дере́вьев. Она́ подошла́ к ... (зда́ние) шко́лы, хоте́ла войти́, но в э́то вре́мя из ... (шко́ла) вы́шла гру́ппа ребя́т. Они́ уви́дели Ве́ру Миха́йловну и подошли́ к ... (она́): «Здра́вствуйте, Ве́ра Миха́йловна!» — «Здра́вствуйте, ребя́та! Ка́к ва́ши дела́?» Ребя́та рассказа́ли свое́й бы́вшей учи́тельнице, Ве́ре Миха́йловне, о то́м, что́ измени́лось в ... (и́х го́род), в ... (и́х жи́знь). Они́ сообщи́ли, что за ... (река́) постро́или электроста́нцию, а о́коло ... (стадио́н) стро́ят бассе́йн. Ребя́та рассказа́ли, как ле́том они́ е́здили в ... (го́род Арха́нгельск). Э́тот го́род нахо́дится на ... (се́вер) СССР. Они́ про́жили в ... (э́тот го́род) три́ дня́. Пото́м они́ е́здили на ... (острова́) в Бе́лом мо́ре. Они́ мно́го ходи́ли по ... (леса́).

В э́том году́ они́ хотя́т пое́хать на ... (юг), в ... (Сре́дняя А́зия).

N. Fedyanina

PHONETIC EXERCISES

Unit 1

1. (a) *Read the words. Underline the devoiced consonants. Represent the words in phonetic transcription.*

зу́б, но́ж, го́д, заво́д, са́д, юг, авто́бус.

(b) *Spell these words. Write them out.*

[за́път], [га́с], [му́ш], [зу́п], [су́п].

2. (a) *Read the words. Mark the stress. Group the words according to the stress patterns.*

Model:

$\overline{\acute{\text{э}}\text{то}}$ $\overline{\text{оно́}}$ $\overline{\text{газе́та}}$ $\overline{\text{институ́т}}$

апте́ка, ка́сса, магази́н, заво́д, кни́га, соба́ка, моя́, твоё, ко́шка, на́ша.

(b) *Write the words in longhand.*

[машы́нъ], [majó], [тваjá], [жыná], [спас’и́бъ], [пис’мó], [акнó], [мъгаз’и́н], [на́шы].

3. *Read aloud. Pronounce each sentence fluently. Pay attention to intonation.*

1. — Кто́ э́то? — Э́то мо́й сы́н Са́ша. 2. — Кто́ э́то? — Э́то на́ши студе́нты: Анто́н и Ната́ша. 3. — Что́ э́то? — Э́то на́ш институ́т. 4. — Что́ э́то? — Э́то магази́н. 5. — Где́ зде́сь апте́ка? — Апте́ка та́м. 6. — Где́ Ка́тя? — Ка́тя до́ма. 7. — Где́ моя́ кни́га? — Во́т она́. 8. — Где́ зде́сь вхо́д? — Вхо́д зде́сь. — А где́ вы́ход? — Вы́ход та́м.

4. *Read aloud. Pay attention to intonation.*

1. — Анто́н до́ма? — Да,/до́ма. 2. — Ма́ша здесь? — Да,/здесь. 3. — Здесь вход? — Да,/вход. 4. — Здесь вы́ход? — Да,/здесь. 5. — Э́то апте́ка? — Да,/апте́ка. 6. — Э́то институ́т? — Нет,/не институ́т. 7. — Э́то ва́ша газе́та? — Да,/моя́. 8. — Э́то твой сын? — Да,/сын. 9.— Э́то твоя́ кни́га? — Нет,/не моя́.

5. *Ask questions and answer them.*

Model: — Э́то Анто́н? — Да,/Анто́н.
    — Нет, /не Анто́н.

Ма́ша, А́нна, ма́ма, Москва́, магази́н, апте́ка, институ́т, заво́д, кни́га, газе́та, студе́нты.

6. *Read the questions and answer them.*

1. Э́то ва́ша маши́на? 2. Э́то твоя́ газе́та? 3. Э́то твой муж? 4. Э́то ва́ши кни́ги? 5. Здесь вход? 6. Здесь вы́ход? 7. Э́то ваш институ́т? 8. Э́то ваш институ́т?

7. *Read aloud. Mark the intonational centers and the types of intonational constructions.*

1. — Э́то институ́т?
   — Нет, э́то не институ́т.
   — А где́ зде́сь институ́т?
   — Институ́т во́н г а́м.
   — Спаси́бо.
2. — Э́то Ма́ша?
   — Не́т, э́то Ната́ша.
   — А Ма́ша до́ма?
   — Не́т.
3. — Зде́сь вхо́д?
   — Не́т, здесь вы́ход.
   — А где́ вхо́д?
   — Вхо́д во́н та́м.
4. — Где́ мои́ кни́ги?
   — Во́т они́.
5. — Э́то твой до́м?
   — Не́т, не мо́й.
   — А где́ твой до́м?
   — Во́т о́н.

Unit 2

1. *Read aloud. Pay attention to the pronunciation of the sounds* [p], [p'].

рабо́тать, ра́ньше, ру́чка, вчера́, го́род, бра́т, дру́г, подру́га, ка́рта, бы́стро, сестра́, спра́ва, напро́тив, но́мер, ве́чер, три́, говори́ть, ря́дом, слова́рь.

2. *Read aloud. Pay attention to the pronunciation of the sound* [ч].

че́й, чьи́, чья́, чьё, о́чень, чита́ет, четы́ре, сейча́с [с'ича́с], по́чта, вра́ч, Ива́н Ива́нович, Пётр Серге́евич.

3. *Read aloud. Pay attention to the pronunciation of the sounds* [л], [л'].

шко́ла, по́лка, пло́хо, сто́л, сту́л, жи́л, жила́, жи́ли, ле́том, лежи́т, больни́ца, сле́ва, по-англи́йски, портфе́ль, говори́л, говори́ли, рабо́тал, рабо́тали, отдыха́л, отдыха́ли.

4. *Read aloud. Pay attention to the pronunciation of the unstressed syllables.*

хорошо́, говори́т, каранда́ш, инжене́р [инжын'е́р], рабо́тает, не рабо́тает, отдыха́ет, не отдыха́ет, понима́ет, не понима́ет, о́чень хорошо́, не о́чень хорошо́, хорошо́ говори́т, о́чень хорошо́ понима́ет.

5. *Read aloud. Pay attention to intonation.*

  1. — Э́то твой бра́т?
     — Не́т,/э́то мо́й дру́г.
     — Э́то его́ маши́на?
     — Да́,/его́.

  2. — Ты́ рабо́таешь, Ни́на?
     — Да́,/рабо́таю.
     — А твой бра́т рабо́тает?
     — Не́т,/о́н не рабо́тает.

  3. — Что́ вы́ де́лаете?
     — Я́ чита́ю.
     — А что́ де́лает Анто́н?
     — О́н отдыха́ет.

107

— А́нна, /ты́ тоже чита́ешь?

— Нет,/я́ не читаю.

4. — Э́то её сестра́?

— Нет,/подру́га.

— Это её бра́т?

— Да,/бра́т.

5. — Где́ мо́й словарь?

— Зде́сь.

6. — Зде́сь больни́ца?

— Да,/больни́ца.

— Здесь больни́ца?

— Да,/зде́сь.

7. — Вы́ говорите по-ру́сски?

— Да, /говорю́.

— Вы́ хорошо говори́те по-ру́сски?

— Нет,/пло́хо.

— Ва́ша жена́ тоже говори́т по-ру́сски?

— Да,/она́ о́чень хорошо говори́т.

8. — Джо́н читает по-неме́цки?

— Да, /о́н хорошо́ и бы́стро чита́ет по-неме́цки.

— Вы́ тоже хорошо́ чита́ете по-неме́цки?

— Нет,/не о́чень.

— Вы́ хорошо говори́те и понима́ете по-неме́цки?

— Нет,/я́ говорю́ и понима́ю о́чень пло́хо.

9. — Вы́ говори́те по-англи́йски?

— Да,/я́ сейча́с говорю́ по-англи́йски.

10. — Вы́ сего́дня рабо́таете?

— Да,/рабо́таю.

— А вчера́ вы́ рабо́тали?

— Нет,/не рабо́тала. Вчера́ я́ отдыха́ла.

— А что́ вы́ де́лали?

— Я чита́ла.

11. — Вы́ отдыха́ли ле́том?

— Да,/ле́том.

— А я́ отдыха́л зимо́й.

6. *Read each prepositional phrase as a single unit. Pay attention to the pronunciation of unstressed syllables.*

в шко́ле [фшко́л'и], в больни́це [вбал'н'и́цъ], в столе́ [фстал'е́], в портфе́ле, в Москве́, в Ло́ндоне, в Ки́еве, в Оде́ссе, в институ́те [вынст'иту́т'и], в гости́нице, в го́роде, в кварти́ре, на по́чте, на по́лке, на столе́ [нъстал'е́].

7. *Read and reply.*

Model: — Вы́ рабо́таете в шко́ле?

— Да,/в шко́ле.

1. Джо́н, вы́ рабо́таете в институ́те? 2. Вы́ живёте в Москве́? 3. Ва́ш оте́ц рабо́тает в больни́це? 4. Вы́ живёте в гости́нице? 5. Журна́л лежи́т на столе́? 6. Вы́ отдыха́ли в Оде́ссе? 7. Ва́ша сестра́ рабо́тает в шко́ле? 8. Джо́н живёт в Ло́ндоне? 9. Твой дру́г рабо́тает в магази́не?

8. (a) *Read fluently.*

до́м но́мер пя́ть, до́м но́мер ше́сть, кварти́ра но́мер се́мь, кварти́ра но́мер во́семь, до́м но́мер де́вять, кварти́ра но́мер четы́ре.

(b) *Read and reply.*

Model: — Вы́ живёте в до́ме но́мер оди́н?

— Да,/в до́ме но́мер оди́н.

1. Вы́ живёте в до́ме но́мер три́? 2. Джо́н живёт в до́ме но́мер четы́ре? 3. Это до́м но́мер пя́ть? 4. Апте́ка в до́ме но́мер ше́сть? 5. Вы́ живёте в кварти́ре но́мер де́сять? 6. Шко́ла в до́ме но́мер де́вять? 7. Ка́тя живёт в кварти́ре но́мер се́мь? 8. Джейн живёт в ко́мнате но́мер во́семь? 9. Это авто́бус но́мер пя́ть?

9. *Read aloud.*

хи́мик, фи́зик, исто́рик, био́лог, фило́лог, матема́тик, журнали́ст, студе́нт, студе́нтка, инжене́р, профе́ссор [праф'е́сър];

спаси́бо, извини́, извини́те, здра́вствуйте [здра́ствуjт'и], здра́вствуй, до свида́ния [дъсв'ида́н'jъ], скажи́те [скажы́т'и], скажи́те, пожа́луйста [пажа́лъстъ].

10. *Read and reply.*

Model: — Вы́[3] фило́лог?

— Да,/[1]я́[1] фило́лог.

1. Ва́ш оте́ц — профе́ссор? 2. Джо́н — студе́нт? 3. Тво́й дру́г — инжене́р? 4. Вы́ фи́зик? 5. Ка́тя — хи́мик? 6. Ва́ш бра́т — матема́тик? 7. Пётр Петро́вич — журнали́ст? 8. Ва́ша ма́ма — вра́ч?

11. *Read aloud. Dramatize the dialogues. Compose similar dialogues.*

1. — Здра́вствуй,[2] Джон!

— Здра́вствуй,[2] То́м!

— Ка́к живёшь,[2] То́м?

— Спаси́бо.[1] Хорошо.[1]

— Ты́[1] тепе́рь живёшь в Босто́не?[3]

— Нет,/[1]я́[1] живу́ в Нью-Йо́рке. Зде́сь[1] живёт мо́й брат. Я́[1] ту́т отдыха́ю. Живу́[1] в гости́нице.

— Твоя́[3] жена́ то́же зде́сь?

— Нет,/[1]она́[1] до́ма, в Нью-Йо́рке.

— Где́ ты́[2] рабо́таешь, Джо́н?

— Я́[1] рабо́таю в газете. Я́[1] журнали́ст. А ты́ рабо́таешь в больни́це?[3]

— Да,/[1]в больни́це.[1]

— А твоя́[3] жена́ рабо́тает?

— Нет,/[1]сейча́с не рабо́тает. Она́[1] ра́ньше рабо́тала в шко́ле. Она́[1] матема́тик.

— А кто́ тво́й брат?[2]

— О́н[1] фи́зик. Рабо́тает в институ́те.[1]

2. — Скажи́те, пожа́луйста,/[2]где́ гости́ница «Москва́»?[2]

— Гости́ница «Москва́» в це́нтре.[1]

— А где́ зде́сь метро́?[2]

— Метро́[1] во́н та́м, справа.

— Спаси́бо.[1]

— Пожа́луйста.[2]

110

3. — Алло! ^{2} Это Наташа? ^{3}

— Да.

— Здравствуй, ^{2} Наташа! Это Сергей говорит. ^{1}

— Здравствуй, ^{2} Сергей!

— Наташа,/Виктор ^{2} дома? ^{3}

— Нет. ^{1}

— А где ^{2} он? В институте? ^{3}

— Я ^{1} не знаю. Как ты ^{2} живёшь, Сергей?

— Спасибо. ^{1} Хорошо. ^{1}

12. *Oral Practice.*

(1) You want to find out where House No. 5, the hotel, pharmacy, store are. Ask a passer-by.

(2) You have run into a friend you haven't seen for a long time. Ask him (her) what he (she), his wife (her husband), your common friends does (do) and where he (she, they) lives (live). Tell him (her) about yourself.

13. (a) *Listen to the text.* (b) *Listen to and repeat each sentence during the pause.* (c) *Read the text aloud with the correct intonation and at a normal speed.*

Сергей Иванов и его семья

Сергей Иванов — студент. Он ^{1} историк. Его ^{1} отец — Виктор Петрович Иванов. Он ^{1} тоже историк. Раньше ^{1} он работал в институте. Сейчас ^{1} он работает в газете «Известия». Он ^{1} журналист.

Его мама — Анна Ивановна. Она ^{1} врач. Она ^{1} работает в больнице.

Его сестра Катя — студентка. Она ^{1} биолог.

Сергей и его семья живут в городе. Они ^{1} живут в Москве. Сергей — москвич. ^{1}

Это их ^{1} дом. Они ^{1} живут в доме номер семь. Напротив Москва-река ^{1} и Кремль. ^{1}

Рядом ^{1} мост. Слева ^{1} магазины. Справа ^{1} аптека.

Это их ^{1} квартира. Они ^{1} живут в квартире номер три.

Зимой они ^{1} живут в Москве. Летом они отдыхают ^{1} в Киеве.

14. *Dramatize the above text. Imagine you are Sergei Ivanov. Your new acquaintance is asking you questions about yourself and your family.*

Unit 3

1. *Read aloud. Pay attention to the pronunciation of the relevant sounds.*

[л']: апрéль, феврáль, июль, писáтель, фамúлия, факультéт, фúльм, большóй;
[р']: дерéвня, истóрия, сигарéты, респýблика, прия́тно, сентя́брь, октя́брь, ноя́брь, декáбрь;
[ш]: шестóй, хорóший, дéвушка, этáж [итáш];
[ц]: столúца, странúца, францýз, немéцкий, совéтский [сав'éцк'иј], нéмец, американец;
[ч]: человéк, четвёртый, учéбник, хóчешь, хóчет, хочý.

2. *Read aloud. Pay attention to the pronunciation of the unstressed syllables.*

дерéвня [д'ир'éвн'ъ], деся́тый, писáтель [п'исáт'ил']; дéвушка, жéнщина [жéн'щинъ], мáленький [мáл'ин'к'иј], здáние [здáн'ијъ]
молодóй [мъладóј], факультéт [фъкул'т'éт], человéк [чилав'éк], респýблика [р'испýбл'икъ], фамúлия [фамúл'иjъ], физúческий [ф'из'úчиск'иј], францýженка [францýжънкъ], познакóмьтесь [пъзнакóм'т'ис'], интерéсный [ин'т'ир'éсныј], американец [ам'ир'икáн'иц], библиотéка, университéт, биолóгия [б'иалóг'иjъ], общежúтие [апщижы́т'иjъ], упражнéние [упражн'éн'иjъ]; аудитóрия, лаборатóрия [лъбърáтóр'иjъ], хúмия — химúческий, фúзика — физúческий, истóрия — исторический, биолóгия — биóлог — биологúческий [б'иълаг'úчиск'иј], филóлог — филологúческий [ф'илълаг'úчиск'иј].

3. *Read the phrases fluently.*

шестóй этáж, четвёртый автóбус, деся́тая странúца, седьмóе упражнéние, молодóй человéк, молодáя жéнщина, красúвое здáние, химúческий факультéт, химúческая лаборатóрия, исторический факультéт, филологúческий факультéт, биологúческий факультéт, Москóвский университéт, совéтские студéнты.

4. *Read aloud. Pay attention to speed, rhythm and intonation. Compose similar dialogues.*

1. — Это Москóвский университет. Это новое здáние.

   — Какóй э́то факультéт?

   — Филологический.

   — Это аудитория?

   — Да,/э́то аудитóрия нóмер шесть. Сейчáс здесь американские студéнты.

   — А ктó э́та молодáя женщина?

112

— Это и́х профе́ссор. ¹

— Они́ говоря́т по-ру́сски? ³

— Да,/по-ру́сски. ^{1 1}

— Это то́же аудито́рия? ³

— Нет,/э́то библиоте́ка. ^{1 1}

— А э́то како́е зда́ние? ⁴

— А э́то студе́нческий клу́б. ¹

— А что́ там? ²

— Там студе́нческое общежи́тие. ¹

— А где́ физи́ческий факульте́т? ²

— Физи́ческий факульте́т во́н та́м, спра́ва. ¹

2. — Это хоро́ший фи́льм? ³

— Да,/о́чень хоро́ший. ^{1 1}

— Это америка́нский фи́льм? ³

— Нет,/англи́йский. ^{1 1}

3. — Это интере́сная кни́га? ³

— Да,/о́чень интере́сная. ^{1 1}

4. — Скажи́те, пожа́луйста,/где́ седьмо́й авто́бус? ^{2 2}

— Не зна́ю. ¹

5. — Где́ но́вый журна́л? ²

— Я не зна́ю. Зде́сь ста́рые журна́лы. ^{1 1}

5. *Read the questions and answer them. Pay attention to the intonation of the questions.*

Model: — Это истори́ческий факульте́т? ³

   — Да,/истори́ческий факульте́т. ^{1 1}

1. Это филологи́ческий факульте́т? 2. Это физи́ческий факульте́т? 3. Это биологи́ческий факульте́т? 4. Это студе́нческий теа́тр? 5. Это студе́нческое общежи́тие? 6. Это хими́ческая лаборато́рия? 7. Это аудито́рия но́мер де́сять? 8. Зде́сь сейча́с америка́нские студе́нты? 9. Они́ говоря́т сейча́с по-англи́йски? 10. Это сове́тские студе́нты?

113

6. *Oral Practice.*

You think (but you are not sure) that you are in front of the history (philosophy, biology) department, the student club, Room No. 8, the dormitory. Ask somebody to make sure.

7. *Read aloud. Pay attention to the intonation of the questions with the conjunction* или.

1. Вы́ живёте в Москве́/³или в Ленингра́де? 2. Вы́ отдыха́ли ле́том/³или зимо́й²? 3. Это америка́нские/³или сове́тские студе́нты²? 4. Это физи́ческий/³или хими́ческий² факульте́т? 5. Эти студе́нты говоря́т по-ру́сски/³или по-англи́йски²? 6. Ва́ш оте́ц — инжене́р/³или вра́ч²? 7. Этот фи́льм хоро́ший/³или плохо́й²? 8. Вы́ фило́лог/³или био́лог²? 9. Вы́ живёте в этом до́ме/³или в то́м²? 10. Вы́ хоти́те говори́ть/³или чита́ть² по-ру́сски?

8. *Read. Mark the syntagmatic division, intonational centers and the types of ICs.*

1. Вы́ хоти́те отдыха́ть в а́вгусте и́ли в сентябре́? 2. Вы́ физик и́ли хи́мик? 3. Вы́ говори́те по-англи́йски и́ли по-неме́цки? 4. Вы́ америка́нец и́ли англича́нин? 5. Эта кни́га интере́сная и́ли не́т? 6. Вы́ рабо́таете на заво́де и́ли в институ́те? 7. Вы́ живёте в Ки́еве и́ли в Росто́ве? 8. Эта маши́на америка́нская и́ли неме́цкая?

9. *Read aloud. Pay attention to speed, rhythm and intonation. Dramatize the dialogues. Compose similar dialogues.*

1. — ²Скажи́те, пожа́луйста,/зде́сь³ филологи́ческий/или истори́ческий² факульте́т?
   — ¹Истори́ческий.
   — А где́² филологи́ческий факульте́т?
   — ¹Напро́тив.
   — Спаси́бо.

2. — ²Скажи́те,/э́то студе́нческое³ общежи́тие/или студе́нческий² клу́б?
   — Это¹ клу́б.
   — А где́² общежи́тие?
   — Общежи́тие¹ во́н в то́м зда́нии.
   — Спаси́бо.
   — ¹Пожа́луйста.

3. — ²Ка́тя,/э́то интере́сный³ фи́льм/или не́т²?
   — ¹Не́т,/неинтере́сный.¹

— Это америка́нский фи́льм/³ и́ли англи́йский?²
— Англи́йский.¹

4. — Джейн,/² вы́ америка́нка/³ и́ли англича́нка?²
— Я́ америка́нка.¹
— А ва́ша подру́га?⁴
— Она́ ру́сская.¹

5. — Это америка́нские/³ и́ли францу́зские сигаре́ты?²
— Францу́зские.¹
— Это хоро́шие/³ и́ли плохи́е сигаре́ты?²
— О́чень хоро́шие.¹

6. — Скажи́те, пожа́луйста,/² библиоте́ка в этом зда́нии/³ и́ли в том?²
— В то́м.¹
— А что́ в этом зда́нии?²
— Зде́сь студе́нческое общежи́тие.¹
— Спаси́бо.¹
— Пожа́луйста.¹

7. — Вы́ отдыха́ли в Я́лте/³ и́ли в Ки́еве?²
— В Я́лте.¹
— Ле́том/³ и́ли зимо́й?²
— Ле́том. А когда́ вы хоти́те отдыха́ть?²¹
— Ле́том и́ли о́сенью.¹

8. — Вы́ живёте в этом до́ме?³
— Не́т,/¹ я́ живу́ во́н в том до́ме.¹

9. — Скажи́те,/² библиоте́ка на этом этаже́/³ и́ли не́т?²
— На этом.¹
— Спаси́бо.¹

10. *Ask questions and give answers to them.*

You want to find out: (1) whether Viktor lives in Moscow or in Kiev; (2) which department (physics or chemistry) is located in the building you have entered; (3) when your friend will have his vacation (in June or July); (4) whether your new

115

acquaintance is Russian or English; (5) whether the film under discussion is worth seeing; (6) whether the person you have been introduced to is a biologist or a philologist.

11. *Read. Pay attention to the intonation of enumeration.*

Студéнты отдыхáют в ию́не,/в ию́ле/и в áвгусте.

Студéнты отдыхáют в ию́не,/в ию́ле/ и в áвгусте.

Студéнты отдыхáют в ию́не,/в ию́ле/ и в áвгусте.

В э́том здáнии физи́ческий,/хими́ческий/ и биологи́ческий факультéты.

В э́том здáнии физи́ческий,/хими́ческий/и биологи́ческий факультéты.

В э́том здáнии библиотéка,/студéнческий клуб,/студéнческий теáтр/и физи́ческая лаборатóрия.

В э́том здáнии библиотéка,/студéнческий клуб,/студéнческий теáтр/ и физи́ческая лаборатóрия.

В э́том здáнии библиотéка,/студéнческий клуб,/студéнческий теáтр/ и физи́ческая лаборатóрия.

Я говорю́ по-рýсски,/по-немéцки,/по-францýзски/и по-англи́йски.

Я говорю́ по-рýсски,/по-немéцки,/по-францýзски/и по-англи́йски.

12. *Read. Pay attention to intonation.*

Мáрк Твéн — америкáнский писáтель.

Мáрк Твен — /америкáнский писáтель.

Мáрк Твен — /америкáнский писáтель.

Сергéй Иванóв — студéнт.

Сергéй Иванов — /студéнт.

Сергéй Иванов — /студéнт.

Джéйн Стóун — америкáнка.

Джéйн Стоун — /америкáнка.

Москвá — столи́ца СССР.

Москва — /столи́ца СССР.

Москва — /столи́ца СССР.

Эрмитáж — /э́то музéй в Ленингрáде.

Эрмитáж — /э́то музéй в Ленингрáде.

МГУ³ — /э́то³ Моско́вский госуда́рственный университе́т¹.

Анто́н³ Петро́в — /журнали́ст¹.

Его́ жена́ Ве́ра³ — /инжене́р¹.

13. *Read. Dramatize the dialogues. Compose similar dialogues.*

1. — Скажи́, пожа́луйста,²/что э́то² тако́е?

   — Э́то но́вое зда́ние¹ МГУ.

   — Что² в э́том зда́нии?

   — В э́том зда́нии аудито́рии,³/лаборато́рии,³/библиоте́ка³/и студе́нческий теа́тр¹.

   — А что́² в этом зда́нии?

   — Общежи́тие¹. Здесь живу́т ру́сские,⁴/америка́нцы,⁴/не́мцы,⁴/францу́зы¹.

2. — Ка́тя,²/кто э́то²?

   — Э́то мои́ друзья́:¹/Дже́йн,³/Серге́й³/ и Оле́г¹.

   — Они́ студе́нты³?

   — Да́,¹/они́ студе́нты¹ МГУ. Дже́йн —³ /био́лог¹. Серге́й и Оле́г —³ /исто́рики¹.

   — Дже́йн — америка́нка³/ и́ли англича́нка³?

   — Дже́йн Сто́ун —³ /америка́нка¹. Серге́й и Оле́г —³/ру́сские¹.

3. — Познако́мьтесь, пожа́луйста,²/э́то мо́й¹ дру́г Ви́ктор Петро́в¹.

   — Здра́вствуйте, Ви́ктор. О́чень прия́тно. Ле́на Семёнова.

4. — Ка́к вас² зову́т?

   — Та́ня¹. А ва́с⁴?

   — Джо́н¹.

   — О́чень прия́тно. Вы́¹ студе́нт³?

   — Не́т,¹/я не студе́нт,¹/я журнали́ст⁴. А вы?

   — А я́¹ студе́нтка.

   — Вы́ фило́лог³?

   — Да́,¹/я фило́лог.

   — Вы́ ру́сская³?

   — Да́¹. А вы́⁴?

   — А я́ америка́нец¹. Ка́к ва́ша² фами́лия, Та́ня?

— Романова. А ва́ша?

— Крейн.

— Где́ вы́ живёте, Джо́н?

— В Нью-Йо́рке. Сейча́с я́ живу́ в гости́нице «Национа́ль».

14. (a) *Listen to the text.* (b) *Listen to and repeat the sentences with the correct (marked) intonation;* (c) *Read the text aloud at a normal speed.*

Ка́тя, Серге́й и и́х друзья́

Ка́тя и Серге́й Ивано́вы — /студе́нты. Ка́тя — био́лог. Серге́й — /исто́рик. И́х друзья́ то́же студе́нты. Оле́г Петро́в — исто́рик. Джейн Сто́ун — /био́лог. Ка́тя,/Серге́й,/Оле́г/и Джейн — /студе́нты МГУ. Ка́тя и Серге́й — москвичи́. Оле́г и Джейн — /не москвичи́. Оле́г ра́ньше жи́л в Магнитого́рске. Та́м рабо́тает его́ оте́ц. Магнитого́рск — /э́то большо́й го́род в СССР.

Джейн Сто́ун — америка́нка. В Аме́рике она́ жила́ в Детро́йте. Детро́йт —/ большо́й го́род в США.

Сейча́с Оле́г и Джейн/живу́т в общежи́тии МГУ. В сентябре́ Джейн жила́ в гости́нице. Та́м жи́ли америка́нцы,/не́мцы,/францу́зы. Они́ не говори́ли по-ру́сски. Друзья́ Джейн жи́ли в общежи́тии. Она́ то́же хоте́ла жи́ть в общежи́тии. Сейча́с она́ живёт в общежи́тии. Зде́сь она́ мно́го говори́т по-ру́сски.

Э́то но́вое зда́ние МГУ. Оно́ о́чень большо́е. Зде́сь аудито́рии,/лаборато́рии, больша́я библиоте́ка,/геологи́ческий музе́й,/студе́нческий клу́б,/магази́н,/по́чта. Общежи́тие то́же в э́том зда́нии. Сле́ва хими́ческий факульте́т/и биологи́ческий факульте́т. Ря́дом большо́й са́д/и краси́вый па́рк. Спра́ва физи́ческий факульте́т. А та́м стадио́н/и други́е зда́ния. Та́м истори́ческий факульте́т/и филологи́ческий факульте́т. Моско́вский университе́т — /э́то большо́й студе́нческий го́род.

15. *In the text, find* (a) *the sentences of the* Ка́тя — био́лог *type and read them with and without the syntagmatic division, using different types of ICs* (Ка́тя — /био́лог. Ка́тя — био́лог); (b) *the sentences containing lists. Read them with different types of ICs.*

16. *Oral Practice.*

Imagine you have visited the Soviet Union and met Katya, Sergei and their friend. Speak about them and about Moscow University. Compose a dialogue based on the text.

1. *Read aloud. Pay attention to the pronunciation of the relevant sounds.*

[л]: ма́ло, пла́вала, пла́вал, была́, бы́ло, бы́л;

[л']: биле́т, роди́тели, гуля́ть, гуля́ли, самолёт, галере́я, Кре́мль;

[р]: гора́, рабо́та, се́вер, пассажи́р, у́тро, до́брый, друго́й, бы́стрый, страна́;

[р']: мо́ре, рисова́ть, рестора́н:

[ч]: ча́сть, снача́ла, ве́чер, ничего́ [н'ичиво́], рабо́чий, москвичи́, москви́ч, обы́чно;

[щ]: това́рищ, това́рищи, же́нщина [же́н'щинъ];

[ц]: це́нтр, у́лица, конце́рт, танцева́ть [тънцава́т'], ле́кция;

soft consonants: ме́сто, пе́ть, весно́й, статья́, пла́вать, бы́ть.

2. *Read aloud. Pay attention to the pronunciation of unstressed syllables.*

— ´— восто́к, пото́м, весно́й, места́;

— ´— пла́вать, мо́ре, ла́герь, за́пад, ма́ло, мно́го;

— — ´— пого́да, рабо́та, снача́ла;

— — ´— пассажи́р [пъсажы́р], самолёт [съмал'о́т], танцева́ть, небольшо́й, ничего́, рестора́н [р'истара́н], рисова́ть, хорошо́;

´— — — до́брое [до́бръjъ], ле́кция [л'е́кцыjъ], о́сенью [ос'ин'jу], пра́ктика,

— — ´— — расска́зывать [раска́зывът'], роди́тели;

— — — ´— некраси́вый, интере́сно [ин'т'ир'е́снъ], иностра́нный, галере́я [гъл'ир'е́jъ];

— — — — ´— неинтере́сный

3. *Read aloud. Pay attention to the stress in the plural forms.*

до́м — дома́, са́д — сады́, гора́ — го́ры, ме́сто — места́, мо́ре — моря́, страна́ — стра́ны, река́ — ре́ки, го́род — города́.

4. *Read each prepositional phrase as a single unit.*

о пого́де, о теа́тре, об институ́те [абынст'иту́т'и], об Аме́рике [абам'е́р'ик'и], о ни́х, обо мне́, о Большо́м теа́тре, о на́шем университе́те, о физи́ческом институ́те [аф'из'и́чискъм ынст'иту́т'и], в большо́м но́вом до́ме на деся́том этаже́ [итаже́], в седьмо́й аудито́рии, в Моско́вском университе́те, в хими́ческой лаборато́рии, в студе́нческом общежи́тии, в университе́тском клу́бе; на се́вере, на рабо́те, на Украи́не.

5. *Read aloud. Pay attention to speed, rhythm and intonation.*

1. — Анто́н,/в како́й аудито́рии бу́дет ле́кция? В пя́той/и́ли в шесто́й?
   — Ле́кция бу́дет в шесто́й аудито́рии.
   — На како́м этаже́ шеста́я аудито́рия?
   — На пе́рвом.

2. — Где́ вы́ рабо́таете, Ви́ктор Петро́вич?
   — В Моско́вском университе́те. А вы?
   — А я́ в хими́ческом институ́те.

3. — Вы́ бы́ли в Большо́м теа́тре?
   — Нет,/не́ был. Джон бы́л. Он мно́го расска́зывал о Большо́м театре.
   — А в Третьяко́вской галере́е?
   — В Третьяко́вской галере́е мы́ бы́ли.

4. — Вы́ бы́ли ле́том на Украи́не/и́ли на Кавка́зе?
   — На Кавка́зе.

5. — Вы́ живёте в э́том до́ме, Ната́ша?
   — Нет,/я́ живу́ во́н в то́м большо́м доме.
   — А где́ живёт Джон?
   — О́н живёт в университе́тском общежи́тии.

6. *Answer the questions.*

1. Вы́ живёте до́ма и́ли в студе́нческом общежи́тии? Где́ живу́т ва́ши това́рищи? 2. Вы́ живёте в большо́м го́роде и́ли в ма́леньком? 3. Вы́ бы́ли в Сове́тском Сою́зе? 4. Вы́ бы́ли в Моско́вском университе́те? Вы́ чита́ли о нём? 5. Вы́ бы́ли в Большо́м теа́тре?

7. *Read the questions and answer them.*

1. Ва́ш дру́г рабо́тает в Моско́вском университе́те? 2. Ва́ш друг рабо́тает в Моско́вском университе́те? 3. Ваш дру́г рабо́тает в Моско́вском университе́те? 4. Ва́ш дру́г рабо́тает в Московском университе́те? 5. Ва́ш друг рабо́тает в Моско́вском университете?

120

8. *Read aloud. Pay attention to the intonation of sentences containing antitheses.*

Весно́й Ната́ша была́ на пра́ктике в Ри[1]ге,/а ле́том отдыха́ла на ю[1]ге.

Весно́й Ната́ша была́ на пра́ктике в Ри[3]ге,/а ле́том отдыха́ла на ю[1]ге.

Весно́й Ната́ша была́ на пра́ктике в Ри[4]ге,/а ле́том отдыха́ла на ю[1]ге.

Мо́й отец — рабо[1]чий,/а бра́т — инжене[1]р.

Мо́й отец — рабо[3]чий,/а бра́т — инжене[1]р.

Мо́й отец — рабо[4]чий,/а бра́т — инжене[1]р.

Джо́н — фило[1]лог,/а его́ дру́г — математи[1]к.

Джо́н — фило[3]лог,/а его́ дру́г — математи[1]к.

Джо́н — фило[4]лог,/а его́ дру́г — математи[1]к.

Сего́дня мы́ бы́ли в Кремле[1],/а вчера́ в Большо́м теа[1]тре.

Сего́дня мы́ бы́ли в Кремле[3],/а вчера́ в Большо́м теа[1]тре.

Сего́дня мы́ бы́ли в Кремле[4],/а вчера́ в Большо́м теа[1]тре.

В э́том зда́нии филологи́ческий факульте[1]т,/а в то́м — студе́нческое общежи[1]тие.

В э́том зда́нии филологи́ческий факульте[3]т,/а в то́м — студе́нческое общежи[1]тие.

В э́том зда́нии филологи́ческий факульте[4]т,/а в то́м — студе́нческое общежи[1]тие.

9. *Read aloud. Pay attention to speed, rhythm and intonation. Compose similar dialogues.*

1. — Ната[2]ша,/кто́ ва́ши роди[2]тели?
   — Мо́й отец — журнали[3]ст,/а ма́ма — вра[1]ч.
   — А бра́[4]т и сестра?
   — Они́ студе[1]нты. Бра́т — фило[3]лог,/а сестра́ — био[1]лог.

2. — Вы́ хорошо́ чита[3]ете и говори́те по-ру́сски?
   — Я́ чита́ю по-ру́сски хорошо[3],/а говорю́ пло[1]хо.

3. — Джон,/где вы́ бы́ли сего[2]дня?
   — У[4]тром мы́ бы́ли в Кремле,/а ве́чером в студе́нческом клу[1]бе.

4. — Скажи[2]те, пожа́луйста,/где зде́сь аудито́рия но́мер се́мь и библиоте[2]ка?
   — Библиоте́ка на восьмо́м этаже[3],/а седьма́я аудито́рия на второ[1]м.
   — Спаси[1]бо.

— Пожа́луйста.

5. — Скажи́те,/где́ рабо́тают Андре́й и Ви́ктор?
   — Андре́й рабо́тает в Моско́вском университе́те,/а Ви́ктор в Ленингра́дском.

10. *Read aloud. Pay attention to the intonation of sentences containing antitheses.*

Дже́йн — не англича́нка,/а америка́нка.

Дже́йн — не англича́нка,/а америка́нка.

Ле́кция не в шесто́й,/а в пя́той аудито́рии.

Библиоте́ка не на седьмо́м,/а на восьмо́м этаже́.

Андре́й рабо́тает не в Ленингра́дском,/а в Моско́вском университе́те.

Её оте́ц не журнали́ст,/а инжене́р.

В э́том зда́нии не филологи́ческий,/а истори́ческий факульте́т.

11. *Read aloud. Pay attention to speed, rhythm and intonation. Compose similar dialogues.*

1. — Андре́й — фило́лог?
   — Нет,/он не фило́лог,/а матема́тик.
   — Он живёт в Ки́еве?
   — Нет,/он живёт не в Ки́еве,/а в Ленингра́де.

2. — Ва́ш профе́ссор говори́т на уро́ке по-англи́йски?
   — Нет,/он говори́т не по-англи́йски,/а по-ру́сски.

3. — Дже́йн,/вы́ бы́ли сего́дня в Кремле́?
   — Нет,/мы́ бы́ли не в Кремле́,/а в Большо́м теа́тре.

4. — Скажи́те, пожа́луйста,/в э́том зда́нии филологи́ческий факульте́т?
   — Нет,/не филологи́ческий,/а истори́ческий факульте́т.
   — А где́ филологи́ческий?
   — Филологи́ческий ря́дом.
   — Спаси́бо.

5. — Вы́ бы́ли на пра́ктике на се́вере?
   — Нет,/не на се́вере,/а на ю́ге. Мы́ бы́ли в Оде́ссе.

6. — Вы́ живёте в Москве́?
— Да.
— А ва́ши роди́тели тоже живу́т в Москве́?
— Не́т, они́ живу́т не в Москве́,/а в Ки́еве.

12. *Read aloud. Pay attention to speed, rhythm and intonation.*

1. Вы́ не зна́ете, где́ Ната́ша? 2. Ты́ не зна́ешь, где́ живёт Пётр? 3. Вы́ не зна́ете, где́ здесь рестора́н? 4. Вы́ не зна́ете, о чём расска́зывал профе́ссор? 5. Вы́ не зна́ете, на како́м этаже́ библиоте́ка? 6. Я́ не зна́ю, где́ живёт Андре́й. 7. Я́ не зна́ю, на како́м этаже́ пя́тая аудитория.

13. *Read aloud. Pay attention to the intonation of salutations and greetings.*

1. Извини́те,/где́ здесь апте́ка? 2. Извини́те, пожа́луйста,/где́ здесь рестора́н? 3. Скажи́те, пожа́луйста,/где́ аудито́рия но́мер пя́ть? 4. Молодо́й челове́к,/вы́ не зна́ете, где́ гости́ница «Росси́я»? 5. Де́вушка,/ка́к ва́с зову́т? 6. Здра́вствуй, Джо́н! Здра́вствуй, А́нна! 7. Здра́вствуйте! 8. До́брый день, Анто́н! До́брый день, Ви́ктор! 9. До́брое у́тро! До́брый ве́чер!

14. *Read aloud. Pay attention to speed, rhythm and intonation. Compose similar dialogues.*

1. — Здра́вствуй, Ната́ша!
— Здра́вствуй, Андре́й! Ка́к твои́ дела́?
— Спаси́бо. Хорошо́. Ка́к ты́ живёшь, Ната́ша?
— Ничего́. Спаси́бо. Ты́ не зна́ешь, где́ бу́дет ле́кция?
— Зна́ю. В восьмо́й аудито́рии.

2. — Извини́те,/вы́ не зна́ете, где́ гости́ница «Национа́ль»?
— В це́нтре. На у́лице Го́рького.
— А вы́ не зна́ете, где́ здесь метро́?
— Метро́ напро́тив.
— Спаси́бо.
— Пожа́луйста.

3. — Молодо́й челове́к,[2]/вы́[1] не зна́ете, где́[3] здесь студе́нческое общежи́тие?

— Зна́ю. Во́н[1] в то́м зда́нии спра́ва.

—Спаси́бо.[1]

4. — Де́вушка,[2]/где́[1] здесь рестора́н?[2]

— Я[1] не зна́ю, где́ рестора́н.

— Извини́те.

5. — До́брый день, Ка́тя![2]

— Здра́вствуйте, Ви́ктор![2] Вы́[1] не зна́ете, о чём[3] расска́зывал сего́дня профе́ссор?

— Зна́ю.[1] О ле́тней пра́ктике.[1]

— А где́ бу́дет пра́ктика?[2]

— На Кавка́зе.[1]

15. *Read aloud. Pay attention to the intonation of questions implying a demand.*

— Ва́ше[4] и́мя?

— Пётр.[1]

— Ва́ше[4] и́мя?

— Ви́ктор.[1]

— Ивано́в[3] — ва́ша фами́лия?

— Не́т.[1]

— Ва́ша[4] фами́лия?

— Петро́в.[1]

— Ва́ш[4] па́спорт?

— Пожа́луйста.[1]

— Ва́ш[4] биле́т?

— Во́т[1] о́н.

— Ва́ш[3] биле́т?

— Не́т,[1]/не мо́й.[1]

— Ва́ш[4] биле́т?

— Во́т,[1] пожа́луйста.

124

— Ваш а́дрес?

— Москва́,/Ленингра́дский проспе́кт,/до́м шесть.

---

16. (a) *Listen to the text, comparing the intonation shown in it with that of the speaker;* (b) *Listen to and repeat each sentence;* (c) *Read the whole text aloud at a normal speed.*

О чём говоря́т студе́нты в сентябре́

О чём говоря́т студе́нты в сентябре́? О фи́зике,/о матема́тике,/о биоло́гии? Нет,/ они́ говоря́т о Кавка́зе,/о Чёрном мо́ре,/о Во́лге/ и Днепре́.

Одни́ расска́зывают, ка́к они́ отдыха́ли,/други́е слу́шают.

Ле́том Ка́тя Ивано́ва была́ в Оде́ссе и на Кавка́зе. Снача́ла она́ была́ на пра́ктике в Оде́ссе,/а пото́м отдыха́ла на Кавка́зе. Она́ отдыха́ла в студе́нческом ла́гере «Спу́тник». В э́том ла́гере жи́ли сове́тские и иностра́нные студе́нты. В «Спу́тнике» Ка́тя отдыха́ла о́чень хорошо́. Она́ была́ та́м не одна́. Та́м бы́ли её подру́ги. Их дома́ бы́ли ря́дом. Днём они́ мно́го гуля́ли. Го́ры на Кавка́зе высо́кие,/ре́ки бы́стрые,/а мо́ре большо́е и краси́вое. Пого́да была́ хоро́шая. У́тром и ве́чером Ка́тя пла́вала в мо́ре. Она́ пла́вает хорошо́. Ве́чером в клу́бе Ка́тя и её но́вые това́рищи пе́ли,/танцева́ли,/говори́ли. Одни́ говори́ли по-ру́сски,/а други́е по-англи́йски,/по-неме́цки/и́ли по-францу́зски. Они́ говори́ли о Сове́тской стране́,/о Моско́вском университе́те,/о теа́тре,/о му́зыке. Ка́тя ча́сто пе́ла в клу́бе. Пе́ли и други́е де́вушки.

Серге́й и Оле́г отдыха́ли на Украи́не. Они́ жи́ли в небольшо́й дере́вне,/в краси́вом ме́сте. Обы́чно у́тром Серге́й рисова́л. О́н неплохо́й худо́жник. Пото́м они́ гуля́ли,/пла́вали в Днепре́. Днепр —/э́то больша́я река́ на Украи́не. Сейча́с Серге́й и Оле́г ча́сто вспомина́ют о Днепре́,/об Украи́не,/расска́зывают, ка́к они́ та́м жи́ли.

---

17. *Find in the text the sentences expressing antithesis and containing lists. Read them with different types of ICs.*

18. *Imagine that you study at a Soviet university. Tell about your practical training and your summer vacation. Dramatize the text.*

Unit 5

1. *Read aloud. Pay attention to the pronunciation of the relevant sounds.*

[л]: ла́мпа, о́коло, холо́дный, кла́сс, тёплый;

[л']: ле́с, бале́т, лю́ди, люби́ть, у́голь, культу́ра, кли́мат, пра́вильно;

[p], [p']: ра́д, ра́дио, рабо́та, расска́з, райо́н, рома́н, геро́й, а́дрес, тру́дный, арти́ст, карти́на, проспе́кт, ми́р, а́втор, бе́рег, ребёнок, портре́т;

[ч]: ча́й, изуча́ть, нача́ло, учи́тель, учени́к, уче́бник, симпати́чный;

[ж], [ш]: жале́ю, желе́зо, мо́жет, шка́ф;

[ц]: столи́ца, коне́ц, находи́ться [нъхад'и́ццъ], нахо́дится, оди́ннадцать [ад'и́нъц-цът'], двена́дцать, трина́дцать, четы́рнадцать, пятна́дцать, шестна́дцать [шыс-на́ццът'], семна́дцать, восемна́дцать, девятна́дцать, два́дцать, три́дцать;

soft consonants: де́ти, дива́н, ви́деть, висе́ть, везде́ [в'из'д'е́], стена́ [с'т'ина́], здоро́вье, ко́фе, кино́, писа́ть, стоя́ть, бы́ть, пятьдеся́т, шестьдеся́т [шыз'д'ис'а́т], се́мьдесят, во́семьдесят, девяно́сто.

2. *Read the words. Underline the devoiced consonants.*

га́з, Кавка́з, сою́з, го́д, ра́д, го́род, са́д, за́пад, бе́рег, ю́г, вспомина́ть, а́втор, авто́бус.

3. *Read aloud. Pay attention to the pronunciation of the unstressed syllables.*

— — ′ рома́н, вода́, портре́т, везде́, стена́;

′— — а́втор, ду́мать, кли́мат, у́голь;

— ′— — арти́стка, нача́ло, гео́граф, немно́го;

— — ′ красота́, океа́н, учени́к, изуча́ть;

′— — — о́коло, о́пера, ду́маю, пра́вильно;

— ′— — — поли́тика, нахо́дится, респу́блика;

— — ′— — компози́тор, находи́ться, изуча́ю, телеви́зор, учени́ца, симпати́чный, совреме́нный;

— — — ′— эконо́мика [икано́м'икъ], биохи́мия [б'иах'и́м'ијъ], геогра́фия, фотогра́фия;

— — — ′— — литерату́ра;

люблю́ — лю́бишь — лю́бит; пишу́ — пи́шешь — пи́шет; находи́ться — нахожу́сь — нахо́дится; бе́рег — бе́рега — берега́; ле́с — ле́са — леса́; стена́ — сте́ны — сте́ны; страна́ — страны́ — стра́ны; мо́ре — мо́ря — моря́; река́ — реки́ — ре́ки; у́голь — у́гля; отец — отца́; гео́граф — геогра́фия.

4. *Read. Mark the stress.*

1. Я люблю читать, а мой брат не любит. 2. Что ты пишешь? Я пишу письмо. Вот твои письма. 3. Вот моё окно, а это их окна. 4. Сергей — географ. Он изучает географию. Виктор — биолог. Он изучает биологию. 5. Около берега реки большие леса. Около леса небольшая деревня. 6. Берега Волги очень красивые. 7. Какие реки в СССР ты знаешь? 8. На севере страны много угля. 9. Какие страны находятся на севере Европы?

5. *Read each phrase as a single unit.*

артист балета, артистка Большого [бал'шóвъ] театра, роман американского писателя, общежитие Московского университета, столица Советского Союза, находится на улице Горького, учебник русского языка.

6. *Read aloud. Dramatize the dialogues. Compose similar dialogues.*

1. — О чём э́та кни́га?
   — Э́та кни́га об исто́рии Москвы́.
2. — Чья э́то кни́га?
   — На́шего профессора.
   — Интересная?
   — Очень.
3. — О чём расска́зывал сего́дня профессор?
   — Он расска́зывал о совреме́нной сове́тской литерату́ре.
4. — Скажи́те, пожа́луйста,/где нахо́дится Большо́й театр?
   — На проспе́кте Маркса.
   — А где́ нахо́дится Кремль?
   — На Кра́сной пло́щади.
5. — Молодо́й человек,/что нахо́дится в э́том зда́нии?
   — Общежи́тие Моско́вского университета.
6. — Антон,/э́то твоя маши́на?
   — Нет,/э́то маши́на моего́ отца́.
7. — Джейн, чей э́то роман?
   — Э́то рома́н америка́нского писа́теля Фолкнера.
   — Э́то хороший рома́н?
   — Очень хоро́ший.

8. — Ка́тя,/ты́ не зна́ешь, кто́ э́то поёт?

— Э́то Еле́на Образцо́ва. Она́ арти́стка Большо́го теа́тра.

9. — Вы́ студе́нтка?

— Да́,/я́ студе́нтка филологи́ческого факульте́та университе́та.

— А ва́ша сестра́?

— Она́ учени́ца деся́того кла́сса.

10.— Э́то до́м но́мер шестна́дцать?

— Не́т, семна́дцать.

— Ивано́вы живу́т в кварти́ре но́мер два́дцать?

— Нет. В девятна́дцатой кварти́ре.

7. *Read the questions and answer them. Pay attention to stress.*

Model: — Вы́ изуча́ете хи́мию?

— Да, /хи́мию. Я́ хи́мик.

1. Ты́ изуча́ешь геогра́фию? 2. Вы́ изуча́ете исто́рию? 3. Ва́ш дру́г изуча́ет биоло́гию? 4. Вы́ изуча́ете матема́тику?

8. *Read aloud. Mark the stress.*

1. — Джон, вы любите балет?
   — Да, очень люблю.
   — А оперу?
   — Оперу не люблю.
2. — Что ты делаешь, Антон?
   — Я пишу статью.
   — О чём?
   — О современной литературе.

9. *Read aloud. Pay attention to intonation.*

1. — Здра́вствуй, Анто́н! О́чень ра́да тебя́ ви́деть.

— До́брый де́нь, А́нна! Я́ то́же ра́д. Давно́ тебя́ не ви́дел. Ка́к живёшь?

— Хорошо́. Спаси́бо. А ты́ ка́к?

— Ничего́. Мно́го рабо́таю.

— Ка́к тво́й роди́тели?

— Хорошо́. А ка́к твои́ дела́?

— Спаси́бо. Хорошо́.

2. — До́брое у́тро[2], Дж́ейн!

— До́брое утро[2], Ка́тя! Я ра́да тебя́[1] видеть.

— Я то́же[1] ра́да тебя́ ви́деть[2]. Ка́к твои́ дела, Дже́йн?

— Не о́чень хорошо́[1]. Я ещё о́чень пло́хо понима́ю и говорю́[1] по-русски.

— Что́[2] ты читаешь?

— «Войну́ и ми́р[1]» Толстого.

— Ты́ чита́ешь по-русски[3]?

— Нет,/по-англи́йски[1]. Я[1] ещё плохо чита́ю[1] по-ру́сски.

10. *Complete the dialogues.*

— Здра́вствуйте. Ра́д ва́с ви́деть.
— — — — — — — — — — — — — —
— Ка́к живёте?
— — — — — — — — — — — — — —
— Ка́к дела́?
— — — — — — — — — — — — — —
— Ка́к ва́ша семья́?
— — — — — — — — — — — — — —
— Ка́к здоро́вье отца́?
— — — — — — — — — — — — — —
— Ка́к ва́ш ру́сский язы́к?
— — — — — — — — — — — — — —
— Ка́к ва́ша рабо́та?
— — — — — — — — — — — — — —

11. *Read the questions and answer them.*

1. Где́ нахо́дится Чёрное мо́ре? 2. Где́ нахо́дится Ташке́нт? 3. Где́ нахо́дится Бе́лое мо́ре? 4. Где́ нахо́дится Ло́ндон? 5. Где́ нахо́дится Чика́го?

12. *Read aloud. Pay attention to the intonation of non-final syntagms.*

В э́том общежитии[3]/живу́т[1] америка́нские студе́нты.

В гости́нице[3] «Национа́ль»/живу́т[1] иностра́нные тури́сты.

В нача́ле[4] ию́ня/Ка́тя и Дже́йн бы́ли[1] на пра́ктике в Оде́ссе.

В нача́ле э́того года[3]/Ви́ктор Петро́вич бы́л[1] в Ю́жной Аме́рике.

В нача́ле э́того года[4]/А́нна рабо́тала[1] на Да́льнем Восто́ке.

На восто́ке страны[4]/мно́го[1] угля́.

В э́той комнате[3]/живёт[1] студе́нт истори́ческого факульте́та.

На э́той фотографии[3]/вы́[1] ви́дите Самарка́нд.

13. (a) *Listen to the text.* (b) *Listen to and repeat the sentences with the correct (marked) intonation.* (c) *Read the whole text aloud at a normal speed.*

Здесь живу́т Ивано́вы

Это кварти́ра[1] № 3. В э́той[1] кварти́ре живу́т Ивановы:/А́нна[4] Ивановна,/Ви́ктор Петрович,[3][1]/их дети[3] — /Катя[1]/и Сергей.

Сле́ва ко́мната Сергея,[4]/ря́дом ко́мната его́ сестры,[4]/ напро́тив ко́мната их отца́.[1]

В ко́мнате Сергея о́коло окна[3]/стои́т большо́й[1] стол. На столе́ стои́т лампа,[1]/ лежа́т[1] книги,[1]/журналы,[1]/учебники. Вы́[1] читаете:/ «Исто́рия СССР»,/«Исто́рия Франции»/и понима́ете, что в э́той[4] комнате/живёт студе́нт истори́ческого факульте́та. О́коло стола[3]/стои́т шкаф.[1] Сле́ва диван[3]/и небольшо́й[1] стол. На нём телевизор.[1] На стене́ вися́т карти́ны и портреты. Это рабо́ты Сергея. Сергей лю́бит рисовать.[1] На одно́й[3] карти́не/вы́[4] ви́дите Кремль,[4]/Истори́ческий музей,[4]/гости́ницу[1] «Россия». Это Москва.[1] На другой[3]/вы ви́дите небольшу́ю[4] деревню,[4]/лес,[4]/бе́рег[1] Днепра. Это Украина.[1] Та́м Сергей отдыха́л летом.

В ко́мнате отца[3] Сергея/везде́[4] вися́т карты/ и фотографии.[1] Справа[3]/виси́т больша́я ка́рта мира. Ви́ктор Петро́вич бы́л в Европе,[4]/в Азии,[4] /в Африке. В нача́ле[3] э́того года/о́н рабо́тал в Южной Америке. Ви́ктор Петро́вич — журналист. О́н рабо́тает в газе́те[1] «Известия». О́н пи́шет об экономике,[4]/политике,[4]/климате,[4]/приро́де,[4]/культу́ре. Ви́ктор Петро́вич хорошо́ зна́ет Сове́тский Союз. О́н бы́л на[3] се́вере[3]/и на ю́ге,[1]/на восто́ке[3]/и за́паде страны. О́н зна́ет Урал[3]/и Кавка́з,[3]/лю́бит Волгу[1]/и Байкал. О́н мно́го писа́л о се́вере СССР[3]/и о Да́льнем Восто́ке. На восто́ке[1] СССР/мно́го[3] угля́,[4]/желе́за,[4]/га́за. Ви́ктор Петро́вич писал,[3]/что Сиби́рь и Да́льний[1] Восто́к/о́чень[3] красивые/[4] и интере́сные райо́ны страны.[1]

В его́ комнате[3]/вы́ ви́дите фотографии. Во́т фотогра́фия молодо́го шофёра. О́н рабо́тает на се́вере Урала.[1]

Эта девушка[3]/живёт и рабо́тает в Грузии.[1] Она́ собира́ет чай.[1]

А на этой фотогра́фии[3]/вы́ ви́дите Самарканд. Самарка́нд нахо́дится в Сре́дней[1] Азии. Это о́чень старый го́род.[1]

130

Серге́й, Ка́тя и и́х друзья́/лю́бят слу́шать, ка́к расска́зывает Ви́ктор Петро́вич.
Он ча́сто расска́зывает,/ка́к живу́т лю́ди в Сове́тском Сою́зе,/в Аме́рике,/в А́фрике,/ в А́зии.

Unit 6

1. *Read aloud. Pay attention to the pronunciation of the relevant sounds.*

[л]: де́лал, до́лго, докла́д, гла́вный, сло́во, материа́л;
[л']: пи́ли, пе́ли, неде́ля, строи́тель, гото́влю, поступлю́, пра́вильно, внима́тельно, строи́тельный, спекта́кль;
[р]: собира́ть, за́втрак, семина́р, архите́ктор, микрорайо́н;
[р']: рису́ю, пери́од, смотре́ть, смотрю́, серьёзно;
[ч]: чита́ть, ча́с, зада́ча, учи́ть, учу́сь, ты́сяча, отве́чу, ко́нчить;
[щ]: ещё [ищо́], посеще́ние, посеща́ть, посещу́;
[ш]: пишу́, пи́шешь, реша́ть, решу́, реши́шь, спрошу́, про́шлый;
[ж]: уже́, перевожу́, обсужда́ть, ка́ждый;
[ц]: учи́ться [учи́ццъ], ме́сяц, револю́ция, конфере́нция, пятьсо́т [п'иццо́т], девятьсо́т;
soft consonants: пи́ть, пе́ть, де́нь, пе́сня [п'е́с'н'ъ], ви́деть, вме́сте [вм'е́с'т'и], заня́тие, перевести́, отве́тить.

2. *Read aloud. Pay attention to the pronunciation of unstressed syllables.*

— — — ´   позвони́ть, комсомо́л, отвеча́ть, посети́ть, рассказа́ть, посмотрю́;

´ — — —   па́мятник [па́м'итн'ик], но́вого [но́въвъ];

— — ´ — —   непра́вильно, практи́ческий, реше́ние, тради́ция, четы́реста, расска́зывать;

— — — ´ —   популя́рный, архите́ктор;

— — — — ´   материа́л, микрорайо́н, перевожу́, переведу́;

— — ´ — —   конфере́нция [кънф'ир'е́нцыйъ], обсужде́ние [апсужд'е́н'ийъ], оконча́ние, посеще́ние, револю́ция, разгова́ривать, реставри́ровать;

— — — ´ — —   архитекту́ра, документа́льный, лаборато́рный;

— — — — ´   организова́ть;

— — — — ´ — —   профессиона́льный;

— — — ´ — —   географи́ческий;

письмо́ — пи́сьма, сло́во — слова́, скажу́ — ска́жешь, расскажу́ — расска́-
жешь, учу́сь — у́чится — учи́ться, переводи́ть — перево́дит — перевожу́, пишу́ —
— пи́шешь, получи́ть — полу́чит — получу́, поступи́ть — поступлю́ — по-
сту́пит, смотрю́ — смо́тришь, спроси́ть — спрошу́ — спро́сит.

3. *Read aloud. Underline the devoiced and voiced consonants.*

отря́д, пери́од, наза́д, за́втра, вспомина́ть, всегда́, обсуди́ть, сде́лать, отды-
ха́ть.

4. *Read aloud. Mark the stress.*

1. Ви́ктор говори́т, что хо́чет поступи́ть в университе́т. Я ду́маю, что он посту́-
пит, потому́ что он хорошо́ у́чится. Когда́ я поступлю́ в университе́т, я бу́ду
изуча́ть ру́сскую литерату́ру. 2.— Ты расска́жешь о но́вом фи́льме? — Расскажу́. 3. — Я пишу́ письмо́.— Ты пи́шешь пи́сьма ка́ждую неде́лю? 4. — Когда́ вы
перево́дите, вы смо́трите но́вые слова́ в словаре́? — Да, когда́ я перевожу́, я смо-
трю́ ка́ждое но́вое сло́во в словаре́. 5. — Когда́ ты полу́чишь второ́й но́мер «Но́вого
ми́ра»? — Я получу́ его́ в нача́ле ме́сяца.

5. *Read each phrase as a single unit.*

ста́рые зда́ния, иностра́нные языки́, курсовы́е рабо́ты, нау́чные докла́ды, до-
кумента́льные фи́льмы, нау́чные конфере́нции, студе́нческие вечера́, популя́рные
кни́ги, практи́ческие заня́тия, строи́тельные отря́ды, студе́нческие спекта́кли,
студе́нческие пе́сни, географи́ческие ка́рты, совреме́нные зда́ния.

6. *Read aloud. Pay attention to speed, rhythm and intonation. Mark the intonational
centers, types of IC and stress.*

1. — Джон, где вы сего́дня бы́ли? Что вы ви́дели?
   — Сего́дня мы бы́ли в це́нтре Москвы́. Мы ви́дели Кремль, ста́рые зда́ния на
     у́лице Ра́зина и други́е па́мятники ру́сской архитекту́ры.
   — А вы ви́дели ста́рые зда́ния Моско́вского университе́та?
   — Да, ви́дели. Вы здесь учи́лись?
   — Да, здесь. А вы зна́ете, кто их стро́ил?
   — Да, зна́ю. Ру́сский архите́ктор Казако́в.
   — Пра́вильно.
   — Наш гид расска́зывал об исто́рии Моско́вского университе́та. Сего́дня
     я мно́го узна́л о ру́сской архитекту́ре.

2. — Что изуча́ют на филологи́ческом факульте́те МГУ?
   — На филологи́ческом факульте́те изуча́ют ру́сскую и иностра́нную литера-
     ту́ру, ру́сский и иностра́нные языки́.

3. — Каки́е иностра́нные языки́ ты зна́ешь?
   — Я зна́ю англи́йский, францу́зский и неме́цкий.
   — А ты?
   — А я зна́ю испа́нский и италья́нский.

4. — Вы студенты?
   — Да.
   — Что делают студенты зимой?
   — Учатся. Днём слушают лекции, посещают практические занятия и семинары, пишут курсовые работы, делают научные доклады.
   — А что вы делаете вечером?
   — Организуем студенческие вечера, поём студенческие песни, смотрим новые фильмы.
   — А что делают студенты летом?
   — Отдыхают и работают.
   — Что вы делали летом?
   — Летом работали в строительном отряде, потом отдыхали на Кавказе.
5. — Что это такое?
   — Это географические карты. Здесь вы видите историческую карту Лондона, а там — современную карту Москвы.
   — Вы собираете географические карты? Вы географ?
   — Нет, я не географ, а филолог. Я очень люблю карты. Раньше я собирал только старые географические карты, а теперь собираю современные карты. Это очень интересное занятие.

7. *Answer the questions.*

   1. Что вы читаете? 2. Что изучают на вашем факультете? 3. Какие страны вы видели? 4. Какие иностранные языки вы знаете? 5. Какие советские журналы и газеты вы читаете? 6. Что вы собираете? 7. Что вы делаете в университете (институте)? 8. Что вы видели, когда были в Москве?

8. *Read aloud. Pay attention to fluency.*

   каждый день, каждую неделю, каждый месяц, завтра утром, сегодня днём, вчера вечером, этим летом, на лекции, на семинаре, на уроке, на первом курсе, после лекции, после урока, после семинара, после окончания школы, после окончания университета, час назад, неделю назад, месяц назад.

9. *Read aloud. Pay attention to the intonation of non-final syntagms.*

В про́шлом году́ мы́ бы́ли в Сове́тском Сою́зе.

В про́шлом году́/мы́ бы́ли в Сове́тском Сою́зе.

В про́шлом году́/мы́ бы́ли в Сове́тском Сою́зе.

Ка́ждый день/я́ рабо́таю в лингафо́нном кабине́те.

Ка́ждый го́д летом/студе́нты пя́того ку́рса рабо́тают на практике.

Сего́дня утром/мы́ бы́ли на уро́ке ру́сского языка.

На уро́ке на́ш учи́тель говори́т по-русски.

На уроке/на́ш учи́тель говори́т по-русски.

Вчера́ днём/мы́ бы́ли на конфере́нции в Моско́вском университете.

После конференции/мы́ обсужда́ли докла́ды.

Ча́с наза́д/я́ ви́дела Ната́шу на ле́кции.

Ме́сяц наза́д/мы́ ко́нчили университе́т.

Пе́рвое зда́ние университе́та/находи́лось в це́нтре Москвы́.

Ста́рые зда́ния Моско́вского университе́та/стро́ил архите́ктор Каза́ков.

Моско́вский университе́т/постро́или в 1755 году́.

10. *Read aloud. Divide the sentences into syntagms. Mark the types of ICs in the non-final syntagms.*

1. Ка́ждый го́д ле́том моя́ семья́ отдыха́ет на Кавка́зе. 2. Ка́ждый де́нь у́тром студе́нты слу́шают ру́сские те́ксты в лингафо́нном кабине́те. 3. На уро́ке ру́сского языка́ студе́нты всегда́ говоря́т по-ру́сски. 4. В э́том году́ весно́й на́ши студе́нты бы́ли на пра́ктике на Ура́ле. 5. Ка́ждую неде́лю студе́нты посеща́ют семина́р профе́ссора Виногра́дова. 6. Вчера́ ве́чером мы́ бы́ли в студе́нческом клу́бе Моско́вского университе́та. 7. В апре́ле э́того го́да я́ была́ в Я́лте. 8. Го́д наза́д моя́ сестра́ ко́нчила шко́лу. 9. В э́том зда́нии нахо́дится филологи́ческий факульте́т. 10. На шесто́м этаже́ живу́т Ивано́вы. 11. По́сле оконча́ния университе́та я́ бу́ду рабо́тать на заво́де.

11. *Read aloud. Pay attention to the pronunciation of dates.*

1. — Когда́ вы́ ко́нчили университе́т?
   — В ты́сяча девятьсо́т шестьдеся́т девя́том году́. А вы́?
   — А я́ в се́мьдесят второ́м.
2. — Когда́ вы́ бы́ли в Сове́тском Сою́зе?
   — В ты́сяча девятьсо́т се́мьдесят восьмо́м году́. А вы́?
   — А я́ в шестьдеся́т шесто́м.
3. — Когда́ вы́ ко́нчили шко́лу?
   — В ты́сяча девятьсо́т се́мьдесят седьмо́м году́. А вы́?
   — А я́ в се́мьдесят восьмо́м.
4. — Когда́ вы́ поступи́ли в университе́т?
   — В ты́сяча девятьсо́т се́мьдесят тре́тьем году́. А вы́?
   — А я́ в се́мьдесят шесто́м.

12. *Say a few words about yourself. When did you enter (graduated from) high school, the university?*

13. *Read aloud. Pay attention to syntagmatic division and intonation.*

Когда́ мы́ бы́ли в Москве́,/мы́ жи́ли в гости́нице «Росси́я».

Когда́ я́ ко́нчу университе́т,/я́ бу́ду рабо́тать в шко́ле.

Когда́ студе́нты ко́нчат пе́рвый ку́рс,/они́ бу́дут рабо́тать в строи́тельном отря́де.

Когда вы́ говори́те по-ру́сски,/я хорошо́ понима́ю.

Когда́ моя́ сестра́ ко́нчит шко́лу,/она́ бу́дет поступа́ть в университе́т.

Когда́ я напишу́ курсову́ю рабо́ту,/я бу́ду гото́вить докла́д.

14. *Answer the questions. Pay attention to intonation.*

1. Что́ вы́ бу́дете де́лать, когда́ напи́шете докла́д? 2. Где́ вы́ бу́дете рабо́тать, когда́ ко́нчите университе́т? 3. Где́ вы́ жи́ли, когда́ бы́ли в СССР? 4. Что́ вы́ бу́дете чита́ть, когда́ прочита́ете э́ту кни́гу? 5. Вы́ хорошо́ понима́ете, когда́ чита́ете по-ру́сски?

15. *Read aloud. Pay attention to the intonation of non-final syntagms.*

Я хочу́ поступи́ть на филологи́ческий факульте́т,/потому́ что люблю́ литерату́ру.

Джо́н хорошо́ зна́ет ру́сский язы́к,/потому́ что о́н мно́го чита́ет по-ру́сски.

Студе́нты написа́ли хоро́шие курсовы́е рабо́ты,/потому́ что они́ мно́го рабо́тали.

Я хочу́ отдыха́ть на Кавка́зе,/потому́ что я о́чень люблю́ го́ры.

Я ничего́ не понима́ю,/потому́ что вы́ говори́те о́чень ти́хо.

Я не люблю́ чита́ть по-англи́йски,/потому́ что пло́хо зна́ю англи́йский язы́к.

Джейн хорошо́ говори́т по-ру́сски,/потому́ что она́ до́лго жила́ в Москве́.

Я не перевёл э́тот текст,/потому́ что о́н о́чень тру́дный.

Мы́ не́ были на конфере́нции,/потому́ что мы́ бы́ли на ле́кции.

16. *Read and answer the questions.*

1. Почему́ вы́ поступи́ли на биологи́ческий факульте́т? 2. Почему́ вы́ хоти́те отдыха́ть на ю́ге? 3. Почему́ ты́ не реши́л э́ту зада́чу? 4. Почему́ вы́ вчера́ не́ были на ле́кции? 5. Почему́ ты́ не́ был на конфере́нции? 6. Почему́ вы́ не говори́те по-ру́сски?

17. *Read aloud. Pay attention to the post-tonic part of each sentence (it should be pronounced smoothly and without pauses).*

1. Ты́ не зна́ешь, где́ о́н? 2. Ты́ не зна́ешь, где́ о́н сейча́с? 3. Ты́ не зна́ешь, где́ о́н сейча́с рабо́тает? 4. Вы́ не зна́ете, кто́ стро́ил Моско́вский университе́т? 5. Вы́ не зна́ете, когда́ Джо́н бы́л в Сове́тском Сою́зе? 6. Вы́ не зна́ете, что́ нахо́дится в э́том зда́нии?

18. *Listen to and read the text. Pay attention to speed, rhythm and intonation.*

Студенты

Сергей и Олег —/³студенты Московского университета. ¹Они учатся на первом курсе исторического факультета. Сергей поступил в университет после окончá¹ния школы. Олег сначáла ¹учился в школе,/¹потом в техникуме. После окончáния ³техникума/он работал на заводе в Магнитогорске. ¹Год назад/⁴Олег решил поступить в университет на ¹исторический факультет,/⁴потому что он всегдá любил ¹историю. Сергей и Олег —/⁴большие друзья. Они вместе ¹слушают лекции,/⁴посещают ¹практические занятия и семинары.

³Сегодня утром/Сергей и Олег слушали лекцию профессора ¹Маркова. Профессор ¹Марков читáет курс истории СССР.

Потом ¹был семинар. На ³этом семинаре/Олег сделал доклáд о ¹первой русской революции. ¹Студенты внимáтельно слушали Олега. Потом они ¹обсуждáли его доклад. Докláд о ⁴первой русской революции/—научная работа Олега. Профессор ⁴сказал,/что Олег сделал очень хороший доклáд. ¹Олег много и серьёзно работал, когдá готовил доклад. Он ⁴долго собирáл материал,/читáл ⁴научную литературу,/изучáл ¹исторические документы. Он изучил ⁴этот период ¹очень хорошо.

⁴Олег хочет писáть курсовую работу/ о первой русской революции. ¹Он написáл небольшую статью об ¹этом периоде русской истории.

После ⁴семинара/был ¹урок английского языка. Потом студенты ⁴отдыхали,/⁴пили ¹кофе,/разговаривали.

— ²Что ты будешь делать летом? — спросил Сергей Олега.

— ³Наш студенческий строительный отряд/будет работать в ¹колхозе. ¹Мы будем строить тáм новую школу и клуб. Сначáла мы ¹построим школу,/потом будем ¹строить клуб,— ответил Олег.

— А я буду работать в ¹Новгороде. Мы будем реставрировать пáмятники архитектуры. А в ¹áвгусте я буду отдыхáть на ¹Кавказе.

³Студенческие строительные отряды —/новая традиция. ¹Первые строительные ⁴отряды/организовáли студенты Москвы и ¹Ленинграда. Сейчáс в ⁴кáждом городе,/в ⁴кáждом институте/студенты создают ¹строительные отряды. Осенью, зимой

и весно́й/студе́нты у́чатся. Ле́том/они́ отдыха́ют и рабо́тают. Когда́ они́ рабо́тают в строи́тельном отря́де,/они́ получа́ют зарпла́ту. Студе́нты стро́ят шко́лы,/общежи́тия,/больни́цы,/клу́бы. Студе́нческие строи́тельные отря́ды рабо́тают везде́:/в го́роде/и в дере́вне,/на Да́льнем Восто́ке/и на Украи́не. Э́ту рабо́ту организу́ет комсомо́л.

Unit 7

1. *Read, paying attention to the pronunciation of the relevant sounds.*

[л']: ле́то, вели́кий, бо́лен, больна́, фами́лия, контро́льная, обяза́тельно, ма́льчик, ме́дленно, ве́жливый, испо́льзовать, да́льше;

[р], [р']: ра́но, наро́д, метро́, гро́мко, вопро́с, кра́ткий, откры́тка, собра́ть, соберу́, дру́жеский, вре́мя, дирижёр, наприме́р, консервато́рия;

[ч]: нача́ть, учёный, отве́чу, до́чь, мо́чь, де́вочка, о́тчество [о́т'чиствъ];

[ц]: де́тский [д'éцк'ий], сади́ться [сад'и́ццъ], начина́ться, знако́миться;

[ж], [ш]: одна́жды, слы́шать, слы́шу, слы́шишь, слу́шаешь, пи́шешь, ска́жешь, спро́сишь, сли́шком, коне́чно [кан'е́шнъ];

soft consonants: и́мя, метро́, телефо́н, фами́лия, профе́ссия, ма́ть, зва́ть, е́сть, се́сть, тетра́дь, пло́щадь [пло́щит'].

2. *Read, paying attention to the pronunciation of unstressed syllables.*

— —́	метро́, тетра́дь, поэ́т, кафе́;
—́ —	и́мя, вре́мя, пло́щадь, слы́шать, сли́шком;
— —́ —	бога́тый, свобо́дный, коне́чно, вели́кий, крестья́нин;
— — —́	опозда́ть, повтори́ть, открыва́ть, выступа́ть, собира́ть, начина́ть, иногда́, музыка́нт, наприме́р;
—́ — —	вы́ставка, де́вочка, о́тчество, ме́дленно, по́лное, дру́жеский;
— —́ — —	опа́здывать, испо́льзовать, контро́льная, профе́ссия [праф'е́с'ијъ];
— — —́ —	знамени́тый;
— — — —́ —	предложе́ние, обраще́ние, обяза́тельно [аб'иза́т'ил'нъ], познако́миться, начина́ется;
— — — — —́ —	консервато́рия [кънс'ирвато́р'ијъ];
— — — — —́ —	неофициа́льный [н'иаф'ицыа́л'ныј];

137

число — числа́, слова́рь — словаря́ — словари́, ме́сто — места́, му́зыка — музыка́нт, хоро́ший — хорошо́, бо́лен — больна́ — больны́, показа́ть — пока́зывать, покажу́ — пока́жешь, пока́жете — покажи́те, могу́ — мо́жешь, обсу́дите — обсуди́те, спрошу́ — спро́сишь, спро́сите — спроси́те, ска́жете — скажи́те, пи́шете — пиши́те, перево́дите — переводи́те, выступа́ть — вы́ступить, опозда́ть — опа́здывать, на́чал — начала́ — на́чали, по́нял — поняла́ — по́няли, да́л — дала́ — да́ли, бы́л — была́ — бы́ли, жи́л — жила́ — жи́ли.

4. *Read aloud. Underline the devoiced consonants.*

вы́ставка, наро́д, ра́з, пло́щадь, тетра́дь, обсуди́ть, мо́г.

5. *Read, paying attention to pronunciation and intonation. Compose similar dialogues.*

1. — У ва́с есть телеви́зор?

— Да,/есть. А у вас?

— А у на́с нет телеви́зора.

— Ра́ньше у ва́с тоже его́ не́ было?

— Нет,/ра́ньше был. Когда у на́с бы́л телеви́зор,/де́ти ка́ждый де́нь сиде́ли о́коло него́/и ма́ло чита́ли. А мы́ лю́бим, когда́ они́ чита́ют,/а не смо́трят телеви́зор.

2. — Ма́ша,/сего́дня был уро́к ру́сского языка́?

— Да,/был.

— А ле́кция была́?

— Нет,/ле́кции не́ было. Профе́ссор болен. А почему́ ты́ не была́ сего́дня в университе́те?

— Я́ тоже больна́. А ты́ не знаешь,/за́втра будет конце́рт в клу́бе?

— Да,/будет.

— Ты будешь на конце́рте?

— Нет,/не буду. У меня́ мно́го работы.

— А где́ ты была́ вчера́ вечером? Я тебе́ звони́ла,/а тебя́ не́ было дома.

— Я́ была́ в Большо́м театре.

— А что́ та́м было?

— «Бори́с Годуно́в».

3. — Джон,/ты́ живёшь в большом го́роде?

— Нет,/в маленьком.

138

— У вáс в гóроде есть[3] óперный теáтр?

— Нет,[1]/у нáс[1] нет теáтра.

— А консерватóрия у вáс есть?[3]

— Консерватóрии тоже нéт.

4 — Скажите,[2] пожáлуйста,/на э́той у́лице есть[3] кафé?

— Нет,[1]/здéсь[1] нет кафé.

— А рестораáн?[4]

— Рестораáна[1] тоже нéт.

5. — Áнна Сергéевна,[2]/у вáс есть[3] дóчь?

— Нет,[1]/у меня́[1] нет дóчери. У меня́[1] сын.

6. — У когó éсть учéбник[2] ру́сского языкá?

— У Áнны.[1]

— У когó éсть словáрь?[2]

— У меня́.[1]

6. *Read and answer the questions.*

1. У вáс в гóроде éсть рекá? 2. У вáс éсть маши́на? 3. У тебя́ éсть сестрá? А брáт? 4. У вáс сегóдня былá лéкция? А семинáр? А урóк ру́сского языкá? 5. У тебя́ éсть учéбник ру́сского языкá? 6. У Тóма éсть телефóн? У вáс éсть егó нóмер телефóна? У вáс éсть егó áдрес?

7. *Oral Practice.*

You are going to visit a city. Ask a friend whether there is a theater of opera and ballet, university, conservatory, subway, river in that city. Compose a dialogue.

8. *Read, paying attention to intonation.*

У нáс больша́я[3] маши́на,/а у ни́х[1] мáленькая.

У негó éсть[3] телефóн,/а у меня́[1] нет.

У вáс сегóдня урóк[3] ру́сского языкá,/а у нáс[1] лéкция.

У ни́х[3] нóвый телеви́зор,/а у нáс[1] стáрый.

В Москвé éсть метрó,/а в Ри́ге нет.

У негó éсть[3] собáка,/а у неё[1] нет.

У меня́[3] нет кóшки,/а у ни́х[1] есть.

Сегóдня былá[3] плохáя погóда,/а зáвтра бу́дет хорóшая.[1]

139

9. *Read aloud.*

Говоря́т, что у ва́с но́вая маши́на.[1]

Говоря́т, что за́втра ле́кции не бу́дет.[1]

Говоря́т, что профе́ссор бо́лен.[1]

Говоря́т,[3]/что в э́том году́ бу́дет холо́дная зима́.[1]

В газе́те писа́ли,[4]/что в э́том райо́не бу́дут стро́ить большо́й стадио́н.[1]

В газе́те писа́ли,[4]/что здесь ско́ро бу́дет метро́.[1]

10. *Read, paying attention to intonation.*

Да́йте, пожа́луйста, биле́т.[3]

Расскажи́те, пожа́луйста, о ва́шем го́роде.[3]

Покажи́те, пожа́луйста, ва́шу тетра́дь.[3]

Переведи́те, пожа́луйста, э́то предложе́ние.[3]

Скажи́те, пожа́луйста,[2]/за́втра бу́дет ле́кция?[3]

Скажи́те, пожа́луйста,[2]/где́ нахо́дится Кра́сная пло́щадь?[2]

Откро́йте две́рь![2] Закро́йте, пожа́луйста, окно́.[2]

Переведи́те те́кст. Пиши́те, пожа́луйста![2]

11. *Read aloud. Indicate the types of ICs and the intonational centers. Mark the stress.*

1. — Вы уже начали писать курсовую работу?
   — Нет, ещё не начал.
   — А вы, Наташа?
   — Я начала.
2. — Петя, вы покажете ваши фотографии?
   — Конечно, покажу.
   — Покажите, пожалуйста. Мы очень хотим их посмотреть.
   — Посмотрите, пожалуйста.
   — Мы тоже посмотрим. Хорошо?
   — Конечно, Наташа.
3. — Вы слушаете?
   — Да, мы слушаем.
   — Вы поняли задачу?
   — Нет, я не понял.
   — А вы?
   — Я тоже не поняла.
   — И мы не поняли.
4. — Я опоздала?
   — Да, вы опоздали. Не опаздывайте, пожалуйста.

5. — Вы переводите статью?
— Да.
— Почему вы не пишете?
— Я не поняла это предложение. Переведите его, пожалуйста.
— Пожалуйста. Переводите дальше. Пишите.
6. — Скажите, пожалуйста, где наши места?
— Ваше место вот здесь, а ваши места во втором ряду.
— Спасибо.
7. — Вы расскажете о вашем городе?
— Конечно, расскажу.
— Расскажите, пожалуйста.
8. — Скажите, почему нет Виктора?
— Он болен.
— А почему нет Наташи?
— Она тоже больна.

12. *Read and answer the questions.*

1. Гдé нахóдится Большóй теáтр? 2. Гдé нахóдится Крéмль? 3. Гдé нахóдится Новосибúрск? 4. Гдé находúлись стáрые здáния Москóвского университéта?

13. *Read aloud. Make sure you pronounce the pretonic and post-tonic parts of each sentence as a single unit.*

Я не понялá. Я не понялá вáс. Я не понялá, чтó вы́ сказáли.
Я не слы́шу. Я не слы́шу вáс. Я не слы́шу, чтó онú говоря́т.
Я знáю. Я знáю егó áдрес. Я знáю, гдé óн живёт. Я знáю, почемý егó нé было. Я знáю, почемý егó нé было на лéкции.
Я дýмаю, что óн не постýпит в университéт.

14. *Read, paying attention to the pronunciation of patronymics.*

Áнна Петрóвна [п'итрóвнъ], Олéг Петрóвич [п'итрóв'ич], Ирúна Ивáновна [ивáнъвнъ], [ивáннъ], Ивáн Ивáнович [ивáнъв'ич], [ивáныч], Óльга Сергéевна [с'ирг'éјивнъ], [с'ирг'éвнъ], Антóн Сергéевич [с'ирг'éјив'ич], [с'ирг'éич], Натáлья Никúтична [н'ик'úт'ишнъ].

15. *Read aloud. Compose similar dialogues.*

1. — Давáйте познакóмимся. Моя́ фамúлия Рязáнов. Зовýт меня́ Пётр Сергéевич. Я архитéктор. А кáк вас зовýт?

— Ромáнова Óльга Сергéевна. Я журналúст.

— А кáк úмя вáшей дóчери?

— Мáша. Онá ýчится в Москóвской консерватóрии.

— Óчень рад. А кáк зовýт вáшу подрýгу, Мáша?

— Кэ́трин Голдсмит. Кэ́трин — американка,/ýчится в Москóвском уни-

141

верситете.

2. — Познакомьтесь. Это ваш новый профессор,/Виктор Петрович Иванов. А это ваши студенты.

— Никитин/Пётр.

— Очень приятно. А как ваше отчество?

— Простите,/Петрович. Пётр Петрович.

— А как вас зовут?

— Фёдорова Мария Ивановна.

— Очень рад.

3. — Ваша фамилия?

— Строганова.

— Имя?

— Анна.

— Отчество?

— Фёдоровна.

— Ваша фамилия?

— Морозова.

16. *Oral Practice.*

(a) Introduce your friend to a girl of your acquaintance. (b) Introduce your friends to your parents. (c) Imagine that you are a hotel manager. Ask the guests their first name, patronymic and last name, their address. Ask for their passports. Compose dialogues.

17. *Read, paying attention to the intonation of non-final syntagms.*

Вы знаете о том, что Московский университет/построили в восемнадцатом веке?

Джейн писала в письме о том,/что она учится в Московском университете.

Джон рассказывал о том,/что он видел в Кремле.

Мы просили Тома рассказать о том,/как живут студенты в Америке.

Когда у вас будет свободное время,/посмотрите этот фильм.

Молодой человек спросил:/«Как вас зовут?»

«Ка́к ва́с зову́т?» — спроси́л молодо́й челове́к.

Де́вушка сказа́ла: «Меня́ зову́т Ната́ша».

«Меня́ зову́т Ната́ша»,— сказа́ла де́вушка.

18. *Listen to the text and read it aloud. First repeat the sentences after the speaker during the pauses, then read the whole text through. Pay attention to pronunciation, speed, rhythm and intonation.*

Имя, о́тчество, фами́лия

Что́ тако́е имя,/о́тчество,/фами́лия? Об э́том расска́зывает кни́га Л. В. Успенского. Она́ называ́ется «Ты́ и твоё имя». Когда́ у ва́с бу́дет свобо́дное вре́мя,/ прочита́йте э́ту кни́гу.

В СССР живу́т ру́сские,/украи́нцы,/грузи́ны,/лито́вцы,/таджи́ки/и други́е наро́ды.

У ру́сского челове́ка е́сть имя,/наприме́р, Никола́й,/А́нна,/Влади́мир,/О́льга. И ещё е́сть о́тчество: Петро́вич/и́ли Петро́вна,/Серге́евич/и́ли Серге́евна. В ка́ждом о́тчестве мы́ ви́дим и́мя отца́/и су́ффикс -ович и́ли -овна.

Ру́сские спра́шивают: /«Ка́к ва́с зову́т? Ка́к ва́ше и́мя и о́тчество?» И отвеча́ют:/«Никола́й Петро́вич./А́нна Серге́евна». Никола́й Петро́вич — /э́то сы́н Петра́,/А́нна Серге́евна — /до́чь Серге́я.

Никола́й и А́нна — /э́то по́лные имена́. Никола́й Петро́вич,/А́нна Серге́евна — /э́то ве́жливая фо́рма обраще́ния. Но е́сть ещё и кра́ткие имена́. Никола́й —/э́то Ко́ля,/а А́нна —/э́то А́ня. Ко́ля,/А́ня — дру́жеская,/неофициа́льная фо́рма обраще́ния. Ма́льчика и́ли молодо́го челове́ка/зову́т Ко́ля,/а де́вочку —/А́ня.

Петро́в,/Петро́ва,/Кузнецо́в,/Кузнецо́ва —/э́то ру́сские фами́лии. Иногда́ фами́лия расска́зывает об исто́рии семьи́. Фами́лия Петро́в/говори́т о то́м,/что о́чень давно́ э́то была́ семья́ Петра́. Фами́лии Рыбако́в,/Кузнецо́в/говоря́т о профе́ссии. Таки́е фами́лии е́сть и в англи́йском языке́,/наприме́р Smith. Фами́лии Москви́н,/Во́лгин,/Юго́в,/Восто́ков/расска́зывают о то́м, где́ жила́ семья́.

Когда́ мы́ слы́шим сло́во Пётр,/мы́ зна́ем, что э́то и́мя мужчи́ны. Петро́вич —/ о́тчество,/а Петро́в —/фами́лия. Серге́й —/э́то и́мя,/Серге́евич—/о́тчество,/а Серге́ев —/фами́лия.

Но не у ка́ждого челове́ка в СССР[4]/обяза́тельно есть и́мя,[4]/отчество[4]/и фами́лия.[1] На се́веро-восто́ке СССР,[4] в Сиби́ри/живёт небольшо́й наро́д чукчи.[1] Спроси́те чу́кчу, ка́к его́ и́мя.[1] И вы́ услы́шите: «Тымнэро».[1] Спроси́те, ка́к его́ фами́лия.[1] И о́н отве́тит: «Тымнэро».[1] У него́ то́лько одно́ и́мя.[1] У него́ не́т отчества.[1]

Вы́ зна́ете, когда́ ру́сские говоря́т Никола́й Петрович,[3]/а когда́ — Ко́ля,[1]/когда́ говоря́т А́нна Петровна,[3]/а когда́ — А́ня.[1]

Когда́ ру́сские говоря́т «ты»,[3]/а когда́ «вы»?[2] Ра́ньше была́ то́лько одна́ фо́рма[1] обраще́ния —[3]/«ты».[1] Фо́рма «вы»/появи́лась в Росси́и в XVIII (восемна́дцатом)[1] ве́ке.[3] Э́ту фо́рму/на́чал испо́льзовать Пётр I (пе́рвый).[1] Тогда́ слова́ «ты́» и «вы»/[3] дифференци́ровали социа́льное положе́ние человека.[1] Бе́дный челове́к,[3]/крестья-[3] нин/мо́г услы́шать то́лько «ты».[1] Бога́тые лю́ди говори́ли «ты»,[3]/когда́ хоте́ли пока-[1] за́ть социа́льную диста́нцию.

Сейча́с в ру́сском языке́ «вы»—[3]/э́то официальная,[1]/ве́жливая фо́рма обраще́-[1] ния,[3]/«ты»—[1]/дру́жеская,[1]/неофициальная.[1]

19. *Find in the text the sentences consisting of a number of syntagms. Analyze the intonation of the non-final syntagms and read them aloud, using all possible types of ICs.*

Unit 8

1. *Read, paying attention to the pronunciation of the relevant sounds.*

[л]: бе́лый, гео́лог, фило́соф, весёлый, до́лжен, болга́рин, за́л, взро́слый;
[л']: миллио́н [м'ил'ио́н], зелёный, куплю́, для́, ско́лько, альбо́м, моде́ль [мадэ́л'], жи́тель, ру́бль;
[р]: доро́га, пода́рок, ры́ба, дра́ма, у́тро, ма́рка, кра́сный, просто́й, пра́в, бра́ть, фру́кт, за́втрак;
[р']: река́, тури́ст, рефо́рма, дре́вний, тепе́рь, буква́рь;
[ж], [ш]: у́жин, жи́знь, жёлтый, кни́жный, у́жинаешь, приглашу́, приглаша́ешь;
[ц]: официа́нт, центра́льный, цве́т, смея́ться, называ́ется, колле́кция, иностра́нец;
[ч] ча́с, часы́ [чисы́], ве́чер, чита́тель, значо́к;
soft consonants: си́ний, е́сть, го́сть, опя́ть, сто́ить, тепе́рь, мя́со, сувени́р, коме́дия, де́ньги, пра́здник [пра́з'н'ик].

2. *Read, paying attention to the pronunciation of unstressed syllables.*

— —́ обе́д, опя́ть, возьму́, просто́й, беру́;

—́ — за́втрак, ско́лько, мя́со, до́лжен;

— —́ — доро́га, нау́ка, пода́рок, копе́йка, зелёный, весёлый, рефо́рма;

— — —́ дорого́й, покупа́ть, приглаша́ть;

—́ — — а́збука, за́втракать, гра́фика, не́сколько, гра́мотный;

— —́ — — коме́дия, назва́ние, поу́жинать, негра́мотный;

— — —́ — иностра́нец, называ́ться, дереве́нский, непоня́тный;

— — — —́ заговори́ть, недорого́й, экономи́ст, официа́нт, кинотеа́тр;

— — — —́ — архитекту́рный;

— — — — — госуда́рственный, иллюстра́ция;

стано́к — станки́, значо́к — значки́, ма́рка — ма́рок, до́лжен — должна́ — должны́, ча́с — часы́, буква́рь — буквари́, го́сть — го́сти — гостей, ве́чер — вечера́, река́ — ре́ки, ру́бль — рубли́, пра́в — права́ — пра́вы, куплю́ — ку́пишь — ку́пите — купи́те, взя́л — взяла́ — взя́ли, бра́л — брала́ — бра́ли.

3. *Read, paying attention to the pronunciation of the sound* [н] *in the combinations* [нк] *and* [нг].

пласти́нка, станки́, де́ньги, америка́нка, англича́нка, Ленингра́д.

4. *Read aloud. Underline the devoiced consonants.*

го́д, де́д, обе́д, пра́в, гео́лог, за́втрак, моско́вский, включи́ть, мно́го теа́тров, па́рков, кни́г.

5. *Read aloud.*

мно́го ма́рок, мно́го дете́й, мно́го гостей, мно́го гости́ниц, мно́го сувени́ров, мно́го городо́в, мно́го музе́ев, мно́го магази́нов, мно́го кни́г, мно́го интере́сных кни́г, мно́го иностра́нных студе́нтов, мно́го па́мятников архитекту́ры, мно́го хоро́ших пласти́нок, мно́го иностра́нных тури́стов.

6. *Read, paying attention to pronunciation and intonation. Compose similar dialogues.*

1. — Оле́г,/ты́ не зна́ешь, где́ живёт Андре́й?

— А о́н сейча́с в Москве́?

— Да. Я ви́дел его́ на конфере́нции. Он мне́ сказа́л, что живёт в гостини́це,/но я́ не по́мню в какой. Ка́к ты́ ду́маешь,/в како́й гости́нице о́н мо́жет бы́ть?

— Тру́дно сказа́ть. В Москве́ мно́го гости́ниц.

145

2. — Где́ ты́ была́ вчера́ ве́чером, Ка́тя?

— Я́ была́ у Ма́ши.

— У неё бы́ло мно́го госте́й?

— Не́т,/немно́го.

3. — Джо́н,/вы́ бы́ли в Сове́тском Сою́зе ле́том?

— Да́.

— Бы́ло интере́сно?

— О́чень. Мы́ ви́дели мно́го сове́тских городо́в,/мно́го интере́сных па́мятников архитекту́ры,/посети́ли мно́го музе́ев. Мы́ купи́ли мно́го ру́сских сувени́ров/и хоро́ших пласти́нок.

4. — Оле́г,/ты́ ви́дел мою́ колле́кцию?

— Не́т, Андре́й. А что́ ты́ собира́ешь?

— У меня́ мно́го географи́ческих ка́рт,/ста́рых/и совреме́нных.

— А я́ собира́ю ма́рки. У меня́ мно́го ру́сских/и иностра́нных ма́рок.

5. — Ка́тя,/твоя́ подру́га Дже́йн — америка́нка?

— Да́,/америка́нка.

— Она́ у́чится в Моско́вском университе́те?

— Да́.

— У ва́с в университе́те мно́го иностра́нных студе́нтов?

— Да́,/о́чень мно́го.

6. — Серге́й,/где́ ты́ бы́л на про́шлой неде́ле?

— Мы́ бы́ли во Влади́мире и Су́здале. Та́м мно́го знамени́тых па́мятников дре́вней ру́сской архитекту́ры. Я́ купи́л мно́го интере́сных значко́в.

— Та́м сейча́с мно́го тури́стов?

— Да́,/о́чень мно́го и ру́сских/и иностра́нных тури́стов.

7. *Oral Practice.*

(a) Speak about your collection. Do you have many badges (stamps, books, maps, etc.)? (b) Speak about your city (university). Are there many theaters, museums, monuments of architecture, hotels, foreign tourists in your city? Are there foreign students at your university? Compose dialogues.

8. *Read aloud.*

оди́н сы́н, две́ до́чери, три́ ле́кции, четы́ре уро́ка, пя́ть челове́к, ше́сть кни́г, се́мь словаре́й, во́семь миллио́нов челове́к, два́дцать ты́сяч студе́нтов.

9. *Read, paying attention to speed, rhythm and intonation. Dramatize the dialogues. Compose similar dialogues.*

1. — Анна Петровна,/у ва́с[2] есть де́ти?[3]

   — [1]Да,/[1]есть.

   — У ва́с много дете́й?[3]

   — У меня́ оди́н сы́н[3]/и две́ дочери.[1]

   — Это не ма́ло. В на́ше вре́мя[1]/в се́мьях[3] обы́чно ма́ло дете́й[1] —/оди́н, два́[1] ребёнка.[1] А у моего́ де́да[3]/бы́ло четы́рнадцать дете́й.

2. — Где́ вы живёте, Джо́н?[2]

   — В Ло́ндоне.[1] А вы́?[4]

   — А я́[1] в Ки́еве. Ско́лько челове́к живёт в Ло́ндоне?[2]

   — Я́[3] ду́маю,/что в Ло́ндоне во́семь миллио́нов челове́к.[1] А в Ки́еве?[4]

   — В Ки́еве два миллио́на челове́к.[1]

3. — Серге́й,/у тебя́[2] много заня́тий сего́дня?[3]

   — Да.[1] Очень мно́го.[1] У на́с бу́дет две́ ле́кции,[4]/оди́н семина́р,/три́ уро́ка[4] англи́йского языка́.[1] А по́сле заня́тий[3]/я́ бу́ду ещё рабо́тать в лингафо́нном[1] кабине́те. У меня́[1] о́чень плохо́е англи́йское произноше́ние.[1]

   — А ты́[3] смотришь англи́йские фи́льмы?

   — Да.[1] Я́ ви́дел пя́ть[1] англи́йских фильмов в э́том ме́сяце. Но я́ ещё пло́хо[1] понима́ю,/когда́[1] говоря́т по-английски. Я́ слу́шаю мно́го англи́йских[1] текстов,/когда́ у меня́ есть свобо́дное вре́мя.

   — А чита́ешь ты́ хорошо́?[3]

   — Да. На э́той неде́ле[3]/я́[1] прочита́л се́мь расска́зов Фо́лкнера[4]/и два́ рома́на[1] Стейнбека.

4. — Скажи́те,/ско́лько кни́г[2] в Библиоте́ке и́мени Ле́нина?[2]

   — Два́дцать се́мь миллио́нов кни́г.[1]

   — Ско́лько челове́к рабо́тает в библиоте́ке ка́ждый де́нь?[2]

   — Де́сять ты́сяч челове́к.[1]

10. *Read and answer the questions. Ask similar questions.*

1. Ско́лько челове́к живёт в ва́шем го́роде? 2. Ско́лько музе́ев в ва́шем го́роде? 3. Ско́лько факульте́тов в ва́шем университе́те? 4. Ско́лько студе́нтов у́чится в ва́шем университе́те (институ́те), на ва́шем факульте́те? 5. Ско́лько у ва́с уро́ков ру́сского языка́, ле́кций, семина́ров, заня́тий в лингафо́нном кабине́те ка́ждый де́нь (ка́ждую неде́лю)? 6. Ско́лько у ва́с бра́тьев, сестёр, дете́й? 7. Ско́лько этаже́й в ва́шем до́ме? 8. Ско́лько ко́мнат в ва́шей кварти́ре?

11. *Read aloud.*

ско́лько вре́мени, оди́н ча́с, два́ часа́, три́ часа́ дня, четы́ре часа́ утра́, пя́ть часо́в утра́, ше́сть часо́в ве́чера, двена́дцать часо́в но́чи, трина́дцать часо́в, два́дцать три́ часа́ пятьдеся́т две́ мину́ты, оди́н го́д, два́ го́да, пя́ть ле́т, пятна́дцать ле́т, два́дцать четы́ре го́да.

12. *Read, paying attention to pronunciation, speed, rhythm and intonation. Dramatize the dialogues. Compose similar dialogues.*

1. — Скажи́те, пожа́луйста,/ско́лько сейча́с вре́мени?
   — Сейча́с во́семь часо́в,/пятна́дцать мину́т.
   — Спаси́бо.

2. — Извини́те,/вы́ не зна́ете, ско́лько сейча́с вре́мени?
   — Не зна́ю,/у меня́ не́т часо́в.
   — Де́вушка,/скажи́те, пожа́луйста,/ско́лько вре́мени?
   — Де́вять часо́в,/двена́дцать мину́т.
   — Спаси́бо.
   — Пожа́луйста.

3. — Дже́йн,/ско́лько ле́т вы́ живёте в Москве́?
   — Два́ го́да.
   — Ско́лько ле́т вы́ ещё бу́дете в Москве́?
   — Три́ го́да. Я учу́сь на второ́м ку́рсе.

4. — Ско́лько лет у́чатся в ва́шем институ́те, Андре́й?
   — Пя́ть ле́т.
   — А в вашем, Ната́ша?
   — В на́шем — ше́сть ле́т. Я учу́сь в медици́нском институ́те.
   — А вы́ не зна́ете, ско́лько ле́т у́чатся в те́хникуме?
   — Четы́ре го́да.

5. — Джон,/ско́лько ле́т вы́ изуча́ете ру́сский язы́к?

— Пя́ть лет. Четы́ре го́да в шко́ле/и оди́н го́д в университе́те.

6. — Ната́ша,/ско́лько вре́мени ты́ была́ на пра́ктике?

— Три́ ме́сяца.

— А ско́лько вре́мени ты́ была́ на Кавка́зе?

— Оди́н ме́сяц.

7. — Ско́лько вре́мени была́ конфере́нция?

— Три́ дня́.

— А что́ вы́ де́лали по́сле конфере́нции?

— Мы́ бы́ли два́ дня́ в Но́вгороде.

13. *Read, paying attention to pronunciation and intonation. Indicate the types of ICs.*

называ́ться, называ́ется, называ́ются
1. — Ка́к называ́ется э́та у́лица?
— У́лица Че́хова.
2. — Ка́к называ́ется э́та пло́щадь?
— Пло́щадь Револю́ции.
3. — Ка́к называ́ется э́тот проспе́кт?
— Университе́тский проспе́кт.
4. — Ка́к называ́ется у́лица, на кото́рой вы́ живёте?
— На́ша у́лица называ́ется Лесна́я.
5. — Ка́к называ́ется гости́ница, в кото́рой вы́ живёте?
— Гости́ница «Москва́».
— А где́ она́ нахо́дится?
— На проспе́кте Ма́ркса.

14. *Read, paying attention to pronunciation and intonation. Indicate the types of ICs.*

оди́н ру́бль, три́ рубля́, два́дцать пя́ть рубле́й, одна́ копе́йка, две́ копе́йки, пятна́дцать копе́ек.
1. — Ско́лько сто́ит биле́т в трамва́е?
— Три́ копе́йки.
— Ско́лько сто́ит биле́т в тролле́йбусе?
— Четы́ре копе́йки.
— Ско́лько сто́ит биле́т в авто́бусе?
— Пя́ть копе́ек.
— А в метро́?
— То́же пя́ть копе́ек.
2. — Скажи́те, пожа́луйста, ско́лько сто́ит э́та кни́га?
— Ру́бль два́дцать.
— А э́та?
— Два́ рубля́ три́дцать пя́ть копе́ек.

3. — Сергéй, скóлько стóит вáша машúна?
   — Шéсть тысяч пятьсóт рублéй.
   — Кáк онá называется?
   — «Жигулú».
4. — Скажúте, скóлько стóят эти сигарéты?
   — Сóрок копéек.
   — А эти?
   — Трúдцать пять копéек.

15. *Read, paying attention to the intonation of non-final syntagms.*

Кúев — дрéвний русский гóрод.
$\overset{1}{}$

Кúев —/дрéвний русский гóрод.
$\overset{3}{}$ $\overset{1}{}$

Дмúтрий Дмúтриевич Шостакóвич —/знаменúтый совéтский композитор.
$\overset{3\text{-}4}{}$ $\overset{1}{}$

Когдá Натáша говорúла по-англúйски,/Джóн ничегó не пóнял.
$\overset{3}{}$ $\overset{1}{}$

Я ничегó не пóнял,/потому что вы плóхо говорúте по-англúйски.
$\overset{3}{}$ $\overset{1}{}$

Зáвтра не будет лéкции,/потому что профéссор бóлен.
$\overset{3}{}$ $\overset{1}{}$

Óн сказáл, что сегóдня вéчером/óн дóлжен читáть лéкцию.
$\overset{3}{}$ $\overset{1}{}$

В Библиотéке úмени Лéнина/éсть зáл дрéвних кнúг.
$\overset{3}{}$ $\overset{1}{}$

Мою сестру зовут Нина,/а брáта — Вúктор.
$\overset{3}{}$ $\overset{1}{}$

16. *Read, paying attention to intonation.*

Кáкие у тебя кнúги! Кáкая сегóдня погóда! Какóй сегóдня дéнь! Кáкие хорóшие иллюстрáции!

17. *Compare the types of ICs in the following sentences.*

1. — Кáкие у тебя кнúги?
   $\overset{2}{}$

   — У меня мнóго кнúг. Посмотрú,/вот онú.
   $\overset{1}{}$ $\overset{2}{}$ $\overset{1}{}$

   — Кáкие у тебя кнúги!
   $\overset{5}{}$

2. — Кáкая сегóдня погóда?
   $\overset{2}{}$

   — Сегóдня теплó.
   $\overset{1}{}$

   — Кáкая сегóдня погóда!
   $\overset{5}{}$

   — Дá, погóда óчень хорóшая.
   $\overset{1}{}$

3. — Какóй сегóдня дéнь?
   $\overset{2}{}$

   — Втóрник.
   $\overset{1}{}$

150

— Како́й сего́дня де́нь![5]

— Да́, хоро́ший де́нь.[1]

4. — Ка́к называ́ются у́лицы[2] Москвы́?[1]

— Каки́е?[1] В Москве́ мно́го у́лиц. Прочита́йте кни́гу/«Ка́к называ́ются у́лицы[1] Москвы́».

5. — Почему́ мы́[2] та́к говори́м?

— Ка́к?[2] Не зна́ю.[1]

— Я́ чита́л статью́/«Почему́[3] мы́ та́к говори́м».[1]

6. — Кака́я сего́дня пого́да?[2]

— Не зна́ю.[1] Я́ не была́[2] ещё на у́лице.

Програ́мма ра́дио на сего́дня: /8 часо́в/30 мину́т[1] —/«Кака́я[1] сего́дня пого́да».[1]

18. *Listen to the text and read it. First repeat the sentences after the speaker during the pauses, then read the whole text through. Pay attention to pronunciation, rhythm, speed and intonation.*

Колле́кция

Одна́жды/Серге́й[3] и Ка́тя пригласи́ли друзе́й. Го́сти слу́шали му́зыку,/[1] разгова́ривали.[1]

. — Смотри́те, ка́к мно́го[2] кни́г у Серёжи.

— Да́,/[1] о́чень[1] мно́го. Посмотри́, Дже́йн,/во́т «Сло́во о полку́[2] И́гореве»—/[1] па́мятник дре́вней ру́сской литерату́ры/XII (двена́дцатого)[3] ве́ка.[1] Каки́е хоро́шие[2] иллюстра́ции! А зде́сь[1] буква́рь,/ещё[2] буква́рь. Серёжа,/[2] почему́ у тебя́ та́к мно́го[2] буква́рей?

— Сейча́с объясню́.[1] Кто́ хо́чет посмотре́ть мою́ колле́кцию буква́рей?[2] — спроси́л Серге́й.

— Буква́рей?![3] —/де́вушки[1] засмея́лись.— Серёжа,/[2] мы́ прочита́ли буквари́[1] давно́:/[3] оди́ннадцать/и́ли двена́дцать ле́т наза́д.[1] А почему́ ты́[1] реши́л собира́ть буквари́?[2]

— Снача́ла/[3] у меня́ бы́ло то́лько два́ буква́ря:/мо́й/[1] и моего́ де́да. Э́то бы́ли[1] о́чень интере́сные кни́ги.[1] Я́ люби́л смотре́ть ста́рый буква́рь,/та́м бы́ло мно́го[1] непоня́тного. Я́ спра́шивал,/[3] и де́д расска́зывал,/[4] ка́к лю́ди жи́ли ра́ньше.[1]

151

Однажды/я³ уви́дел ста́рый буква́рь в магази́не/и³ купи́л его́.¹ Та́к я на́чал
собира́ть буквари́. Сейча́с/у меня́¹ уже́ два́дцать два́ букваря́. У меня́ éсть буквари́
на ру́сском/³ и украи́нском языке́.¹ Посмотри́те,/²это фотоко́пия/пе́рвого³ ру́сского
печа́тного букваря́.¹ Он появи́лся в XVI ве́ке.¹ Его́ созда́л/знамени́тый³ Ива́н
Фёдоров.¹ У меня́ éсть моде́ль печа́тного станка́ Ива́на Фёдорова. Этот буква́рь
и э́тот стано́к/³мо́гут о́чень мно́го рассказа́ть о культу́ре,/⁴нау́ке,/⁴иску́сстве того́
вре́мени.¹

— О́чень краси́вые бу́квы.¹ Сейча́с та́к не пи́шут.¹

— Пра́вильно, Джейн.⁴ В Росси́и бы́ло не́сколько рефо́рм¹ ру́сской гра́фики.¹
Наприме́р, рефо́рмы бы́ли в XVIII ве́ке/³и в XX ве́ке¹ (1918 году́).

А во́т э́та кни́га/³называ́ется «Но́вая азбу́ка».¹ Это тоже буква́рь.¹ И зна́ете, кто́³
его́ написа́л? Ле́в Никола́евич Толсто́й.

— А я́ ду́мала,/³что Толсто́й писа́л то́лько рома́ны³ и расска́зы.¹

— Когда́ Толсто́й жи́л в Я́сной Поля́не,/³о́н организова́л там шко́лу для дере-
ве́нских дете́й. Эта шко́ла/³рабо́тала не́сколько ле́т. Толсто́й учи́л дете́й,/а по-
то́м/⁴реши́л написа́ть для ни́х буква́рь.¹ Это бы́л о́чень просто́й буква́рь.¹

А э́тот буква́рь/³появи́лся по́сле Октя́брьской револю́ции.¹ Это буква́рь для
взро́слых.¹ В ста́рой Росси́и/³миллио́ны люде́й бы́ли негра́мотные.¹ По́сле револю́-
ции/они́ должны́ бы́ли учи́ться.¹ Учителя́ днём рабо́тали в шко́ле,/³а ве́чером учи́ли
взро́слых.¹ Эта кни́га не то́лько буква́рь.¹ Для миллио́нов люде́й/э́то бы́л пе́рвый
уче́бник эконо́мики,/⁴исто́рии,/⁴эти́ки.¹

— Серёжа,/²почему́ ты́ собира́ешь буквари́,/³а не ста́рые кни́ги³ и не истори́-
ческие докуме́нты?²

— Понима́ете,/³ка́ждый исто́рик/³хо́чет не то́лько зна́ть фа́кты о жи́зни люде́й
в XI/или в XVII ве́ке.¹ Он хо́чет поня́ть,/³ка́к жи́ли лю́ди мно́го ле́т наза́д. Бук-
ва́рь не то́лько у́чит чита́ть.¹ Он мо́жет о́чень мно́го рассказа́ть о стране́,/⁴ о жи́зни
люде́й,/⁴о нау́ке и культу́ре того́ вре́мени.¹

19. *Find in the text the sentences containing non-final syntagms and read them, using
all possible types of ICs.*

Unit 9

1. *Read, paying attention to the pronunciation of the relevant sounds.*

[л]: де́ло, голова́, золото́й, гла́з, сло́жный;

[л']: боле́ть, полёт, лека́рство, больно́й, результа́т, земля́, кора́бль, звони́ли, вста́ли, боле́ли, большинство́;

[р]: рука́, ско́ро, здоро́вый, до́ктор, температу́ра, вто́рник, вы́беру;

[р']: дире́ктор, серьёзный, среда́, гри́пп;

[ц]: лицо́, пя́тница, реце́пт, медици́нский, опера́ция, роди́ться, ка́жется, встреча́ться;

[ж]: ви́жу, ва́жный;

[ш]: коне́чно [кан'е́шнъ];

[ч]: четве́рг, лётчик, почти́, встреча́ть, замеча́ть, чу́вствуете [чу́ствуjит'и], четы́ре часа́;

soft consonants: ве́сь, сиде́ть, боле́знь, воскресе́нье, вста́ть, заме́тить.

2. *Read, paying attention to the pronunciation of unstressed syllables.*

— ′ —   суббо́та [субо́тъ], анке́та, лека́рство, серьёзный, дире́ктор;

— — ′   голова́, золото́й, космона́вт, основа́ть, замеча́ть;

′ — —   пя́тница, те́хника, чу́вствовать, вы́берут;

— — ′ —   воскресе́нье, понеде́льник, выбира́ешь, медици́нский;

— — — ′ —   температу́ра, руководи́тель;

рука́ — руки́ — ру́ки; приму́ — при́мешь — при́мете — прими́те; роди́ться — роди́лся, родила́сь, роди́ли́сь; встреча́ю — встре́чу; среда́ — в сре́ду, янва́рь — в январе́ — деся́того января́; язы́к — языки́.

3. *Read aloud.*

(a) *Underline the devoiced and voiced consonants.*

клу́б, зу́б, гла́з, вста́ть, встава́ть, всё в поря́дке, впервы́е, встреча́ться, сдава́ть, сда́ть, четве́рг, хиру́рг, космона́вт, экза́мен, в пя́ть часо́в, в три́ часа́.

(b) *Underline the silent consonants.*

по́здно, чу́вствуете, здра́вствуйте.

4. *Read, paying attention to pronunciation and fluency.*

в ча́с, в два́ часа́, в четы́ре часа́, в пя́ть часо́в, в де́сять часо́в, в де́вять часо́в утра́, в во́семь часо́в три́дцать мину́т, в понеде́льник, во вто́рник, в четве́рг, в воскресе́нье.

153

1. — Скажи́те, пожа́луйста,/когда́ нача́ло концерта?

— В во́семь тридцать.

2. — Вы́ не знаете, когда́ открыва́ется э́тот магази́н?

— В де́сять часов.

3. — Вы́ рано встаёте?

— Очень ра́но. В ше́сть часов. А вы?

— А я́ поздно. В девять часо́в. Я не могу́ встава́ть рано.

— А когда́ вы́ начина́ете работать?

— В де́сять тридцать.

4. — Олег,/когда́ ты́ бу́дешь в университете?

— За́втра и в пятницу.

— А в суббо́ту ты́ будешь?

— Нет,/в суббо́ту у меня́ нет заня́тий. Я бу́ду в понеде́льник в 9 часов.

— А в како́й аудитории ты́ бу́дешь? Я хочу́ тебя́ увидеть.

— В шесто́й аудитории.

5. *Read, paying attention to pronunciation. Note the stress.*

янва́рь [jинва́р'], в январе́, оди́ннадцатого января́; февра́ль, в феврале́, двена́дцатого февраля́; сентя́брь, в сентябре́, трина́дцатого сентября́; октя́брь, в октябре́, двадца́того октября́; ноя́брь, в ноябре́, тридца́того ноября́; дека́брь, в декабре́, три́дцать пе́рвого декабря́.

1. — Наташа,/когда́ ты́ родилась?

— Два́дцать второ́го января.

— Како́го года?

— Шестьдеся́т четвёртого. А ты́?

— А я́ роди́лся девя́того июля/пятьдеся́т шесто́го года.

2. — Сергей,/ты́ помнишь, когда́ роди́лся Пу́шкин?

— Помню. Шесто́го июня/ты́сяча семьсо́т девяно́сто девя́того года.

3. — Анна,/когда́ родили́сь твои родители?

— Ма́ма родила́сь пя́того октября/ты́сяча девятьсо́т тридца́того года,/ а оте́ц роди́лся тридца́того марта/ты́сяча девятьсо́т два́дцать восьмо́го года.

154

4. — Когда́ ты́ бу́дешь в Москве́?

   — Пятна́дцатого и́ли шестна́дцатого декабря́.

   — Позвони́, пожа́луйста, когда́ бу́дешь в Москве́.

   — Обяза́тельно позвоню́.

5. — Вы́ не зна́ете, когда́ начина́ется конфере́нция?

   — Два́дцать шесто́го февраля́.

6. *Read fluently. Pay attention to the pronunciation of endings.*

о свои́х дела́х, о но́вых фи́льмах, о свои́х друзья́х, о моско́вских у́лицах.

  1. — О чём ты́ ду́маешь?
     — Я́ ду́маю о свои́х дела́х.
  2. — О чём вы́ говори́те?
     — Мы́ говори́м о свои́х друзья́х.
  3. — О чём э́та кни́га?
     — О Москве́. Об исто́рии моско́вских у́лиц.
  4. — О чём ты́ расска́зываешь?
     — О но́вых фи́льмах.
  5. — О чём была́ ле́кция?
     — Об архитекту́рных па́мятниках 13-го ве́ка.
  6. — О чём э́тот те́кст?
     — О сове́тских врача́х и учёных.
  7. — Ка́тя, ты́ взяла́ свои́ журна́лы?
     — Да́, взяла́.
     — Ты́ взяла́ свои́ журна́лы?
     — Да́, свои́.
     — А где́ же мои́?
     — Я́ не зна́ю.

7. *Read, paying attention to the intonation of repeated questions.*

  1. — Алло́! Попроси́те, пожа́луйста, Андре́я.

     — Его́ не́т до́ма.

     — А когда́ о́н бу́дет?

     — В во́семь часо́в.

     — Когда́?

     — В во́семь часо́в.

     — Спаси́бо.

  2. — Скажи́те, пожа́луйста,/когда́ начина́ет рабо́тать э́тот магази́н?

     — В во́семь часо́в.

— Когда?[3]

— В во́семь.[1]

3. — Петя,[2]/когда у ва́с нача́ло заня́тий в шко́ле?[2]

— В во́семь тридцать.[1]

— Когда?[3]

— В во́семь тридцать.[1]

4. — Кого сего́дня не́т?[2]

— Ма́шн и Сергея.[1]

— Кого?[3] Говорите, пожа́луйста, гро́мко.[3]

— Ма́ши и Сергея.[1]

— Почему?[2]

— Они́ больны.[1]

5. — Чья э́то кни́га?[2]

— Моя́.[1]

— Чья?[3] Я не слышу.[1]

— Моя́.[1]

6. — Почему сего́дня не бу́дет ле́кции?[2]

— Потому́ что профе́ссор заболел.[1]

— Почему?[3] Я не понял.[1]

— Профе́ссор заболел.[1]

8. *Complete the dialogues. Repeat your question and give a reason why you asked the question again.*

Model: — Когда бу́дет семина́р?[2]

— В два́ часа.[1]

— Когда?[3] Повтори, пожа́луйста,[3]/я́ не понял.[1]

— В два́ часа.[1]

1. — Скажите,[2]/когда́ нача́ло вече́рних сеансов?[2]

— В се́мь тридцать.[1]

— . . . .

— В се́мь тридцать.[1]

156

2. — Ве́ра,/ты́ не знаешь, когда за́втра нача́ло конфере́нции?
   — В де́вять пятнадцать.
   — . . . .
   — В де́вять пятнадцать.

3. — Почему́ ты́ не́ был сегодня в университе́те?
   — Я́ болен.
   — . . . .
   — Я́ болен.
   — Когда ты́ бу́дешь в университе́те?
   — Я ду́маю, что в четверг.
   — . . . .
   — В четверг.

4. — Что́ ты́ чита́ешь?
   — Рома́н Достоевского.
   — . . . .
   — Достоевского.

9. *Read aloud. Indicate the intonational centers in the questions.*

1. — Во вто́рник бу́дет ле́кция?
   — Да́, ле́кция.
2. — Во вто́рник бу́дет ле́кция?
   — Не́т, не бу́дет.
3. — Во вто́рник бу́дет ле́кция?
   — Не́т, в понеде́льник.
4. — Ка́тя не была́ на ле́кции?
   — Не́т, была́.
5. — Ка́тя не была́ на ле́кции?
   — Не́т, на семина́ре.
6. — Ка́тя не была́ на ле́кции?
   — Не́т, Ма́ша.

10. *Read, paying attention to speed and intonation.*

1. — Алло́,/Ка́тя? Это Наташа говори́т.
   — Здравствуй, Ната́ша.
   — Почему́ ты́ не была́ в университе́те?
   — Я́ больна.

— Что у тебя?[2]

— У меня[1] грипп.

— Ка́к ты[2] себя чувствуешь?

— Плохо.[1] О́чень голова боли́т.[1]

— А температу́ра у тебя́ есть?[3]

— Да,[1]/три́дцать[1] восемь.

— А вра́ч был?[3]

— Да,[1]/бы́л.[1] А ты ка́к себя чу́вствуешь,[4] Ната́ша?

— Сейча́с[1] ничего. Спаси́бо.[1] У меня́[1] тоже бы́л гри́пп.[1]

— А ка́к твои́ родители?[2]

— Ма́ма больна́,[1]/а па́па здоров. Ка́тя,[2]/ты должна́ лежа́ть не́сколько дней/[1]и обяза́тельно принима́й[1] лекарство.

— Я́ не могу́ до́лго лежать.[1] У меня́[1] экзамен.

— Ничего, Ка́тя,[2]/всё бу́дет в порядке.

11. *Read, paying attention to the intonation of non-final syntagms and fluency.*

В на́шем институ́те изуча́ют историю,[4]/литерату́ру,[4]/иностра́нные языки.[1] Космо-[3]на́вты —/лю́ди ра́зных профессий:[1]инженеры,[4]/учёные,[4]/лётчики,[4]/врачи,[4]/биологи. Моско́вский университе́т основа́л ру́сский учёный Михаи́л Васи́льевич Ломоно-[4]сов/в 1755 (ты́сяча семьсо́т пятьдеся́т пя́том) году. Я зна́ю, что ле́кции не бу́дет.[1] Я́ зна́ю,[1] что ле́кции не бу́дет. Я́ не зна́ю,[1] бу́дет ли лекция.[1] В Ки́еве, столи́це[3] Украи́ны,/мно́го знамени́тых па́мятников ста́рой ру́сской архитектуры.[1]

12. *Read the text. Pay attention to speed and intonation.*

Же́нщины XX ве́ка

XX век.[1] Же́нщины в университетах,[4]/в школах,[4]/ в парламентах...[1] 16 ию́ня[1] 1963 года:[4]/женщина/[4]в космосе.

В одно́й америка́нской анкете/[3]бы́л тако́й вопрос:/[1]«Кто́ вызыва́ет у ва́с са́мое большо́е доверие:[2]/врачи,[3]/адвокаты,[3]/инженеры...?»[3] Большинство́ люде́й отве-[1]тило:/врачи.[1]

158

В Одессе, го́роде на Чёрном мо́ре,/нахо́дится институ́т глазны́х боле́зней. Этот институ́т/основа́л знамени́тый хиру́рг/Влади́мир Петро́вич Фила́тов. Его́ и́мя зна́ет вся́ страна́.

В. П. Фила́тов и его́ после́дователи/разрабо́тали но́вые ме́тоды хирурги́и,/ва́жные для лече́ния глазны́х боле́зней.

В. П. Фила́тов у́мер в 1956 году́.

Сейча́с дире́ктор институ́та —/Наде́жда Алекса́ндровна Пучко́вская. Она́ хиру́рг,/учени́ца Фила́това. О её «золоты́х» рука́х/расска́зывают леге́нды. Это её лицо́ ви́дит челове́к по́сле опера́ции,/по́сле у́жаса слепоты́. Ви́дит/и по́мнит всю́ жизнь. Наде́жда Александровна/получа́ет ты́сячи пи́сем от свои́х больны́х.

В конце́ войны́/оди́н челове́к потеря́л зре́ние. Врачи́ не зна́ли,/бу́дет ли он ви́деть. Реши́ли/де́лать опера́цию. Он по́мнил, что опера́цию де́лала же́нщина. И во́т немолодо́й уже́ челове́к/в институ́те. Он хо́чет уви́деть Пучко́вскую. Вот она́. Да,/э́то её лицо́ уви́дел он 30 ле́т наза́д,/когда́ услы́шал:/«Откро́йте глаза́».

Среда́ —/осо́бый де́нь в институ́те:/в сре́ду/опери́рует Пучко́вская. Наде́жда Александровна/де́лает са́мые сло́жные опера́ции. Она́ руководи́тель нау́чного це́нтра. В э́том це́нтре/10 больши́х клини́к,/11 нау́чных лаборато́рий. У Пучко́вской 200 нау́чных рабо́т. Она́ кру́пный учёный —/акаде́мик медици́ны.

Н. А. Пучко́вская/разрабо́тала но́вые ме́тоды лече́ния гла́з. Учёные институ́та/впервы́е в Сове́тском Сою́зе/на́чали испо́льзовать для лече́ния глаз/ква́нтовый генера́тор,/лазер. Медици́нская пра́ктика/и совреме́нная нау́ка и те́хника. И результа́т —/ты́сячи здоро́вых люде́й.

Unit 10

1. *Read, paying attention to the pronunciation of the relevant sounds.*

[л]: молоко́, ве́село, дала́, да́л, помогла́, футбо́л, тепло́;
[л']: телефо́н, да́ли, иска́ли, кури́ли, ско́лько ле́т, нельзя́, то́лько, хле́б, со́ль;

[р]: пода́рок, боро́лась, кото́рый, игра́л, сы́р, ю́мор;
[р']: кури́ть, ку́рят, курю́, теря́ть, дари́ть, дарю́, да́ришь, перево́д, прекра́сно, прия́тный, сестре́;
[ш]: оши́бка, ша́хматы, шко́льный, нашла́, нашли́, да́шь, даёшь, да́ришь, забыва́ешь;
[ж]: нахожу́, помо́жешь, мо́жно;
[щ]: и́щете, ищу́, и́щешь, сообща́ть [съапща́т'], сообщу́, сообщи́шь;
[ц]: занима́ться, удивля́ться, удиви́ться, боро́ться;
[ч]: чемпио́н, помо́чь;
[х] хо́лодно, находи́ть, нахожу́, хле́б, во-пе́рвых, во-вторы́х;
[х']: стихи́, архео́лог;
soft consonants: найти́, тётя, меню́, вино́, ребя́та, пра́здник [праз'н'ик], воскресе́нье, стихи́, да́ть, забы́ть, иска́ть, но́вости, но́вость.

2. *Read, paying attention to the pronunciation of unstressed syllables.*

— — —́   кото́рый, во-пе́рвых, прекра́сно;

— — —́   молоко́, помога́ть, помогу́, забыва́ть, потеря́ть, телефо́н;

—́ — —   хо́лодно, ша́хматы, ве́село;

— —́ — —   занима́ться, музыка́льный, архео́лог, воскресе́нье [въскр'ис'е́н'jъ];

— — — —́   запомина́ть, передава́ть, передала́, недалеко́;

— — — — —́   к сожале́нию [ксъжыл'е́н'иjу];

— — — — —́ — — систематизи́ровать;

весёлый — ве́село; холо́дный — хо́лодно; да́л — дала́ — да́ли; передала́ — пе́редал — переда́ли; дарю́ — да́ришь; пода́рите — подари́те; ищу́ — и́щешь, и́щете — ищи́те; курю́ — ку́ришь, ку́рите — кури́те; нахожу́ — нахо́дишь; помогу́ — помо́жешь, помо́жете — помоги́те, запомина́ть — запо́мнить.

3. *Read aloud. Underline the devoiced, voiced and silent consonants.*

оши́бка, футбо́л, во-вторы́х, сообща́ть, бы́вший, гото́в, перево́д, хле́б, архео́лог, помо́г, пра́здник, сда́ть экза́мен.

4. *Read aloud. Memorize the stress.*

1. — Вчера́ бы́л весёлый ве́чер в клу́бе?
   — Да,/бы́ло о́чень ве́село.

2. — Сего́дня хо́лодно?
   — Да,/сего́дня о́чень холо́дный де́нь.

3. — Что ты́ пода́ришь Ната́ше?
   — Я́ подарю́ е́й пласти́нку. А вы́ что́ пода́рите?

160

— Мы́ не зна́ем, что́ ей[1] подари́ть.

— Подари́те[1] ей ма́рки. Она́[1] и́х[1] собира́ет.

4. — Ты́[3] ку́ришь?

— Да,[1]/курю́.[1]

— А вы́[3] ку́рите?

— Да́. Зде́сь мо́жно[1] кури́ть?[3]

— Да,[1]/кури́те,[2] пожа́луйста.

5. — Что́ вы́[2] и́щете?

— Я ищу́[1] газе́ту.

— Не и́щите.[2] Её взяла́[1] Ка́тя.

6. — Ве́ра и Ната́ша,[2]/помоги́те мне́ пригото́вить обе́д. У меня́ сего́дня о́чень ма́ло[1] вре́мени.

— К сожале́нию,[1] я́ не смогу́ тебе́ помо́чь сего́дня. У меня́ за́втра[1] экза́мен.[1] Ната́ша тебе́[3] помо́жет. Да, Ната́ша?

— Ну коне́чно,[1] я́ помогу́.

7. — Запиши́те[3] мо́й но́мер телефо́на. Вы́ его́ та́к[1] не запо́мните.

— Не́т,[1]/я́[1] запо́мню. Я не запи́сываю[1] номера́ телефо́нов. Я о́чень хорошо́[1] запомина́ю[1] чи́сла.

8. — Вы́[3] да́ли ей сво́й но́мер телефо́на?

— Да,[1]/да́л.[1]

— А она́[3] дала́ ва́м сво́й?

— Не́т,[1]/не дала́.[1]

5. *Read, paying attention to the intonation of requests.*

1. — Позвони́[3] мне́ сего́дня ве́чером.

— Хорошо́. Я позвоню́[1] тебе́ в де́вять часо́в.[1]

2. — Помоги́те,[3] пожа́луйста, Андре́ю реши́ть зада́чу. Он её не понима́ет.[1]

— Коне́чно,[1] помогу́.

3. — Да́йте[3] мне́, пожа́луйста, газе́ту «Изве́стия».

— Пожа́луйста.[1]

4. — Покажите на́м, пожа́луйста, э́ту кни́гу. [над на́м: 3]

— Во́т э́ту? Пожалуйста. [над Во́т: 2, над э́ту: 1]

— Ма́ма,/купи́ мне́ э́ту кни́гу. [над Ма́ма: 2, над э́ту: 3]

— Хорошо,/куплю́. [над Хорошо: 1, над куплю́: 1]

5. — Ната́ша,/переведи́те на́м те́кст. [над Ната́ша: 2, над на́м: 2]

— Хорошо, Пётр Петро́вич. [над Хорошо: 1]

6. — Андре́й Лавров,/покажи́те мне́ ва́шу контро́льную рабо́ту. [над Лавров: 2, над ва́шу: 2]

— Пожа́луйста. [над Пожа́луйста: 1]

6. Read aloud. Indicate the types of ICs.

1. — Помоги́те мне́, пожа́луйста.
   — Не помога́йте е́й. Она́ должна́ сама́ написа́ть э́ту рабо́ту.
2. — Откро́йте кни́ги. Закро́йте тетра́ди.
3. — Не открыва́йте две́рь. Закро́йте окно́. Здесь сли́шком хо́лодно.
4. — Не кури́те здесь. Здесь не ку́рят.
   — Извини́те, пожа́луйста. Я не зна́л.
5. — Да́йте мне́, пожа́луйста, э́ту кни́гу.
   — Возьми́те, пожа́луйста.
6. — Покажи́те мне́ пласти́нки, пожа́луйста.
   — Пожа́луйста.

7. Read, paying attention to the pronunciation of endings, fluency and intonation.

свое́й жене́, ва́шему бра́ту, мое́й подру́ге, э́тому молодо́му челове́ку, ва́шей до́чери, э́той де́вушке.

1. — О́ля, скажи́те ва́шему бра́ту, что за́втра лекции не бу́дет.
   — А вы позвони́те ему́ по телефо́ну. Он сейча́с до́ма, а я бу́ду до́ма о́чень по́здно.
2. — Переда́йте, пожа́луйста, э́тому молодо́му челове́ку (не зна́ю его́ и́мени), что конце́рт бу́дет в сре́ду.
   — Хорошо́, переда́м. Его́ зову́т Андре́й Петро́в. Это на́ш но́вый студе́нт.
3. — Андре́й, пожа́луйста, покажи́те моему́ дру́гу ва́шу колле́кцию географи́ческих ка́рт. Он то́же собира́ет ка́рты. Ему́ о́чень интере́сно посмотре́ть.
   — Пожа́луйста. С удово́льствием.
4. — Ве́ра, сколько ле́т ва́шей до́чери?
   — Мое́й до́чери три́ го́да.
   — А сколько ва́м ле́т?
   — Мне́ — два́дцать четы́ре.
5. — Сколько ле́т твое́й подру́ге, Та́ня?
   — Ей девятна́дцать ле́т.

6. — Кому́ ты́ пи́шешь пи́сьма?
   — Я пишу́ своему́ бра́ту.
   — Ты́ ча́сто ему́ пи́шешь?
   — Да́, ка́ждую неде́лю.
   — Ско́лько ле́т твоему́ бра́ту?
   — Ему́ три́дцать ле́т.
7. — Ско́лько тебе́ бы́ло ле́т, когда́ ты́ поступи́л в университе́т?
   — Шестна́дцать ле́т.
   — Ты́ та́к ра́но ко́нчил шко́лу?
   — Да́, я поступи́л в шко́лу, когда́ мне́ бы́ло ше́сть ле́т.

8. *Oral Practice.*

(1) Ask a new student, your friend's brother or sister how old he (she) is.
(2) Ask the shop assistant to show you a hat, book, records.
(3) Ask your friend to show you his stamp collection, books.
(4) Ask those present not to smoke; ask them to shut the door, open the window.

9. *Read, paying attention to fluency and intonation. Indicate the types of ICs.*

1. — Мо́жно ва́м позвони́ть сего́дня ве́чером?
   — Коне́чно, мо́жно.
2. — Мо́жно мне́ погуля́ть?
   — Не́т, Ната́ша, тебе́ нельзя́ встава́ть. Тебе́ ну́жно лежа́ть ещё не́сколько дне́й.
3. — Зде́сь мо́жно кури́ть?
   — Мо́жно, но вы́ о́чень мно́го ку́рите. Ва́м нельзя́ та́к мно́го кури́ть.
4. — Я ду́маю, что Пе́те не на́до поступа́ть в университе́т.
   — Почему́?
   — Он не посту́пит. Ему́ на́до поступа́ть в консервато́рию. О́н прекра́сно поёт.
5. — Вы́ ви́дели но́вый францу́зский фи́льм?
   — Не́т.
   — Ва́м обяза́тельно на́до его́ посмотре́ть. Это о́чень хоро́ший фи́льм.

10. *Read and answer the questions.*

1. Мо́жно посмотре́ть ва́шу кни́гу? 2. Мне́ мо́жно посмотре́ть ва́шу колле́кцию? 3. Мо́жно позвони́ть ва́м ве́чером? 4. У ва́с мо́жно кури́ть? 5. Мо́жно взя́ть ва́шу ру́чку? 6. Мо́жно откры́ть окно́?

11. *Read, paying attention to fluency and intonation.*

ле́кция по матема́тике, семина́р по ру́сской литерату́ре, экза́мен по ру́сскому языку́, конфере́нция по совреме́нной сове́тской литерату́ре, уро́к ру́сского языка́, уче́бник исто́рии.

1. — Кака́я у ва́с сейча́с ле́кция?
   — Сейча́с бу́дет ле́кция по исто́рии.
   — А что́ бу́дет по́сле ле́кции?

— Семина́р по ру́сской литерату́ре восемна́дцатого ве́ка. А у ва́с что́ сего́дня?

— Уро́к ру́сского языка́ и семина́р по исто́рии.

— Когда́ у ва́с экза́мен по литерату́ре?

— Пятна́дцатого января́. А у ва́с?

— Мы́ уже́ сда́ли литерату́ру шесто́го января́. Мы́ бу́дем сдава́ть экза́мен по ру́сскому языку́.

12. *Read and answer the questions.*

1. Вы́ бы́ли на ле́кции по матема́тике? 2. Вы́ бы́ли на ле́кции по матема́тике? 3. Вы́ сда́ли экза́мен по литерату́ре? 4. Вы́ сда́ли экза́мен по литерату́ре? 5. Вы́ купили уче́бник ру́сского языка́? 6. Вы́ купи́ли уче́бник ру́сского языка́? 7. Сего́дня была́ конфере́нция по исто́рии? 8. Сего́дня была́ конфере́нция по исто́рии?

13. *Read aloud. Make sure you pronounce the post-tonic parts of the syntagms as a single unit.*

1. Вы́ прочита́ли кни́гу? Вы́ прочита́ли кни́гу, кото́рую я́ ва́м да́л? Вы́ прочита́ли кни́гу, кото́рую я́ ва́м да́л два́ ме́сяца наза́д? 2. Вы́ зна́ете фами́лию профе́ссора? Вы́ зна́ете фами́лию профе́ссора, кото́рый чита́л ле́кцию? Вы́ зна́ете фами́лию профе́ссора, кото́рый чита́л сего́дня ле́кцию по литерату́ре? 3. Вы́ не зна́ете? Вы́ не зна́ете, где́ кни́га? Вы́ не зна́ете, где́ кни́га, кото́рая лежа́ла на столе́?

1. — Вы́ прочита́ли кни́гу, кото́рую я́ ва́м да́л?
   — К сожале́нию, ещё не́т.
   — Обяза́тельно прочита́йте. Это хоро́шая кни́га.
2. — Вы́ ви́дели но́вый фи́льм, о кото́ром я́ ва́м говори́л?
   — К сожале́нию, ещё не ви́дел.
   — Обяза́тельно посмотри́те. Это о́чень интере́сный фи́льм.
3. — Ты́ сда́л экза́мен?
   — К сожале́нию, не сда́л. Я мно́го боле́л в э́том году́.
   — Ничего́. Сда́шь ле́том.
4. — Мо́жно взя́ть ва́шу ру́чку?
   — К сожале́нию, нельзя́. У меня́ не́т друго́й. А мне́ на́до писа́ть.
5. — Мо́жно здесь кури́ть?
   — Не́т, нельзя́. Здесь не ку́рят.
6. — Мо́жно взя́ть ва́ш слова́рь?
   — Мо́жно. Возьми́те, пожа́луйста.

14. *Oral Practice.*

Ask for permission to smoke, to use the telephone, to go for a walk, to borrow the newspaper.

15. *Read each phrase as a single unit.*

недалеко́ от Москвы́, недалеко́ от институ́та, недалеко́ от у́лицы Го́рького; во вре́мя уро́ка, во вре́мя ле́кции, во вре́мя пра́ктики; мне́ интере́сно, ва́м интере́сно, на́м о́чень ве́село, ему́ хо́лодно; игра́ть в ша́хматы, игра́ть в футбо́л.

1. — Где́ вы́ живёте, Пётр?
   — Я́ живу́ недалеко́ от Москвы́.

2. — Где́ нахо́дится кинотеа́тр «Росси́я»?
   — Недалеко́ от у́лицы Го́рького.

3. — Когда́ вы́ смотре́ли э́тот фи́льм?
   — Во вре́мя уро́ка.

4. — Когда́ ты́ прочита́л та́к мно́го кни́г?
   — Во вре́мя пра́ктики.

5. — Ва́м зде́сь неинтере́сно?
   — Не́т, на́м о́чень интере́сно и ве́село.

6. — Ва́м не хо́лодно?
   — Не́т, мне́ не хо́лодно.

7. — Вы́ игра́ете в ша́хматы?
   — Да́, игра́ю.
   — Ва́ш бра́т игра́ет в футбо́л?
   — Да́, игра́ет.
   — Это ва́ш бра́т игра́ет в футбо́л?
   — Да́, бра́т.
   — Это ва́ш бра́т игра́ет в футбо́л?
   — Да́, мо́й.
   — Ва́ш бра́т игра́ет в футбо́л?
   — Да́, в футбо́л.

16. *Read, paying attention to fluency and the intonation of non-final syntagms.*

В э́том году́ мы́ бы́ли во Фра́нции.[1]

В э́том году́ ле́том/студе́нты пе́рвого ку́рса Моско́вского университе́та/бы́ли[3] [3] на пра́ктике на Украи́не.[1]

Го́род, в кото́ром о́н живёт,/нахо́дится недалеко́ от Вашингто́на.[3] [1]

Институ́т, в кото́ром я́ учу́сь,/нахо́дится недалеко́ от моего́ до́ма.[3] [1]

В до́ме, где́ жи́л Л. Н. Толсто́й,/тепе́рь музе́й.[3] [1]

Когда́ Ма́ша уви́дела мою́ колле́кцию ма́рок,/она́ то́же реши́ла собира́ть[3] ма́рки.[1]

Я́ получи́л письмо́ от свое́й сестры́ Дже́йн,/кото́рая у́чится в Москве́.[3] [1]

165

17. *Read the text. Pay attention to pronunciation, speed and intonation.*

Письмо́ дру́га

Оле́г получи́л письмо́ от Андре́я, своего́ белору́сского .дру́га. В э́том году́ ле́том/студе́нты Моско́вского университе́та рабо́тали в Белору́ссии,/стро́или шко́лу. Дере́вня, в кото́рой они́ рабо́тали,/нахо́дится недалеко́ от го́рода Бре́ста. Белору́сские шко́льники помога́ли и́м. Та́м познако́мились Оле́г и Андре́й.

Андре́й — учени́к деся́того кла́сса. О́н занима́лся в истори́ческом кружке́. И когда́ в дере́вне рабо́тал строи́тельный отря́д студе́нтов-исто́риков,/Андре́й всегда́ бы́л о́коло них.

Студе́нты и шко́льники не то́лько рабо́тали,/они́ мно́го разгова́ривали. Москвичи́ говори́ли по-ру́сски,/а шко́льники по-белору́сски. Но они́ прекра́сно понима́ли дру́г дру́га. Ве́чером они́ игра́ли в футбо́л,/в ша́хматы. Москвичи́ ча́сто пе́ли свои́ студе́нческие пе́сни.

Оле́г узна́л, что ребя́та хотя́т организова́ть в ста́рой шко́ле музе́й. Ребя́та объясни́ли ему́,/что во вре́мя войны́ в 1941—43 года́х/в леса́х недалеко́ от э́той дере́вни бы́ли партиза́ны. Э́то во-пе́рвых. Во-вторы́х,/ря́дом нахо́дится Бре́стская кре́пость,/о кото́рой зна́ет ка́ждый челове́к в стране́. В-тре́тьих,/недалеко́ от Бре́стской кре́пости/археоло́ги нашли́ ме́сто, где жи́ли лю́ди в XIII ве́ке.

Оле́г о́чень удиви́лся,/когда́ уви́дел, каки́е интере́сные материа́лы собра́ли ребя́та.

У ребя́т бы́ло мно́го докуме́нтов и фотогра́фий,/кото́рые расска́зывали о Вели́кой Оте́чественной войне́. Во вре́мя войны́/в Сове́тском Сою́зе поги́б ка́ждый деся́тый челове́к (20 миллио́нов челове́к),/а в Белору́ссии — ка́ждый четвёртый.

Э́то бы́ло тру́дное вре́мя,/и о нём нельзя́ забыва́ть. По́мнят об э́том ста́рые крестья́не, бы́вшие солда́ты и партиза́ны. Должны́ зна́ть об э́том и молоды́е лю́ди. Во́т и реши́ли ребя́та/организова́ть сво́й небольшо́й музе́й.

Андре́ю бы́ло о́чень интере́сно собира́ть истори́ческие докуме́нты,/изуча́ть и́х,/ иска́ть но́вые материа́лы. Оле́г помога́л ему́ системати́зировать и́х. И когда́ Оле́г получи́л письмо́ от Андре́я,/о́н бы́л о́чень ра́д. Андре́й писа́л:

«Дорого́й Оле́г! Здра́вствуй!

Хочу́ сообщи́ть тебе́ прия́тную но́вость. Пя́того ноября́ откры́ли наш музе́й.¹

Бы́ло о́чень мно́го наро́да. Говори́ли бы́вшие партиза́ны,/дире́ктор шко́лы,/учи-
теля́.¹

Бы́ло о́чень интере́сно.¹ Спаси́бо тебе́.² Ты так помо́г нам.²

Я учу́сь.¹ У меня́ всё в поря́дке.¹ Хочу́ изуча́ть археоло́гию.¹ В бу́дущем году́/бу́-
ду поступа́ть¹ на истори́ческий факульте́т.⁴ Сейча́с мне на́до мно́го занима́ться.¹
О́чень ма́ло свобо́дного вре́мени.¹

До свида́ния, Оле́г.² Пиши́ мне.²

Твой Андре́й».¹

18. *Find in the text the sentences containing non-final syntagms. Read them, using all possible types of ICs.*

Unit 11

1. *Read, paying attention to the pronunciation of the relevant sounds.*

[л]: столо́вая, пла́вать, плыть, светло́, везла́, несла́, шла́, вокза́л;
[л']: лете́ть, нале́во, тролле́йбус, самолёт, шко́льник, культу́рный, кора́бль,
е́сли; шёл — шли, несла́ — несли́, лете́ла — лете́л — лете́ли, шко́ла — Ко́ля;
[р]: трамва́й, тра́нспорт, о́стров, порт, ста́рший, напра́во;
[р']: де́рево, коридо́р, пря́мо, дверь;
[ш]: ношу́, но́сишь, спешу́, спеши́шь, пешко́м;
[ж]: хожу́, вожу́, е́зжу [jе́жжу], бежа́ть, бежи́шь, пассажи́р;
[ц]: цвето́к, цветы́, дворе́ц, диссерта́ция, консульта́ция;
[ч]: лечу́, ночь, но́чью;
[щ]: о́вощи;
soft consonants: э́ти, е́дет, е́дете, идёт, идёте, вести́, нести́, ведёте, несёте, темно́,
сюда́, пье́са, плыть, плывёте.

2. *Read, paying attention to the pronunciation of unstressed syllables.*

— — ´   бежа́ть, бегу́, везти́, везу́, вокза́л, домо́й, носи́ть;

´ — —   бе́гать, е́хать, пла́вать, о́стров;

— — ´ —   споко́йно, напра́во, нале́во;

— — — ´   побыва́ть, закрыва́ть, пассажи́р, острова́;

— — — ′	о́вощи, де́рево, бе́гаю, хо́дите, но́сите, во́дите, во́зите;
— — — ′ —	велосипе́д;
— — ′ — —	остано́вка, закрыва́ю, деревя́нный;
— ′ — — —	столо́вая, промы́шленный;
′ — — —	пла́ваете, бе́гаете;
— ′ — — — —	моро́женое;
— — — — ′ —	диссерта́ция, консульта́ция;

мо́ст — мосты́, кора́бль — корабли́, де́рево — дере́вья, о́стров — острова́, две́рь — две́ри — двере́й, но́чь — но́чи — ноче́й, по́езд — поезда́, води́ть — вожу́ — во́дишь, во́дите — води́те; вози́ть — вожу́ — во́зишь, во́зите — вози́те; ходи́ть — хожу́ — хо́дишь, хо́дите — ходи́те; носи́ть — ношу́ — но́сишь, но́сите — носи́те.

3. *Read aloud. Underline the devoiced and voiced consonants.*

везти́, вокза́л, остано́вка, мла́дший, идти́, по́езд, о́стров, велосипе́д, в шко́лу, в теа́тр.

4. *Read, paying attention to pronunciation and fluency. Indicate the types of ICs.*

в магази́н, в библиоте́ку, в институ́т, в кино́, в теа́тр, на заво́д, в Ленингра́д, на вокза́л, на ле́кцию, на уро́к, на семина́р, на Кавка́з, на заня́тия.

1. — Куда́ ты идёшь, Ната́ша?
   — Я иду́ в институ́т. А вы́?
   — Мы́ то́же идём в институ́т.
   — А куда́ иду́т Пе́тя и Серге́й?
   — Пе́тя идёт домо́й, а Серге́й в библиоте́ку.
2. — Куда́ вы́ е́дете, Никола́й Петро́вич?
   — Я́ е́ду в Та́ллин на конфере́нцию. А вы́?
   — Я́ е́ду в Ленингра́д. А э́то на́ши студе́нты. Они́ то́же е́дут в Ленингра́д. У ни́х та́м пра́ктика.
3. — Кто́ идёт в кино́?
   — Я́ иду́. Ты́ идёшь, Ма́ша?
   — Не́т, я́ иду́ домо́й.
   — А вы́?
   — Мы́ то́же идём домо́й.
4. — Куда́ вы́ идёте, Та́ня?
   — Мы́ идём на ле́кцию по исто́рии. А вы́?
   — А мы́ идём на семина́р.

5. *Read the questions and answer them.*

Model: — Вы́ идёте на конфере́нцию?
        — Да́, на конфере́нцию.

1. Ты́ идёшь на ле́кцию? 2. Вы́ идёте в теа́тр? 3. Ты́ идёшь в магази́н? 4. Пе́тя идёт в библиоте́ку? 5. Вы́ е́дете на Кавка́з? 6. Ты́ е́дешь в Ки́ев? 7. Студе́нты е́дут на пра́ктику в Ташке́нт?

6. *Read, paying attention to pronunciation. Mark the stress.*

1. — По како́й у́лице мы идём?
   — По у́лице Че́хова.
   — По у́лице Че́хова? Я никогда́ ра́ньше не́ был на э́той у́лице.
   — А я хожу́ по э́той у́лице ка́ждый день. Я здесь живу́.

2. — Вы ча́сто хо́дите в теа́тр?
   — Нет, ре́дко. Я не о́чень люблю́ теа́тр. Я ча́сто хожу́ в кино́.
   — А куда́ вы сейча́с идёте?
   — Я иду́ в библиоте́ку.
   — Вы ча́сто хо́дите в библиоте́ку?
   — Да, почти́ ка́ждый день. Я сейча́с пишу́ диссерта́цию.

3. — Андре́й, ты хо́дишь на рабо́ту пешко́м и́ли е́здишь?
   — Е́зжу. Я живу́ далеко́ от своего́ институ́та.
   — А я хожу́ пешко́м. Я о́чень люблю́ ходи́ть.

7. *Read, paying attention to fluency and intonation.*

е́здить на маши́не, е́хать на трамва́е, е́дет на такси́, е́зжу на метро́, лете́ть на самолёте, е́хать на по́езде.

1. — Вы́ е́здите на рабо́ту на метро́?
   — Нет,/на авто́бусе. А вы?
   — А я́ е́зжу на метро́ и на трамвае. Мо́й институ́т далеко́ от метро. Когда́ я не спешу́,/я хожу́ пешко́м.
   — А я не люблю́ ходи́ть пешко́м. У меня́ не́т вре́мени. Я всегда́ опа́здываю.
   — А я́ о́чень не люблю́ тра́нспорт. Я о́чень мно́го хожу́ пешко́м.

2. — Заче́м вы́ е́дете в Ташке́нт?
   — Я́ е́ду на конфере́нцию.
   — Вы́ е́дете на по́езде?
   — Нет,/я́ лечу́ на самолёте. На по́езде туда́ е́хать сли́шком до́лго. Я не люблю́ е́здить на по́езде.
   — Ско́лько вре́мени туда́ лети́т самолёт?
   — Я́ не зна́ю. Ду́маю, что четы́ре часа́.

3. — Джейн,/когда́ ты́ была́ в Ленинграде,/ты́ ходи́ла в Ру́сский музе́й?

— Да,/ходи́ла.

— А в Эрмита́ж?

— То́же ходи́ла. Я мно́го ходи́ла по го́роду.

8. *Read, paying attention to the intonation of non-final syntagms.*

Éсли я́ бу́ду ле́том в Москве́,/я позвоню́ ва́м.

Éсли в воскресе́нье бу́дет плоха́я пого́да,/я бу́ду чита́ть.

Éсли у ва́с бу́дет свобо́дное вре́мя,/обяза́тельно посмотри́те э́тот фильм.

Éсли я́ сда́м экза́мены хорошо́,/я бу́ду поступа́ть в университе́т.

Éсли ты́ бу́дешь ма́ло занима́ться,/ты́ не посту́пишь в институ́т.

Éсли вы́ хоти́те хорошо́ говори́ть по-ру́сски,/ва́м на́до мно́го рабо́тать.

Éсли хоти́те,/я́ могу́ помо́чь ва́м.

Éсли мо́жно,/я́ позвоню́ ва́м ве́чером.

9. *Answer the questions.*

Model: — Где́ ты́ бу́дешь отдыха́ть ле́том?
— Éсли ле́то бу́дет холо́дное, я бу́ду отдыха́ть на ю́ге.

1. Что́ ты́ бу́дешь де́лать в воскресе́нье? 2. Что́ вы́ бу́дете де́лать ве́чером? 3. Что́ ты́ бу́дешь де́лать по́сле оконча́ния шко́лы? 4. Вы́ пое́дете на рабо́ту на авто́бусе и́ли пойдёте пешко́м?

10. *Read, paying attention to the position of the intonational centers.*

1. — Я́ студе́нт. А вы́?

— Я́ то́же студе́нтка.

— А Ната́ша?

— И Ната́ша — студе́нтка.

2. — Мы́ идём в кино́.

— Мы́ то́же идём в кино́.

— А они́?

— И они́ иду́т.

3. — Я люблю́ ходи́ть пешко́м.

— Я то́же люблю́.

— И мы́ лю́бим ходи́ть пешко́м.

11. *Read aloud. Indicate the types of ICs. Compose similar dialogues.*

— Скажи́те, пожа́луйста, восьмо́й авто́бус идёт на у́лицу Че́хова?
— Не́т, не идёт.
— А тре́тий?
— И тре́тий не идёт. Е́сли вам на́до на у́лицу Че́хова, сади́тесь на тре́тий
   и́ли два́дцать тре́тий тролле́йбус. Остано́вка о́коло Большо́го теа́тра.
— Спаси́бо. А трамва́й здесь не хо́дит?
— Не́т, трамва́й не хо́дит.

12. *Read, paying attention to the intonation of requests and commands.*

1. Позвони́те мне́ ве́чером. 2. Купи́те мне́, пожа́луйста, биле́т в кино́. 3. Откро́й-
те две́рь. 4. Да́йте мне́ слова́рь, пожа́луйста. 5. Закро́йте две́рь. Не открыва́йте
окно́. 6. Не кури́те здесь. 7. Откро́йте кни́ги. Пиши́те слова́. 8. Не разгова́ривайте
на уро́ке.

13. *Read aloud. Mark the stress.*

Это берег реки Невы. Ленинград находится на берегу Невы. Тут остров, там
острова. Я хожу пешком. Вы ходите на работу пешком? Ходите много пешком.
Около нашего дома большое дерево. В парке много старых деревьев. Вы возите
детей в школу на машине, или они ходят пешком?

14. *Read the text. Pay attention to pronunciation, speed and intonation.*

Если хоти́те узна́ть го́род...

Вы́ были в Ленингра́де?

Не́ были? Е́сли хоти́те,/я могу́ рассказа́ть ва́м об э́том го́роде. Я не ленинград-
ка,/я учу́сь в Ленингра́дском университе́те.

Ленингра́д —/большо́й го́род,/промы́шленный и культу́рный центр. В Ленин-
гра́де ка́ждая у́лица —/исто́рия,/почти́ ка́ждый дом —/па́мятник. Ленингра́д
нахо́дится на берегу́ реки́ Невы́/и на острова́х. Ленингра́д основа́л в 1703 году́/
ру́сский ца́рь Пётр I. Го́род тогда́ называ́лся Петербу́рг. На берегу́ Невы́,/неда-
леко́ от Петропа́вловской кре́пости/ и сейча́с нахо́дится деревя́нный до́мик

Петра́ I. Э́то са́мое дре́внее зда́ние в Ленингра́де. Петропа́вловскую кре́пость тоже на́чали стро́ить в 1703 году́. Петропа́вловская крепость—/интере́сный архитекту́рный и истори́ческий па́мятник. По́сле револю́ции/в Петропа́вловской кре́пости откры́ли истори́ческий музе́й.

Говоря́т,/е́сли хоти́те узна́ть го́род,/ходи́те пешко́м. И я́ ходи́ла. Ходи́ла и смотре́ла,/смотре́ла и слу́шала. Когда́ у меня́ есть свобо́дное вре́мя,/я́ хожу́ пешко́м и в институ́т,/и на по́чту,/и в магази́ны. Когда́ я иду́ по у́лице,/я́ не спешу́. Я́ о́чень люблю́ иска́ть/и находи́ть интере́сные дома́. А таки́х домо́в здесь мно́го. В Ленингра́де жи́ли А. С. Пу́шкин,/Н. В. Го́голь, П. И. Чайко́вский,/Д. Д. Шостако́вич/и мно́гие други́е знамени́тые лю́ди.

В Ленингра́де мно́го па́мятников,/кото́рые расска́зывают об Октя́брьской револю́ции/и о Ленингра́де — го́роде-геро́е. О́чень краси́в Ленингра́д/ра́но у́тром и но́чью. Я люблю́ гуля́ть по го́роду,/осо́бенно, когда́ быва́ют бе́лые но́чи.

Хорошо́ ходи́ть по бе́регу реки́/и смотре́ть, как по Неве́ плыву́т больши́е корабли́. В Ленингра́дском порту́/мо́жно уви́деть корабли́ ра́зных стран.

Ночь. А на у́лице светло́. Вот по мосту́ е́дет маши́на,/она́ везёт хлеб. Друга́я маши́на везёт молоко́. Идёт такси́. Лю́ди спеша́т домо́й. А я́ не спешу́. Я́ иду́ на Дворцо́вую пло́щадь. Э́то центра́льная пло́щадь Ленингра́да,/са́мая больша́я и краси́вая пло́щадь го́рода. Здесь нахо́дится Эрмита́ж/и Зи́мний дворе́ц.

Я люблю́ смотре́ть,/как Ленингра́д начина́ет но́вый день. Идёт пе́рвый трамва́й. Он почти́ пусто́й. Начина́ют ходи́ть авто́бусы,/открыва́ет свои́ две́ри метро́. Иду́т пе́рвые пассажи́ры. Э́то рабо́чие. Пото́м иду́т шко́льники. Снача́ла — мла́дшие шко́льники. Они́ иду́т споко́йно,/как взро́слые. Пото́м иду́т ученики́ ста́рших кла́ссов. Ско́ро де́вять часо́в. И они́ уже́ не иду́т,/а бегу́т.

Днём на у́лицах и площадя́х го́рода/тури́сты,/го́сти Ленингра́да. Они́ иду́т в музе́и:/в Эрмита́ж,/в Ру́сский музе́й,/иду́т в магази́ны,/в па́рки. Я то́же иду́ в Ле́тний сад. Здесь ста́рые дере́вья,/мно́го цвето́в. Я люблю́ сиде́ть в э́том ста́ром па́рке/и смотре́ть, как игра́ют де́ти,/бе́гают,/е́здят на велосипе́дах. Я ещё не могу́ сказа́ть,/что хорошо́ зна́ю Ленингра́д. Но ка́ждый день/я́ узнаю́ об э́том го́роде мно́го но́вого.

1. *Read, paying attention to the pronunciation of the relevant sounds.*

[л]: сала́т, посыла́ть, посла́ть, буты́лка, таре́лка, кре́сло, мета́лл;
[л']: сто́лик, ле́вый, полёт, по́люс, ста́ль, мете́ль, бо́льше, строи́тельство; сто́л — сто́лик, ста́л — ста́ль, мета́лл — мете́ль, полёт — льёт, посыла́л — посыла́ли, посла́л — посла́ли;
[р]: пра́вый, обра́тно, верну́ться, вдру́г, ди́ктор, маршру́т;
[р']: ве́рить, ве́ришь, ве́рите, ве́рю, прекра́сный;
[ш]: ча́шка, де́душка, разреши́шь, молодёжь;
[ж]: да́же, ухожу́, поло́жишь, приезжа́ть [пр'ижжа́т'], ну́жен, нужна́, нужны́, жда́ть, жду́;
[ц]: грани́ца, посло́вица, верну́ться, нра́виться, ста́нция, продаве́ц, та́нец;
[х]: хо́р, хожу́, ухожу́, прихожу́, е́хать, уе́хать, и́х, о ни́х;
[ч]: встре́ча, ча́шка, че́рез, шучу́, учу́, учу́сь, четы́ре ты́сячи челове́к;
[щ]: сча́стье [ща́с'т'јъ], возвращу́сь, возвраща́юсь, о́бщий;
soft consonants: ка́мень, пойти́, уйти́, шути́ть, принести́, кла́сть, костю́м, се́меро.

2. *Read, paying attention to the pronunciation of unstressed syllables.*

_ _́   звоно́к, пойду́, костю́м, мета́лл;
_́ _   ва́за, кре́сло, та́нец, ну́жен;
_ _́ _   отку́да, обра́тно, кома́нда, грани́ца, таре́лка, пое́дем, дава́йте;
_ _ _́   подожду́, положу́, провожу́, продаве́ц, молодёжь, разрешу́, приезжа́ть;
_́ _ _   де́душка, нра́виться, ста́нция;
_ _́ _ _   понра́виться, строи́тельство;
_ _ _́ _   возвраща́ться;
_ _ _ _́   корреспонде́нт [кър'испан'д'е́нт];
_ _ _ _́   интересова́ть;
_ _ _́ _ _   национа́льный;
_ _ _ _́ _ _   математи́ческий;

ну́жен — нужна́ — нужны́; ка́мень — ка́мни — камне́й; жда́л — ждала́ — жда́ли; положи́ть — положу́ — поло́жишь; положи́те — положи́те; приноси́ть — приношу́ — прино́сишь, прино́сите — приноси́те; приходи́ть — прихожу́ — прихо́дишь, прихо́дите — приходи́те; уходи́ть — ухожу́ — ухо́дишь, ухо́дите — уходи́те; проводи́ть — провожу́ — прово́дишь, прово́дите — проводи́те; шути́ть — шучу́ — шу́тишь, шу́тите — шути́те.

3. *Read aloud. Underline the devoiced and voiced consonants.*

ана́лиз, ви́д, вдру́г, коллекти́в, че́рез, вку́сный, встре́ча, о́бщий, молодёжь, из Ки́ева, с заво́да, от бра́та, через ча́с, к дру́гу.

4. *Read aloud. Make sure you pronounce each prepositional phrase as a single unit.*

в шко́лу, из шко́лы, в институ́т, из институ́та, в магази́н, из магази́на, на рабо́ту, с рабо́ты, на заво́д, с заво́да, в библиоте́ку, из библиоте́ки.

1. — Куда́ вы́ идёте, ребя́та?
  — Мы́ идём на ле́кцию. А вы́?
  — А мы́ с ле́кции.
2. — Отку́да ты́ идёшь, Андре́й?
  — С рабо́ты.
  — А куда́ ты́ идёшь?
  — В магази́н. А ты́?
  — А я́ из магази́на.
3. — Куда́ ты́ идёшь, Ната́ша?
  — В институ́т. А ты́?
  — А я́ иду́ из институ́та.
4. — Что́ ты́ сего́дня бу́дешь де́лать?
  — Снача́ла пое́ду в университе́т на ле́кцию, а пото́м в библиоте́ку.
  — А когда́ ты́ придёшь из университе́та?
  — В пя́ть часо́в. Пото́м я́ пойду́ в кино́. Из кино́ я́ верну́сь в 8 часо́в.
  — Я́ тебе́ позвоню́ ве́чером. Хорошо́?
  — Коне́чно. Ты́ по́здно придёшь с рабо́ты?
  — Не́т, в се́мь часо́в.
  — Позвони́ мне́ в де́вять, я́ уже́ бу́ду до́ма.

5. *Read aloud. Make sure you pronounce each prepositional phrase as a single unit.*

у дру́га, от дру́га, к дру́гу; у сестры́, от сестры́, к сестре́; у своего́ бра́та, к своему́ бра́ту; у свои́х роди́телей, к свои́м роди́телям, от свои́х роди́телей; у свои́х но́вых друзе́й, от свои́х но́вых друзе́й, свои́м но́вым друзья́м.

1. — Где́ ты́ была́, Ната́ша?
  — Я́ ходи́ла в го́сти к подру́ге.
  — А что́ ты́ ещё де́лала?
  — Когда́ я́ верну́лась от подру́ги, я́ позвони́ла свое́й сестре́. Пото́м я́ занима́лась.
2. — Кому́ ты́ та́к ча́сто пи́шешь пи́сьма?
  — Свои́м роди́телям.
  — Ты́ ча́сто к ни́м е́здишь?
  — Ка́ждое ле́то.
  — Они́ тебе́ ча́сто пи́шут?
  — Да́, я́ получа́ю от роди́телей пи́сьма ка́ждую неде́лю.
3. — Кому́ ты́ звони́л?
  — Свои́м но́вым друзья́м.

6. *Read aloud. Dramatize the dialogues. Compose similar dialogues.*

приходи́ть, прихожу́, прихо́дишь; пришёл, пришла́, пришли́; уходи́ть, ухожу́, ухо́дишь, уходи́л, уходи́ла, уходи́ли; уйти́, уйду́, уйдёшь, ушла́, ушёл, ушли; пойти, пойду, пойдёшь, пошёл, пошла, пошли; поехать, поеду, поедешь, поехал, поехала, поехали.

1. — Ни́на,/ты́ давно пришла́?

   — Нет,/ча́с наза́д.

   — Где́ ты́ была́?

   — Я ходи́ла в магази́н.

   — Серге́й не приходи́л и не звони́л?

   — Не зна́ю. Я́ же уходи́ла.

   — А где́ де́ти?

   — О́льга пошла́ к подру́ге,/а Андре́й уе́хал в институ́т.

   — Когда́ О́льга придёт?

   — Сказа́ла, что через час. Она́ ушла́ де́сять мину́т наза́д.

   — К на́м ве́чером приду́т го́сти.

   — Кто́ придёт?

   — Серге́й и Ната́ша.

   — Когда́ они́ приду́т?

   — В во́семь часо́в.

2. — Ната́ша,/когда́ ты́ за́втра уйдёшь из до́ма?

   — Я уйду́ в во́семь часо́в.

   — Почему́ так ра́но? Ле́кция начина́ется в де́сять три́дцать.

   — Я хочу́ ещё пойти́ в библиоте́ку.

   — А когда́ ты́ придёшь?

   — Приду́ в се́мь часо́в. По́сле заня́тий я́ пойду́ в магази́н.

   — А ве́чером ты́ бу́дешь до́ма?

   — Нет,/ве́чером я́ пойду́ в го́сти.

3. — Где́ ты́ бы́л ле́том?

   — Я е́здил в Ки́ев к свои́м ста́рым шко́льным това́рищам.

   — Это ты́ от них получа́ешь пи́сьма?

   — Да. Я́ то́же и́м ча́сто пишу́.

4. — Что́ ты́ сейча́с пока́зывал на́шим студе́нтам?

— Я и́м пока́зывал свои́ ле́тние фотогра́фии.

5. — Что́ ты́ подари́л свои́м сёстрам?

— Та́не — кни́гу,/а Ве́ре — пласти́нку.

— А что́ ты́ пода́ришь мне́?

— Тебе́? Не скажу́.

6. — Ве́ра до́ма?

— Не́т,/её не́т.

— Она́ ещё не приходи́ла с рабо́ты?

— Не́т,/приходи́ла,/а пото́м ушла́.

— Куда́ она́ пошла́?

— В кино́.

7. — Вы́ не зна́ете,/Дми́трий Фёдорович сейча́с в Москве́?

— Не́т,/о́н уе́хал в Ки́ев.

— Заче́м о́н туда́ пое́хал? На конфере́нцию?

— Не́т,/о́н пое́хал к свои́м роди́телям.

— А когда́ о́н вернётся?

— О́н сказа́л, что прие́дет через неде́лю.

7. *Read aloud. Make sure you pronounce each prepositional phrase as a single unit.*

через мину́ту, через пя́ть мину́т, через ча́с, через четы́ре часа́, через се́мь часо́в, через де́нь, через три́ дня́, через пя́ть дне́й, через неде́лю, через две́ неде́ли, через пя́ть неде́ль, через ме́сяц, через два́ ме́сяца, через ше́сть ме́сяцев.

1. — Ты́ пойдёшь сейча́с домо́й?
   — Не́т, я́ ещё бу́ду занима́ться. Я́ пойду́ домо́й через ча́с.
2. — Ве́ра, когда́ ты́ е́дешь на ю́г?
   — Через ме́сяц. Ты́ то́же пое́дешь отдыха́ть на ю́г?
   — Да́.
   — Когда́?
   — Через два́ ме́сяца. О́сенью.
3. — Когда́ вы́ ко́нчите университе́т?
   — Через два́ го́да. А вы́?
   — А я́ через три́ го́да.
4. — Ната́ша до́ма?
   — Не́т.
   — Когда́ она́ придёт?
   — Через два́дцать мину́т.

5. — Когда́ у тебя́ экза́мен по ру́сскому?
   — Через три неде́ли. А у тебя́?
   — А у меня́ через пять дней.

8. *Read, paying attention to the intonation of suggestions.*

Дава́й пойдём в кафе́. Дава́йте пойдём в музе́й. Дава́й игра́ть в ша́хматы. Дава́й смотре́ть телеви́зор. Дава́йте занима́ться. Пойдём в кино́. Пойдём сего́дня на конце́рт. Пойдём вме́сте домо́й.

1. — Ве́ра, что ты бу́дешь де́лать ве́чером?
   — Ничего́.
   — Дава́й пойдём в кино́.
   — Дава́й.
2. — Ребя́та, что вы собира́етесь де́лать в воскресе́нье?
   — Ещё не зна́ем.
   — Дава́йте пое́дем в лес.
   — Дава́йте.
3. — Ты идёшь домо́й?
   — Да.
   — Пойдём вме́сте.
   — Пойдём.
4. — Что ты де́лаешь?
   — Ничего́, отдыха́ю.
   — Дава́й смотре́ть телеви́зор. Сего́дня хоро́ший фильм.
   — Дава́й лу́чше игра́ть в ша́хматы.
   — Ну хорошо́. Дава́й.

9. *Read, paying attention to the intonation of invitations.*

1. — Ма́ша,/ты свобо́дна сего́дня ве́чером?

   — Да,/свобо́дна.

   — Приходи́ к нам в го́сти.

   — Спаси́бо,/приду́.

2. — До́брый вечер, Серге́й. Что вы делаете?

   — Ничего́. Смо́трим телевизор.

   — Приходи́те к нам пить чай.

   — Хорошо́,/сейча́с придём.

3. — А́нна Ива́новна,/е́сли вы свобо́дны в воскресе́нье,/приходи́те к нам обе́дать.

   — Спаси́бо. Е́сли бу́ду свобо́дна,/приду́. У вас бу́дут го́сти?

   — Да,/мы пригласи́ли Серге́я Петро́вича и О́льгу Серге́евну.

177

4. — Петя,/что́ ты́ собира́ешься де́лать ле́том?
— Не зна́ю. Мо́жет бы́ть, пое́ду в Та́ллин.
— Приезжа́й к на́м в Ленингра́д.
— Спаси́бо./Мо́жет бы́ть, прие́ду. Я́ давно́ хочу́ пое́хать в Ленингра́д.
— Приезжа́й. Мы́ бу́дем ра́ды. Мы́ тебе́ пока́жем го́род.

10. *Read, paying attention to the stress in the verbs.*

прихо́дите — приходи́те; ухо́дите — уходи́те; положу́ — поло́жите — поло́жи́те; приношу́ — прино́сите — приноси́те; провожу́ — прово́дите; ждала́ — жда́л — жда́ли; шучу́ — шу́тите — шути́те.

1. — А́нна Петро́вна, почему́ вы́ к на́м не прихо́дите?
— Я́ сейча́с о́чень мно́го рабо́таю.
— Е́сли вы́ бу́дете сего́дня свобо́дны, приходи́те к на́м ве́чером.
— Когда́?
— В се́мь часо́в.
— Хорошо́, приду́.
— Приходи́те, пожа́луйста. Мы́ бу́дем ра́ды ва́с ви́деть. До свида́ния.

2. — Ве́ра, вы́ уже́ ухо́дите?
— Да́, мне́ уже́ на́до идти́ домо́й.
— Не уходи́те, пожа́луйста.
— К сожале́нию, я́ должна́ уйти́. Мне́ на́до за́втра о́чень ра́но встава́ть.

3. — Ка́тя, извини́. Ты́ до́лго ждала́ на́с?
— Не́т, я́ пришла́ пя́ть мину́т наза́д.
— Мы́ опозда́ли, потому́ что до́лго жда́ли авто́буса.
— Ничего́. Я́ то́же то́лько сейча́с пришла́.

4. — Алло́! Здра́вствуйте, О́льга Серге́евна. Вы́ здоро́вы? Я́ давно́ не ви́жу ва́с в институ́те.
— Не́т, Анато́лий Петро́вич. Я́ больна́.
— Что́ с ва́ми?
— У меня́ гри́пп. Но я́ уже́ почти́ здоро́ва.
— А я́ ка́ждый де́нь приношу́ ва́м кни́гу, кото́рую вы́ проси́ли.
— Ка́ждый де́нь прино́сите мне́ кни́гу?
— Да́, и уношу́ её сно́ва домо́й. Когда́ вы́ придёте на рабо́ту?
— Ещё не зна́ю. За́втра то́лько пойду́ к врачу́.
— Е́сли хоти́те, я́ принесу́ её ва́м домо́й.
— Спаси́бо, не на́до. Положи́те, пожа́луйста, кни́гу на мо́й сто́л.
— Хорошо́.
— Е́сли вы́ поло́жите её на мо́й сто́л, я́ попрошу́ Ма́шу принести́ её мне́. Она́ хоте́ла ко мне́ сего́дня прийти́. Спаси́бо, что позвони́ли.
— Не́ за что. До свида́ния.

5. — Вы́ шу́тите?
— Да́, шучу́, коне́чно.
— Не шути́те та́к бо́льше. Та́к нельзя́ шути́ть.

178

11. *Read aloud. Pay attention to evaluative intonation.*

1. — К нáм сегóдня придёт Натáша.
   — Кáк я рáда!
2. — Вы́ вúдели нóвый фúльм?
   — Нéт ещё.
   — Какóй прекрáсный фúльм!
3. — Вы́ бы́ли в теáтре? Вáм понрáвился балéт?
   — Нéт, не óчень.
   — А мнé óчень не понрáвился. Какóй плохóй балéт!
4. — Какáя сегóдня погóда!
   — Дá, погóда сегóдня хорóшая.
5. — Áнна! Кáк хорошó, что ты́ пришлá! Я тáк рáда тебя́ вúдеть!
   — Я тóже óчень рáда.
6. — Вéра, кáк ты́ плóхо вы́глядишь! Тебé нельзя́ тáк мнóго занимáться. Кáк рáно ты́ встаёшь!
   — Ничегó, мáма. Сдáм экзáмены, тогдá отдохну́.
7. — Кáк здéсь красúво!
   — Дá, óчень красúво. Я рáда, что тебé здéсь нрáвится.
8. — Посмотрú, я купúла нóвый костю́м.
   — Какóй красúвый костю́м!
   — Тебé нрáвится?
   — Дá, óчень.

12. *Read, paying attention to the intonation of non-final syntagms.*

Éсли у вáс бу́дет свобóдное врéмя,/приходúте к нáм у́жинать. Éсли вы́ вер-
нётесь в понедéльник,/позвонúте мнé, пожáлуйста. Éсли вы́ к нáм придёте,/мы́
бу́дем óчень рады. Éсли вы́ сдадúте плóхо экзáмены,/вы́ не посту́пите в институ́т.
Éсли я сдáм экзáмены плóхо,/я́ не бу́ду поступáть в институ́т. Егó нéт сегóдня
на лéкции,/потому́ что óн бóлен. Я опáздываю,/потому́ что живу́ óчень далекó
от институ́та. Вы́ чáсто опáздываете,/потому́ что пóздно встаёте. Когдá я нáчал
рабóтать,/мнé бы́ло девятнáдцать лет. Когдá я бы́л на конферéнции,/я́ вúдел
тáм Машу. Когдá мы́ пришлú,/Сергéй ужé ждáл нáс. Когдá пришлú гости,/Олéг
ужé приготóвил у́жин. Вéра сказáла:/«Я жду́ вáс ужé двáдцать минут». «Я жду́
вáс ужé двáдцать минут»,— сказáла Вéра.

Олéг сказáл:/«Дóбрый день!» «Дóбрый день!»— сказáл Олéг.

Кáтя спросúла:/«Тебé понравился фúльм?» «Тебé понравился фúльм?»—
спросúла Кáтя.

Áнна отвéтила:/«Нет, очень не понрáвился». «Мнé фúльм не понравился»,—
отвéтила Áнна.

Она́ сказа́ла, что е́й фильм не понра́вился. [1]

Она́ сказа́ла, что не придёт. [1] Она́ сказала, что не придёт. [1]

Я зна́ю, что ле́кции не будет. [1] Я знаю, что ле́кции не бу́дет. [1] Это она сказа́ла [1] нам, что ле́кции не бу́дет.

13. *Read the text. Pay attention to speed, fluency and intonation.*

В воскресе́нье

В два́ часа́ три́дцать минут/[3] всё бы́ли на ста́нции метро́ «Маяковская». [1] Снача́ла пришли́ Ка́тя и Сергей,/[1] пото́м Джейн и Павлик. [1] Не́ было то́лько Олега.

— Павлик,/[2] ты́ [3] не видел его́ в общежи́тии? — спроси́ла Ка́тя.

— Нет,/[1] не видел. [1] Мо́жет бы́ть, [3] он болен?

— Не зна́ю. [1] Вчера́, когда мы́ обсужда́ли, ка́к провести́ воскресенье,/[3] он бы́л здоров. [1] Это он сообщи́л на́м,/[1] что сего́дня в Концертном за́ле и́мени П. И. Чайковского/[4] выступа́ет Ура́льский наро́дный хор.

— Да,/[1] он сказал:/[1] «На́ш Ура́льский хор». [1] И, коне́чно, мы́ не могли́ не пойти́ [1] на э́тот конце́рт.

Па́влик посмотре́л направо,/[1] пото́м налево:

— И во́т мы́ здесь,/[3] а его́ нет. [1] Мы ждём уже́ пятна́дцать минут. [1] Как говоря́т,/[3] се́меро одного́ не ждут. [1] Пойдёмте. [2]

— Нет, ребя́та,/[1] без Оле́га нельзя́ идти́. [1] Он сейча́с придёт. [1]

В э́то вре́мя Ка́тя уви́дела Олега,/[4] кото́рый о́чень бы́стро шёл к ним. [1]

— Здра́вствуйте, ребя́та, — сказа́л Олег,/[2] — извините, пожа́луйста. [2] Я забы́л до́ма де́ньги и билеты/[1] и до́лжен был верну́ться обратно. [1] Во́т и опоздал. [1]

— Ничего́. У на́с ещё есть вре́мя. [1] Нача́ло концерта через пятна́дцать минут. [1]

И они́ бы́стро пошли́ к зда́нию концерт́ного зала. [1]

Джейн впервые была́ на тако́м концерте. [1] Концерт ей понра́вился. [1] Ей всё бы́ло интересно:/[1] и национа́льные костюмы,/[4] и песни,/[4] и танцы,/[4] и народные музыка́льные инструменты. Понра́вился концерт и москвичам.

Во вре́мя антра́кта они́ ходи́ли по фойе. [1] На стена́х фойе висели фотографии. [1] Оле́г показа́л на одну́ из ни́х:

— Смотри́те,/э́то Ура́льский хо́р в Магнитого́рске. Здéсь они́ выступа́ют,/а э́то о́бщий ви́д го́рода.

— Олéг,/а Магнитого́рск большо́й го́род? — спроси́ла Джéйн.

— Нéт,/Магнитого́рск не о́чень большо́й го́род. Та́м живёт четы́реста ты́сяч челове́к. Но э́то знамени́тый го́род.

— Э́то ста́рый го́род?

— Нéт. Магнитого́рску то́лько пятьдеся́т лéт.

— А почему́ тогда́ о́н тако́й знамени́тый?

— Го́род знамени́т потому́,/что та́м жи́л Олéг,— сказа́л Па́влик.

— Ты́ всё шу́тишь, Па́влик,/а я́ серьёзно спра́шиваю,— сказа́ла Джéйн.— Я та́к ма́ло зна́ю об э́том.

— Éсли хоти́те,/приходи́те ве́чером к на́м в общежи́тие,/я́ расскажу́ ва́м немно́го о Магнитого́рске/ и да́же могу́ показа́ть не́сколько фотогра́фий.

— Ка́тя,/что́ ты́ ду́маешь об э́том?

— Éсли ты́ хо́чешь,/мы́ мо́жем пойти́. Олéг,/а ча́й бу́дет?

— Коне́чно.

— Тогда́ мы придём. То́лько не ра́но. В во́семь часо́в.

— О́чень хорошо́. Я ва́с бу́ду жда́ть.

В во́семь часо́в всё бы́ли в общежи́тии. В ко́мнате Олéга о́коло окна́/стоя́л небольшо́й сто́л и два́ кре́сла. Напро́тив — шка́ф,/а ря́дом — дива́н. Олéг уже́ пригото́вил ча́й. На столе́ стоя́ли таре́лки,/ча́шки,/стака́ны.

— Сади́тесь, пожа́луйста. Джéйн,/сади́сь сюда́, на дива́н. Во́т ча́й,/ко́фе. Пе́йте, пожа́луйста. А я́ сейча́с принесу́ фотогра́фии.

Олéг положи́л на сто́л не́сколько ста́рых фотогра́фий.

— Снача́ла я́ хочу́ показа́ть ва́м не́сколько семе́йных фотогра́фий. Во́т пе́рвая. Э́то мо́й де́душка и ба́бушка. Они́ прие́хали на Ура́л,/на строи́тельство но́вого го́рода. Э́то бы́ло в ма́рте 1929 го́да. Тогда́ ещё не́ было го́рода Магнитого́рска,/не́ было заво́дов. Была́ гора́ Магни́тная,/и на́до бы́ло постро́ить металлурги́ческий комбина́т. Джéйн,/ты́ зна́ешь, что тогда́ везде́ шло́ строи́тельство:/стро́или Магнитого́рск,/Днепрогэ́с,/Комсомо́льск-на-Аму́ре,/стро́или тра́кторные заво́ды

в Сталингра́де и Харькове. В стране́ на́до бы́ло создава́ть индустрию. Э̂то бы́ли
пе́рвые но́вые города́ и заводы.

Я уже́ сказал,/что пе́рвые строи́тели прие́хали на Ура́л в 1929 году. Мои́
де́душка и ба́бушка ча́сто рассказывали,/ка́к они́ тогда́ жили,/ка́к работали,/о чём думали. Им бы́ло трудно. Бы́ло о́чень ма́ло машин. Бы́ло холодно. Зи-
мо́й на Ура́ле быва́ет —25, —30°.

Магнитого́рск стро́или три́дцать четы́ре месяца. И через три́ года/Магнито-
го́рск да́л пе́рвый металл.

Во вре́мя Вели́кой Оте́чественной войны/Магнитого́рск дава́л стране́ сталь.
Ка́ждый тре́тий танк/бы́л из ста́ли Магнитогорска.

А на этой фотогра́фии — /я и мои́ товарищи. Э̂то река́ Урал,/географи́ческая
грани́ца Евро́пы и Азии. Мы́ жи́ли на правом берегу́ реки́ Ура́л, в Евро́пе,/и е́зди-
ли на трамва́е в кино́ на другой берег, в Азию. Та́м нахо́дится друга́я часть го́ро-
да. Мои́ де́душка и ба́бушка/и мои́ родители/и сейчас живу́т в Магнитого́рске.
У меня́ та́м мно́го друзе́й.

— Спаси́бо, Оле́г.
— Пожалуйста. А теперь, е́сли хоти́те,/я покажу́ ва́м фотогра́фии Урала/
и знамени́тые ура́льские камни.

Unit 13

1. *Read, paying attention to the pronunciation of the relevant sounds.*

[п], [т], [к]: побе́да, победи́ть, поэ̂тому, та́к, та́м, тако́й, такси́, тури́ст, ко́нчить,
конча́ть, ката́ться, коньки́;
[л]: си́ла, лы́жи, сла́ва, сла́бый, све́тлый;
[л']: боле́ть, лёд, льда́, любо́вь, шко́льница, специа́льность, си́льный, основа́-
тель, преподава́тель;
[р]: дорого́й, тру́д, пра́вда, игра́ть, проигра́ть, гру́ппа, сра́зу, спо́рт, разгово́р,
ма́стер боксёр;
[р']: аре́на, поговорю́, сре́дний, тре́нер;
[ш]: ба́бушка, вы́шла, вы́шел, успе́шно;

[ж]: чужóй, вхожý, движéние, побеждáть;

[ц]: лы́жница, катáться, кончáться [кан'чáццъ], казáться, готóвиться, являться, интересовáться, специáльность;

[х]: хоккéй [хак'éj], вы́ход, выходи́ть, вхóд, входи́ть, шахмати́ст, успéх;

[ч]: чемпиóн, начинáть, начáть, случи́ться, учи́ться, учýсь, ýчишься, передáча, хóчется, учáствовать, кончáть, кóнчить, новички́, мáтч;

[щ]: бýдущий, слéдующий, счёт [щóт], дóждь [дóщ] и [дóшт'] — дожди́ [даж'ж'и́] и [дажд'и́];

soft consonants: без, бéг, дебю́т, ви́д, идти́ [ит'т'и́], войти́, вы́йти, иди́те, идёте, победи́те, себя́, невéста, умéть, стáть, любóвь, конькú.

2. *Read, paying attention to the pronunciation of unstressed syllables.*

— — ́ — катáться, казáться, готóвлюсь;

— — — ́ дорогóй, разговóр, высотá, выходи́ть, воспитáть, начинáть, проигрáть;

́ — — бáбушка, вы́играть, кóнчиться, хóчется, кáжется, шкóльница;

— — — — ́ поговори́ть, руководи́ть;

— — ́ — — подготóвка, начинáться, научи́ться, основáтель, шахмати́стка, непогóда, передáча, специáльность, занимáться;

— ́ — — готóвиться, кани́кулы, поэ́тому, учáствовать;

́ — — — нéкоторый, плáвание;

— — — ́ — — подготóвиться, с удовóльствием;

— — — — ́ — — преподавáтель, международный;

— — — — — ́ — интересовáться;

— — — — ́ — — интересýетесь, соревновáния;

дóрого — дорогóй; дóждь — дождя́ — дожди́; мáстер — мастерá; вхóд — вы́ход; войти́ — вы́йти, войдý — вы́йду, вошёл — вы́шел; игрáть — вы́играть; кончáть — кóнчить; прои́грывать — проигрáть; хотéться — хóчется; нáчал — началá — нáчали; учи́ться — учýсь — ýчишься — ýчитесь — учи́тесь; входи́ть — вхожý — вхóдишь — вхóдите — входи́те; выходи́ть — выхожý — выхóдишь — выхóдите — выходи́те.

3. *Read aloud. Underline the devoiced and voiced consonants.*

без, бéг, ви́д, снéг, вхóд, входи́ть, вы́ход, дóждь, баскетбóл, идти́, инвали́д, под, трýд, подготóвка, прóтив, футбóл, хóчешь бы́ть журнали́стом.

4. *Read aloud. Mark the stress.*

1. Он мастер спорта. Они тоже мастера спорта. 2. Вчера шёл дождь. Сегодня тоже идут дожди. 3. — Это дорогой костюм? — Да, он стоит очень дорого. 4. Его отец врач. Мои родители тоже врачи. 5. Можно войти? Можно выйти? 6. Вы входите? Входите, пожалуйста. 7. Вы выходите? Выходите, пожалуйста. 8. Она вошла, а я вышла. 9. Когда ты войдёшь, я выйду. 10. Он хочет играть в шахматы. 11. Мы должны сегодня выиграть. 12. — Когда вы кончаете работать? — В пять часов. 13. — Когда вы кончите эту работу? — Через две недели. 14. Я очень

не люблю проигрывать. Нам нельзя проиграть сегодня. 15. — Когда вы начали учить русский язык? — Я начала два года назад, а Джон начал год назад. 16. — Таня, ты хочешь учиться? — Хочу. 17. — Ты хорошо учишься? — Хорошо. — Твои братья тоже учатся? — Да.

5. *Read, making sure you pronounce each of the following phrases as a single unit. Dramatize the dialogues.*

стать врачóм, стáну журналистом, стáнут архитéкторами, стáнешь инженéром, бýду преподавáтелем, бýдет лётчиком, бýдешь шкóльницей, был студéнтом, былá учительницей, стал знаменитым хирýргом, стáли знаменитыми спортсмéнами.

1. — Тáня, кéм ты хóчешь быть?
   — Учительницей или лётчицей.
   — А твои брáтья?
   — Они хотят быть космонáвтами.
2. — Пётр, кéм вы бýдете, когдá кóнчите институт?
   — Хирýргом.
   — А ваш друг Андрéй?
   — Óн бýдет журналистом.
   — А вáша женá ужé кóнчила институт?
   — Нéт ещё.
   — Кéм онá стáнет пóсле окончáния?
   — Преподавáтелем францýзского языкá.
3. — Андрéй, ты встречáешь свои́х стáрых друзéй? Кéм они́ стáли?
   — Дá, я чáсто встречáю свои́х друзéй. Óля стáла врачóм, Антóн и Мáша стáли математиками, Пéтя и Дима — знаменитыми хоккеистами.

6. *What will the following people become?*

Model: — Антóн бýдет математиком.

1. Сергéй ýчится на химическом факультéте. 2. Пётр ýчится на факультéте журналистики. 3. Кáтя ýчится на биологическом факультéте. 4. Мои́ друзья́ ýчатся на филологическом факультéте. Они́ изучáют рýсский язы́к. 5. Это студéнты медицинского институ́та.

7. *Read, making sure you pronounce each of the following prepositional phrases as a single unit. Indicate the types of ICs. Dramatize the dialogues.*

с кéм, со мнóй, с тобóй, с ним, с нéй, с нáми, с вáми, с ни́ми, с профéссором, с нáшим преподавáтелем, с вáшим нóвым преподавáтелем.

1. — Ты знакóм с моéй сестрóй?
   — Нéт, я с нéю не знакóм.
2. — Ирина, познакóмься с мои́м дру́гом.
   — Я давнó хочý познакóмиться с вáми. Игорь.
   — Óчень прия́тно. Ирина.

3. — Ната́ша!
   — Извини́те, мы́ с ва́ми незнако́мы.
   — Не́т, знако́мы. Мы́ познако́мились с ва́ми на конфере́нции в Ки́еве.
4. — Пе́тя, с ке́м ты́ разгова́ривал сейча́с?
   — Я́ разгова́ривал со свои́м нау́чным руководи́телем.
5. — Ребя́та, познако́мьтесь со свои́м но́вым учи́телем.
   — Здра́вствуйте. Я́ ва́ш но́вый учи́тель матема́тики. Меня́ зову́т Пётр Петро́вич Семёнов.

8. *Read, making sure you pronounce each of these phrases as a single unit. Dramatize the dialogues. Compose similar dialogues.*

занима́ться спо́ртом, занима́юсь гимна́стикой, занима́ются ру́сским языко́м, руководи́ть се́кцией, руководи́т семина́ром, интересова́ться ру́сской литерату́рой, интересу́юсь му́зыкой, интересу́етесь совреме́нной архитекту́рой.

1. — И́ра, ты́ занима́ешься спо́ртом?
   — Не́т. А ты́?
   — А я́ занима́юсь.
   — Че́м?
   — Я́ ката́юсь на конька́х, хожу́ на лы́жах.
   — А я́ хочу́ нача́ть занима́ться те́ннисом. Я́ немно́го игра́ла ра́ньше.
2. — Что́ вы́ чита́ете?
   — Статью́ об архитекту́ре совреме́нных городо́в.
   — Вы́ интересу́етесь совреме́нной архитекту́рой?
   — Да́, я́ архите́ктор.
3. — Кака́я у ва́с специа́льность?
   — Я́ фило́лог. Я́ занима́юсь ру́сской литерату́рой девятна́дцатого ве́ка.
   — Кто́ руководи́т ва́шим семина́ром?
   — Профе́ссор Рома́нов.

9. *Read, paying attention to the intonation of non-final syntagms.*

Джо́ну нра́вится ру́сская литература,/поэ́тому о́н хо́чет изуча́ть ру́сский язы́к.

Ка́тя лю́бит биоло́гию,/поэ́тому она́ хо́чет бы́ть био́логом.

Я́ верну́лась вчера́ о́чень поздно,/поэ́тому не могла́ к ва́м прийти́.

Бы́ло о́чень холодно,/поэ́тому мы́ не пое́хали на стадио́н.

Мы́ о́чень до́лго жда́ли автобуса́,/поэ́тому опозда́ли.

На́ш преподава́тель бо́лен,/поэ́тому уро́ка не́ было.

На́ш преподава́тель бо́лен,/поэ́тому уро́ка не́ было.

Ва́ш преподава́тель бо́лен,/поэ́тому у ва́с уро́ка за́втра не бу́дет.

10. *Read, paying attention to the pronunciation and intonation of invitations and responses to invitations.*

1. — Вы́ не хоти́те пойти́ с на́ми в кино́?
— Спаси́бо. С удово́льствием.

2. — Ната́ша,/ты́ не хо́чешь пое́хать с на́ми за́втра ката́ться на лы́жах?
— Хочу́. Спаси́бо. Когда́ вы́ пое́дете?
— В во́семь утра́. Мы́ бу́дем жда́ть тебя́ у метро́.
— Хорошо́.

3. — Ве́ра,/ты́ не хо́чешь вы́пить ча́ю?
— С удово́льствием.
— Пойдём в буфе́т.
— Пойдём.

4. — Сего́дня прекра́сный конце́рт в консервато́рии. Е́сли хо́чешь,/пойдём с на́ми.
— Спаси́бо. К сожале́нию, я сего́дня не могу́.

5. — Мы́ сего́дня идём в музе́й. Пойдём с на́ми.
— Не́т,/спаси́бо. Не хо́чется.

11. *Read, paying attention to fluency and the pronunciation of the following phrases. Dramatize the dialogues. Compose similar dialogues.*

на остано́вке, на сле́дующей остано́вке, выходи́ть на сле́дующей остано́вке; ста́нция, сле́дующая ста́нция, на сле́дующей ста́нции, выходи́ть на сле́дующей ста́нции; выходи́ть — выхожу́ — выхо́дишь — выхо́дите — выходи́те.

Сле́дующая остано́вка — /у́лица Пу́шкина.
Сле́дующая остано́вка — /у́лица Пу́шкина.
Сле́дующая остано́вка — /у́лица Че́хова.
Сле́дующая остано́вка — /проспе́кт Ма́ркса.
Сле́дующая ста́нция — /«Пло́щадь Револю́ции».
Сле́дующая ста́нция — /«Пу́шкинская пло́щадь».
Сле́дующая ста́нция — /«Смоле́нская».
Сле́дующая ста́нция — /«Ки́евская».

1. — Вы́ выходите на проспекте Ма́ркса?
   — Да,/выхожу.
   — А пе́ред ва́ми тоже выхо́дят?
   — Да,/выхо́дят.
2. — Вы́ не выходите на сле́дующей ста́нции?
   — А кака́я сле́дующая?
   — «Пло́щадь Маяковского».
   — Выхожу.
3. — Извините,/вы́ выходите на сле́дующей?
   — А что сейча́с бу́дет?
   — «Киевская».
   — Нет,/не выхожу. Выходите, пожа́луйста.
4. — Извините,/вы́ не знаете, кака́я следующая остано́вка?
   — Следующая —/Кузне́цкий мост.
   — Мне́ ну́жно на пло́щадь Револю́ции. Вы́ не скажете, когда́ мне́ выходи́ть?
   — Ва́м на́до вы́йти у Большо́го театра. Это следующая остано́вка по́сле Кузне́цкого моста.
   — Спасибо большо́е.

12. *Read, making sure you pronounce each of the following phrases as a single unit. Pay attention to fluency and intonation.*

ката́ться, уме́ете ката́ться, ката́ться на конька́х, ката́ться на лы́жах, ката́ться на велосипе́де, учи́тесь ката́ться на лы́жах, учи́тесь ката́ться на конька́х, ката́юсь на лы́жах хорошо́, ката́етесь на конька́х пло́хо, люблю́ ходи́ть на лы́жах, не лю́бите ката́ться на конька́х, уча́ствовать, соревнова́ния, уча́ствовать в соревнова́ниях, занима́ться спо́ртом.

1. — Ка́тя,/ты́ умеешь ката́ться на конька́х?
   — Нет,/не умею.
   — А ты́ не хочешь научи́ться?
   — Хочу,/но я́ ду́маю, что я́ уже́ не научусь.
   — Хочешь, я́ бу́ду тебя́ учи́ть?
   — Хочу.

[2] [3]
2. — Андрей,/ты ходишь на лыжах?

[1] [1]
— Хожу,/но не часто. Времени нет.

[3]
— Поедем в воскресенье зá город катáться на лыжах?

[1] [1]
— С удовольствием. Тóлько я плохо хожý на лыжах.

[1] [1]
— Ничего. Я тóже не óчень хорошó.

[1] [2]
— Похóдим по лесу. Сейчáс прекрасная погóда.

[2]
3. — Маша,/ты занимаешься спóртом?

[1] [1] [4]
— Да,/спортивной гимнастикой. А ты?

[1]
— А я фигýрным катанием.

[2]
— Когда ты начала занимáться фигýрным катáнием?

[1]
— Когдá мне бýло четыре года.

[3] [3]
— Тáк давно? Ты мáстер спорта?

[1]
— Да.

[3]
— Ты много занимáешься?

[1] [1]
— Да,/нéсколько часóв кáждый день.

[3]
— Ты часто учáствуешь в соревновáниях?

[1] [3]
— Не очень. А ты любишь фигýрное катáние?

[1] [1]
— Да,/очень люблю. Я всегдá смотрю по телевизору соревновáния по

[1] [3]
фигýрному катанию. Ты побеждала в соревновáниях?

[1] [1]
— Да,/двá раза.

13. *Read, paying attention to the pronunciation of prepositional phrases and grammatical endings. Dramatize the dialogues.*

пéред дóмом, пéред Большим теáтром; над столóм, над гóродсм; под столóм, под стýлом; готóвиться к экзáмену, готóвлюсь к лéкции, готóвятся к соревновáниям; со словарём, без словаря, с юмором, без юмора.

[1] [3]
1. — Наташа,/у меня éсть билéты в Большóй теáтр на завтра. Пойдём?

[1] [2]
— С удовольствием. Гдé и когдá мы встретимся?

[3] [1]
— Давáй встрéтимся в сéмь часов/пéред театром.

— Хорошо.

[2] [3]
2. — Андрей,/ты читáешь по-английски со словарём?

[1]
— Обычно без словаря.

188

3. — Ты́ не ви́дел мою́ газе́ту?

— Во́н она́,/под столо́м.

— А где́ словарь?

— Слова́рь на по́лке над столо́м.

4. — Та́ня,/приходи́ к на́м ве́чером. У на́с бу́дут го́сти.

— Спаси́бо,/но я́, к сожале́нию, не могу́. Мне на́до гото́виться к экза́мену.

— А Ви́ктор свобо́ден?

— Ду́маю, что не́т. О́н гото́вится к докла́ду на конфере́нции.

— А ты́ не зна́ешь, че́м занима́ются Пе́тя и Андре́й?

— Они́ гото́вятся к соревнова́ниям.

— Хорошо́, Та́ня,/когда́ сда́шь экза́мен,/приходи́. Бу́дем ра́ды тебя́ ви́деть.

— Спаси́бо. До свида́ния.

14. *Read, paying attention to fluency and intonation. Read several times, using the indicated intonation, each time increasing the reading speed.*

В де́тстве, о́чень мно́го боле́л. В де́тстве о́н о́чень мно́го боле́л.
занима́лся гимна́стикой, занима́лся лы́жами, занима́лся пла́ванием. Я занима́лся гимна́стикой,/лы́жами,/конька́ми,/пла́ванием,/волейбо́лом,/тури́змом.

мы́ с бра́том, познако́мились с альпини́стами. Одна́жды мы́ с бра́том познако́мились с альпини́стами; вме́сте с ни́ми, на́чали трениро́ваться, на́чали трениро́ваться вме́сте с ни́ми. Одна́жды мы́ с бра́том познако́мились с альпини́стами/ и на́чали трениро́ваться вме́сте с ни́ми.

ей бы́ло четы́рнадцать ле́т, ста́ла ма́стером спо́рта. Ей бы́ло то́лько четы́рнадцать ле́т,/а она́ ста́ла ма́стером спо́рта.

ста́нет альпини́стом, ва́ш вну́к ста́нет альпини́стом, ва́ш вну́к то́же ста́нет альпини́стом. Вы́ ду́маете, что ва́ш вну́к то́же ста́нет альпини́стом?

15. *Read the text, paying attention to speed, rhythm and intonation.*

Отве́ты альпини́ста

На́ш корреспонде́нт побыва́л у альпини́ста Вита́лия Абалако́ва.

— Вита́лий Миха́йлович,/расскажи́те, ка́к вы́ начина́ли.

— В де́тстве я́ о́чень мно́го боле́л. Мои́ това́рищи бы́ли здоро́выми и си́льными,/ а я́ бы́л о́чень сла́бым. Я занима́лся гимна́стикой,/лы́жами,/конька́ми,/плава-

189

нием,/[4]волейбо́лом,/[1]тури́змом. И всё без успе́ха. [1]Мы́ жи́ли в Сиби́ри,/недалеко́[1]
[1]от знамени́тых Столбо́в. Одна́жды мы́ с бра́том познако́мились с альпини́стами/[4]
и на́чали тренирова́ться вме́сте с ни́ми. [1]Пе́рвое на́ше восхожде́ние бы́ло на Кав-
ка́зе. [1]Я́,/[4]мо́й бра́т Евге́ний,/[4]моя́ неве́ста Ва́ля —/ста́ли мастера́ми спо́рта. Сле́-
[4]дующие четы́ре го́да/бы́ли года́ми больши́х успе́хов и сла́вы. [1]Мы́ бы́ли мо́лоды
[1]и ду́мали:/всё мо́жем. И то́лько по́сле восхожде́ния на Хан-Те́нгри,/[1]когда́ поги́б
[4]оди́н на́ш това́рищ,/[1]я́ по́нял, что для альпини́ста са́мое ва́жное не си́ла,/не высо́-
[4]кая те́хника,/[1]а све́тлая голова́.

— [2]Ка́к э́то случи́лось?

— [1]Мы́ бы́ли мо́лоды и си́льны. На́чали восхожде́ние почти́ без подгото́вки. [1]
[2]И вдру́г ве́тер,/[2]сне́г. [1]Мы́ обморо́зились. Мне́ ампути́ровали ча́сть стопы́/и се́мь[3]
[1]па́льцев на рука́х.

[3]Мне́ бы́ло тогда́ то́лько три́дцать ле́т,/а я́ ста́л[1] инвали́дом. Вра́ч сказа́л мне́:/[1]
«Об альпини́зме забу́дьте.[2] Занима́йтесь нау́кой».[2] Я́ не хоте́л э́тому ве́рить.[2] Я́ не
[2]мо́г жи́ть без го́р. Я́ смо́г верну́ться в го́ры то́лько че́рез де́вять ле́т.

— [2]Что́ ва́м да́л альпини́зм?

— Альпини́зм да́л мне́ интере́сную жи́знь,/[1]помо́г победи́ть боле́знь. Все́ мои́
[4]са́мые сло́жные восхожде́ния/бы́ли уже́ по́сле Хан-Те́нгри.[1] Два́дцать ле́т я́ руко-
води́л кома́ндой «Спарта́ка»,/[1]и де́сять ле́т э́та кома́нда явля́лась чемпио́ном стра-
[1]ны. По́сле Хан-Те́нгри и опера́ции/[4]я́ не боле́л. Сейча́с мне́ 64 го́да,/а я́ без труда́[1]
мо́гу идти́ на лы́жах пятьдеся́т киломе́тров и бо́льше.[1]

— Говоря́т, что не́которые знамени́тые альпини́сты/[4]не лю́бят, когда́ и́х де́ти
занима́ются альпини́змом. Они́ не разреша́ют и́м занима́ться альпини́змом.[1]

— Я́ мно́го ходи́л в го́ры с бра́том,/[1]с неве́стой,/кото́рая пото́м ста́ла мое́й
[1]жено́й. И де́ти ходи́ли с на́ми. Мне́ ка́жется, что когда́ та́к говоря́т,/[4]ду́мают о ри́-
ске. Но альпини́зм не быва́ет без ри́ска. А ри́ск быва́ет ра́зный. Нельзя́ рискова́ть[1]
[1]жи́знью,/и для э́того мы́ до́лго гото́вимся. [1]Для э́того е́сть голова́.

Я́ ра́д, что на́ша семья́ така́я спорти́вная.[1] Мно́го ле́т мы́ ходи́ли в го́ры вме́сте
с жено́й. Она́ то́же ма́стер спо́рта. Сы́н Оле́г —/ма́стер спо́рта по альпини́зму.
[3]До́чь —/[1]лы́жница. Зимо́й, о́сенью и весно́й/[3]у на́с трениро́вки:/[1]лы́жи,/[4]бе́г,/[4]ги́м-

настика. Ка́ждое восхожде́ние —/э́то экза́мен. У мое́й жены́, наприме́р,/бы́ло
восхожде́ние на пи́к Ле́нина,/когда́ ей бы́ло пятьдеся́т пя́ть лет/и она́ была́ уже́
ба́бушкой.

— Что́ ва́м нра́вится в альпини́зме?

— Говоря́т, что альпини́зм —/спо́рт интеллектуа́лов. И э́то пра́вильно.
Альпини́ст, е́сли о́н хо́чет победи́ть,/всегда́ до́лжен ду́мать,/находи́ть бы́стрые
и пра́вильные реше́ния. Почти́ все́ альпини́сты —/прекра́сные лю́ди. Эгои́ст не мо́-
жет бы́ть альпини́стом.

И пото́м го́ры. Э́то така́я красота́... Бе́лые го́ры,/а ты́ над ни́ми. Не ка́ждый
челове́к мо́жет всё э́то уви́деть.

— Что́ ва́м хоте́лось сде́лать/и чего́ вы́ не сде́лали в ва́шей жи́зни?

— Мне́ о́чень хоте́лось побыва́ть на Эвере́сте. Ду́маю, что э́то сде́лает мо́й
сы́н/и́ли вну́к.

— Вы́ ду́маете, ва́ш вну́к то́же ста́нет альпини́стом?

— Не зна́ю. О́н до́лжен бы́ть здоро́вым/и бо́льше вре́мени проводи́ть на лы́-
жах,/а не пе́ред телеви́зором.

— Вы́ про́тив телеви́зора?

— Не́т,/я про́тив того́,/что лю́ди ве́сь де́нь сидя́т пе́ред телеви́зором/и смо́т-
рят на то́, что де́лают други́е,/и у ни́х не́т вре́мени для чте́ния,/заня́тий спо́ртом,/
для акти́вной жи́зни.

— Кака́я рабо́та у ва́с сейча́с?

— Пишу́ кни́гу об альпини́стах/и о своём вре́мени. Мне́ ка́жется, что э́то
бу́дет интере́сно для молодёжи.

Unit 14

---

1. *Read, paying attention to the pronunciation of the relevant sounds.*

[л]: тала́нт, го́лос, лу́чше, сме́лый, балала́йка, согла́сен;
[л']: ле́тний, легко́ [л'ихко́], балери́на, гастро́ли, победи́тель, го́спиталь, дово́ль-
ный, прави́тельство;

[ш]: афи́ша, послу́шать, прошу́, про́сишь, матрёшка, что́бы [што́бы];

[ж]: подхожу́, подвожу́, подбежи́шь, продолжа́ешь, подъезжа́ешь;

[ц]: цех, певи́ца, певе́ц, испа́нец, италья́нец, боя́ться, оста́ться, де́тство;

[х]: похо́жий, подъе́хать, цех, успе́х;

[щ]: обеща́ть, обеща́ю, обеща́ешь, по́мощь, по́мощи;

[ч]: ча́сть, звуча́ть, уча́стник [уча́с'н'ик], вече́рний, заче́м, класси́ческий, акаде-ми́ческий;

[р]: бюро́, умира́ть, разме́р, горди́ться, горжу́сь, гру́стно [гру́снъ], до́брый;

[р']: рису́нок, стари́нный, интере́с, умере́ть, ряд, вре́мя, прогре́сс, у́тренний;

soft consonants: име́ть, име́ете, идти́, иди́те, идёте, зи́мний, ле́тний, интере́с, сосе́д, секре́т, сезо́н, коме́дия, геро́иня, проси́те, ча́сть, пу́сть.

2. Read, paying attention to the pronunciation of unstressed syllables.

´ —	го́лос, де́тство, по́мощь, вре́мя, лу́чше;
— ´	легко́, сезо́н, секре́т, дневно́й;
— ´ —	афи́ша, послу́шать, боя́ться, певи́ца, испа́нец, согла́сен, рису́нок, вече́рний;
´ — —	го́спиталь, у́тренний;
— — ´	зазвуча́ть, подвози́ть, подходи́ть, подойти́, обеща́ть, подбежа́ть, подвезти́, подъезжа́ть, интере́с, мастерство́, никогда́, никого́ [н'икаво́], ничего́ [н'ичиво́];
— — ´ —	балала́йка, остава́ться, по-друго́му, балери́на, геро́иня, италья́нец, победи́тель, госуда́рство;
— — — ´	пообеща́ть, производи́ть, произвести́;
— — ´ —	действи́тельно, прави́тельство, сове́товать, по-но́вому, по-ра́зному, коме́дия;
— — — ´ —	посове́товать, выступле́ние, впечатле́ние;
— — — ´ —	экзамена́тор;
´ — — — —	не́которое;
— — ´ — — —	образова́ние;

ве́чер — вече́рний; го́лос — голоса́; ряд — ряды́ — в ряду́; зима́ — зи́мний; геро́й — геро́иня; учи́тель — учителя́ — учителя́ми; подвози́ть — подвожу́ — подво́зишь, подво́зите — подвози́те; подводи́ть — подвожу́ — подво́дишь, подво́дите — подводи́те; подходи́ть — подхожу́ — подхо́дишь, подхо́дите — подходи́те; проходи́ть — прохожу́ — прохо́дишь, прохо́дите — проходи́те; проси́ть — прошу́ — про́сишь, про́сите — проси́те; попроси́ть — попрошу́ — попро́сишь, попро́сите — попроси́те.

3. Read the following. Underline the devoiced, voiced and silent consonants.

сосе́д, идти́, подходи́ть, подвезти́, впечатле́ние, экзамена́тор, гру́стно, уча́стник, ваш брат, с друзья́ми.

4. Read, paying attention to the pronunciation of grammatical endings and fluency. Dramatize the dialogues.

интересова́ться ша́хматами, интересу́етесь ма́рками, ста́ть инжене́рами, ста́нут журнали́стами, бы́ть врача́ми, бу́дут учёными, разгова́ривать со студе́нтами;

интересу́етесь ру́сскими ма́рками, ста́ли знамени́тыми учёными, бу́дут олим-
пийскими чемпио́нами, познако́миться со свои́ми студе́нтами, ходи́ли со свои́ми
но́выми друзья́ми.

1. — Оле́г, с ке́м ты́ е́здил в э́том году́ отдыха́ть?
   — Я́ е́здил со свои́ми но́выми друзья́ми.
   — Познако́мь меня́ с ни́ми.
   — С удово́льствием.
2. — Вы́ собира́ете ма́рки?
   — Да́.
   — Каки́ми ма́рками вы́ интересу́етесь: совреме́нными и́ли стари́нными?
   — Совреме́нными.
3. — Ке́м вы́ ста́нете по́сле оконча́ния ва́шего институ́та?
   — Врача́ми. Мы́ у́чимся в медици́нском институ́те.
   — Кака́я специа́льность у ва́с и у ва́шей жены́? Ке́м вы́ хоти́те бы́ть?
   — Мы́ хоти́м ста́ть хиру́ргами.
4. — С ке́м ты́ бы́л в теа́тре?
   — Со свои́ми друзья́ми — Пе́тей и Ната́шей.
5. — Ты́ интересу́ешься ру́сскими ма́рками?
   — Да́, о́чень.
   — Хо́чешь, я покажу́ тебе́ свою́ колле́кцию?
6. — С ке́м ты́ сейча́с разгова́ривал?
   — С на́шими студе́нтами.

5. Read aloud.

никто́, никого́ [н'икаво́], ничего́, никогда́, нигде́, никуда́, никому́, нике́м,
ниче́м, ни с ке́м, ни о ко́м, ни о чём.

1. — Кто́ зна́ет, кака́я за́втра пого́да?
   — Никто́ не зна́ет.
2. — Кто́ бы́л вчера́ на конце́рте?
   — Никто́ не́ был.
   — А кто́ зна́ет, что́ та́м бы́ло?
   — Никто́ ничего́ не зна́ет.
3. — Ты́ не зна́ешь, где́ мо́жно сейча́с купи́ть сигаре́ты?
   — Ду́маю, что нигде́ нельзя́. Всё магази́ны уже́ закры́ты. Сейча́с о́чень
   по́здно.
4. — О ко́м вы́ говори́ли?
   — Мы́ ни о ко́м не говори́ли. Мы́ говори́ли о свои́х дела́х.
5. — Вы́ бы́ли в Ки́еве?
   — Не́т, я никогда́ та́м не́ был.
6. — Что́ вы́ купи́ли де́тям?
   — Ничего́ не купи́л.
7. — Кто́ у ва́с сего́дня бу́дет? Кого́ вы́ пригласи́ли?
   — Мы́ ещё никого́ не приглаша́ли.
8. — О чём ты́ ду́маешь?
   — Ни о чём.
   — Ни о чём? Не мо́жет бы́ть!

9. — Куда́ ты́ идёшь сего́дня ве́чером?
   — Никуда́ не иду́.
   — А где́ ты́ бы́л днём?
   — Нигде́ не́ был. Занима́лся до́ма.

10. — Ка́тя, тво́й бра́т, ка́жется, собира́ет ма́рки? У меня́ есть одна́ прекра́сная ма́рка.
    — Ничего́ о́н не собира́ет.
    — А чём о́н интересу́ется?
    — Ду́маю, что ниче́м. Он всё вре́мя прово́дит в свое́й больни́це.
    — Ну есть же у него́ хо́бби?
    — Не́т у него́ никако́го хо́бби. То́лько рабо́та.

11. — Ты́ сказа́л ребя́там, что за́втра не бу́дет ле́кции?
    — Я никому́ ничего́ не говори́л. Я ничего́ не зна́л. Я пе́рвый ра́з об э́том слы́шу.

6. *Read, using the indicated intonation.*

Ну́жно ко́нчить медици́нский институ́т,/чтобы ста́ть врачо́м.

Чтобы ста́ть врачо́м,/ну́жно ко́нчить медици́нский институ́т.

Чтобы ста́ть хорошим врачо́м,/ну́жно име́ть талант.

Звони́л Виктор,/чтобы пригласи́ть на́с ужинать.

Я ходи́л в магазин,/чтобы купи́ть сигареты.

Вы́ мо́жете позвони́ть в справочное,/чтобы узна́ть его́ но́мер телефона.

Мы́ должны́ взя́ть такси,/чтобы не опозда́ть в театр.

Он о́чень мно́го занимается,/чтобы поступи́ть в университет.

Чтобы поступи́ть в университет,/ну́жно хорошо́ сда́ть экза́мены.

Я звонил ва́м,/чтобы сказа́ть, что ле́кции за́втра не будет.

Я пришёл, чтобы помочь.

Я пришёл,/чтобы посмотре́ть телевизор.

7. *Read the dialogues. Indicate the syntagmatic division and the types of ICs in the complex sentences with the conjunction* чтобы. *Dramatize the dialogues. Compose similar dialogues.*

1. — Скажи́, Оле́г, ты́ зна́ешь, что ну́жно, чтобы ста́ть врачо́м?
   — Чтобы ста́ть врачо́м, ну́жно ко́нчить медици́нский институ́т.
   — А что́ ну́жно, чтобы ко́нчить медици́нский институ́т?
   — Хоро́шее здоро́вье.
   — Прекра́сный отве́т. Но э́того ма́ло.
   — Тогда́ не зна́ю.
   — Чтобы ко́нчить медици́нский институ́т, нужно снача́ла в него́ поступи́ть.

194

— А ты́ зна́ешь, что́ ну́жно, чтобы ста́ть хоро́шим врачо́м?

— Зна́ю. Чтобы ста́ть хоро́шим врачо́м, ма́ло ко́нчить институ́т, ну́жно име́ть тала́нт.

2. — Куда́ ты́ идёшь, Андре́й?

— Я иду́ к Серге́ю, чтобы посмотре́ть хокке́й по телеви́зору. Я ско́ро верну́сь.

— Серге́й, мо́жно к тебе́?

— Ну, коне́чно, входи́, Андре́й.

— Я пришёл, чтобы посмотре́ть телеви́зор. Ты́ бу́дешь смотре́ть хокке́й?

— Ну, коне́чно. Сего́дня са́мая ва́жная игра́. На́ша кома́нда должна́ сего́дня вы́играть, чтобы ста́ть чемпио́ном страны́.

3. — Кто́ на́м звони́л сего́дня?

— Звони́л Серге́й, чтобы пригласи́ть на́с у́жинать.

— Кто́ ещё звони́л?

— Бо́льше никто́ не звони́л.

— Где́ ты́ была́?

— Нигде́ не была́. То́лько выходи́ла в магази́н, чтобы купи́ть хле́б. Да́, я забы́ла. Ещё тебе́ звони́ла Ната́ша, чтобы сказа́ть, что за́втра ле́кции не бу́дет.

8. *Read the dialogues and dramatize them. Compose similar dialogues.*

пра́в [пра́ф], права́, пра́вы; согла́сен, согла́сна, согла́сны.

1. — Она́ пра́ва.

— Нет,/не права́. Вы́ тоже не пра́вы.

— А я ду́маю, что вы не пра́вы,/а я пра́в.

2. — Ты́ согла́сен?

— Согла́сен..

— Я тоже согла́сна.

— А мы́ не согла́сны.

— Вы́ тоже не согла́сны со мно́й?

— Нет,/согла́сны.

3. — Я ду́маю, что Ви́ктору не нужно поступа́ть в консервато́рию.

— Почему́? Он мно́го занима́ется/и прекра́сно игра́ет.

— Да,/согла́сна. Он мно́го рабо́тает,/у него́ хоро́шая те́хника. Но и то́лько. Хоро́шим музыка́нтом о́н никогда́ не будет.

— Да,/ду́маю, что ты́ права́. Чтобы ста́ть хоро́шим музыка́нтом,/ма́ло мно́го рабо́тать,/ну́жно име́ть тала́нт.

4. — Ма́шенька,/[2]пойдём в кино́.[3]

— Не хо́чется.[1]

— Тогда́ пойдём гуля́ть.[2]

— То́же не хо́чется.[1]

— Ну пойдём. Сего́дня тако́й прекра́сный[2] ве́чер. Нельзя́ сиде́ть до́ма.[5]
Прошу́ тебя́.[2]

— Ну, е́сли ты́ та́к про́сишь,[3]/я́ согла́сна.[1]

— Во́т и хорошо́.

5. — Ни́на,/[2]тебе́ нра́вится Оле́г?[3]

— Не́т,[1]/не нра́вится.[1]

— Почему́?[2]

— Ну, во-пе́рвых,/[3]у него́ не́т никако́го юмора.[1] Согла́сна?[3]

— Не зна́ю.[1]

— Во-вторы́х,/[3]он некраси́вый/[1]и о́чень неинтере́сный челове́к.[1] Всё вре́мя
за́нят то́лько свое́й рабо́той.[1] Ниче́м бо́льше не интересу́ется/[3]и ничего́[1]
бо́льше не зна́ет/[3]и не ви́дит. Согла́сна?

— Не́т,[1]/не согла́сна.[1] Вчера́, наприме́р,/[3]он интересова́лся тобо́й.[1] Сказа́л,
что ты́ краси́вая.[1] Проси́л тво́й но́мер телефо́на.

— Ты́ дала́?[3]

— Не́т.[1]

— Почему́?[4]

— А заче́м? О́н неинтере́сный,[2]/без юмора.[1]

9. *Read, paying attention to speed and intonation. Dramatize the dialogues. Compose similar dialogues.*

Что идёт[2] в на́шем кинотеа́тре? Что идёт[2] в Большо́м теа́тре? Что́ сего́дня в Большо́м теа́тре? Что́[2] идёт сего́дня в клу́бе? Скажи́те, пожа́луйста,/[2]что́ сего́дня идёт?[2]
Вы́[3] не зна́ете, что́ сего́дня идёт в Ма́лом теа́тре?

Понра́вился?[3] Ва́м понра́вился фи́льм? Ва́м понра́вился но́вый италья́нский[3]
фи́льм? Ва́м понра́вился но́вый италья́нский фи́льм, в кото́ром игра́ет Софи́
Лоре́н?

196

[3]Наташе/[1]фильм не понравился.

[3]Андрею/[1]фильм понравился.

[3]Андрею фильм понравился?

1. — Андрей,/[2]ты видел [3]новый итальянский фильм?

   — В [3]котором играет Софи [1]Лорен? Видел.

   — Ну и [4]как?

   — [1]Мне очень понравился. Прекрасный [1]фильм. Правда[3]?

   — [1]Да. Мне [1]тоже понравился.

2. — [2]Таня,/[3]пойдём в кино.

   — А [4]что смотреть?

   — [3]Ты не знаешь, что идёт в «России»?

   — Не [1]знаю.

   — А в [4]нашем клубе?

   — [1]Тоже не знаю.

   — Давай тогда [3]пойдём в «Россию»/и узнаем, что [1]там идёт.

   — [1]Хорошо. А если не пойдём в [3]кино,/тогда [1]погуляем.

3. — [2]Где вы были?

   — На концерте современной [1]музыки.

   — Ну и [4]как? Понравился вам [3]концерт?

   — [1]Мне не понравился.

   — [1]Мне тоже не очень.

   — А [2]кому понравился?

   — [1]Олегу.

   — [3]Кому? Олегу [3]концерт понравился?

   — [1]Да. [3]Олегу/концерт [1]понравился. [1]Он любит современную [1]музыку.

10. *Read the following aloud.*

подошёл к столу́, подъе́хал к ста́нции, подъе́хал к до́му, подвёз к институ́ту, на у́тренний сеа́нс, на вече́рние сеа́нсы, биле́ты на дневны́е сеа́нсы, зи́мние кани́кулы, на зи́мние кани́кулы.

Когда́ мы́ подошли́ к теа́тру, спекта́кль уже́ начался́.

Когда́ мы́ подъе́хали к до́му, бы́ло ше́сть часо́в.

— У вáс éсть билéты на вечéрние сеáнсы?
— Éсть билéты тóлько на дневны́е сеáнсы.
— Кудá вы́ поéдете на зи́мние кани́кулы?
— На зи́мние кани́кулы мы́ поéдем в Ленингрáд.

11. *Read the following aloud. Mark the stress in the underlined words.*

1. Какóй прекрáсный вечер. 2. У вáс éсть билéты на вечерние сеáнсы? 3. — Какóй э́то ряд? — Седьмóй. — А в какóм ряду нáши местá? — В двенáдцатом. 4. Мóй мýж — учитель. Дéти тóже хотя́т бы́ть учителями. 5. Ужé зима. Скóро зимние кани́кулы. 6. Вы́ выходите на слéдующей остановке? — Нéт, не выхожу.— Разреши́те пройти.— Проходите, пожáлуйста. 7. — Вы́ попросите Ни́ну помóчь мнé? — Конéчно, попрошу.— Попросите, пожáлуйста. 8. Вы́ скóро получите нóвый нóмер журнáла «Совéтский Сою́з»? — Дá, в начáле мéсяца. 9. Вы́ Ивáнова? Получите телегрáмму. 10. Э́то Крáсная площадь. Лéтом на у́лицах и площадя́х Москвы́ осóбенно мнóго тури́стов.

12. *Read, making sure you read each of the following phrases as a single unit. Pay attention to fluency and speed.*

выступáет в концéртных зáлах, поёт рýсские пéсни, расскáзывает о Росси́и, чáсть её жи́зни, мóжет бы́ть, слýшают с интерéсом, в други́х стрáнах, лю́бит и понимáет, лю́бит и понимáет стари́нные рýсские пéсни, дéтство, в дéтстве, недалекó от Москвы́, услы́шала и запóмнила, услы́шала и запóмнила мнóго нарóдных пéсен, умéли и люби́ли пéть, когдá её проси́ли, когдá éй бы́ло вéсело, тóже должнá рабóтать, поступи́ла на завóд, продолжáла учи́ться в шкóле, пóсле окончáния шкóлы, стáла занимáться в кружкé, хóр рýсской нарóдной пéсни, пýсть тебя́ послýшают, мнóго рабóтать и серьёзно учи́ться, котóрый руководи́л хóром, учи́л молоды́х арти́стов, стихи́ рýсских поэ́тов, знамени́тые в тó врéмя певцы́, не нáдо бы́ть похóжей на други́х, найти́ свою́ дорóгу в искýсстве.

13. *Read, paying attention to intonation.*

В свои́х пéснях Людми́ла Зы́кина расскáзывает о Росси́и,/о Волге,/о любви́,/о рýсской жéнщине.

Чтóбы стáть больши́м мáстером,/нáдо мнóго рабóтать и серьёзно учи́ться.

Чтóбы стáть больши́м мáстером,/нáдо мнóго рабóтать/и серьёзно учи́ться.

Композитор Захаров, котóрый руководи́л тогдá хóром,/учи́л молоды́х арти́стов понимáть пéсню.

Композитор Захаров, котóрый руководи́л тогдá хóром,/учи́л молоды́х арти́стов понимáть пéсню.

Компози́тор Заха́ров, кото́рый руководи́л тогда́ хо́ром,/учи́л молоды́х арти́стов понима́ть пе́сню.

Компози́тор Заха́ров, кото́рый руководи́л тогда́ хо́ром,/учи́л молоды́х арти́стов понима́ть пе́сню.

Знако́мые стихи́, кото́рые она́ слу́шала ещё в де́тстве,/вдру́г на́чали звуча́ть по-но́вому.

Знако́мые стихи́, кото́рые она́ слу́шала ещё в де́тстве,/вдру́г на́чали звуча́ть по-но́вому.

14. *Read the text, paying attention to speed, rhythm and intonation.*

Она́ поёт ру́сские пе́сни

Она́ выступа́ет в конце́ртных за́лах,/в клу́бах,/в цеха́х заво́дов,/а во вре́мя пра́здников —/на площадя́х городо́в. Поёт то́лько ру́сские пе́сни, стари́нные и совреме́нные.

И́мя Людми́лы Зы́киной/зна́ют все в Сове́тском Сою́зе/и не то́лько в Сове́тском Сою́зе:/её слу́шали в Япо́нии и во Фра́нции,/в Болга́рии и в Аме́рике,/в И́ндии и в Австра́лии.

В чём секре́т её популя́рности?

В свои́х пе́снях Людми́ла Зы́кина расска́зывает о Росси́и,/о Во́лге,/о любви́,/о ру́сской же́нщине. Пе́сня —/э́то ча́сть её жи́зни. Мо́жет бы́ть, поэ́тому слу́шают её с таки́м интере́сом и в други́х стра́нах.

«Ру́сскую пе́сню петь тру́дно,— говори́т Людми́ла Зы́кина,—/пло́хо петь — легко́,/а хорошо́ — тру́дно».

Людми́ла Зы́кина прекра́сно зна́ет,/лю́бит и понима́ет стари́нные ру́сские пе́сни. Она́ изуча́ет тради́ции наро́дной пе́сни. Пра́вду жи́зни и пра́вду чу́вства/слы́шат лю́ди в пе́снях Л.Зы́киной.

Де́тство Людми́лы Гео́ргиевны Зы́киной/прошло́ недалеко́ от Москвы́/в небольшо́й дере́вне Ста́рые Черёмушки/(сейча́с э́то оди́н из но́вых райо́нов Москвы́).

Ещё в де́тстве/Людми́ла Зы́кина услы́шала и запо́мнила мно́го наро́дных пе́сен. В семье́ Людми́лы уме́ли и люби́ли петь. Пе́ла её ба́бушка Васили́са. Э́та про-

[3]ста́я ру́сская женщина/[1]была́ по-ру́сски добра́ и весела. Прекра́сно пе́ла и [1]мать Людми́лы. Пе́ла и Люда. Она́ пе́ла, когда́ её просили об [1]э́том,/и пе́ла для [1]себя,/пе́ла, когда́ ей [4]бы́ло весело/и когда́ [1]бы́ло грустно,/[1]трудно.

А тру́дного тогда́ [1]бы́ло немало:/начала́сь Вели́кая Отечественная [1]война. [3]Отец Людми́лы, рабо́чий,/[1]ушёл на фронт. Ба́бушка [1]умерла. И оста́лась Людми́ла [1]с матерью. Ма́ть [1]работала в больнице. Люда [4]решила,/что в тако́е вре́мя она́ [1]тоже должна́ работать. Она́ поступи́ла на [4]завод,/но продолжа́ла учи́ться в шко́ле рабочей молодёжи. Днём она́ рабо́тала на [3]заводе,/а ве́чером, по́сле рабо́ты, ходи́ла [1]в школу.

— [1]Бу́дешь ты́ инженером,— ча́сто говори́л Людми́ле ста́рый ма́стер,/— та[1]лант у тебя.

По́сле оконча́ния [4]школы/Зы́кина могла́ бы ста́ть [1]инженером,/но помеша́ла ей [1]любо́вь к песне. Она́ пе́ла [1]везде:/во вре́мя рабо́ты в [1]цехе,/когда́ шла́ по улице.

Она́ ста́ла занима́ться в кружке́ худо́жественной [4]самодеятельности,/[4]пе́ла в хоре,/выступа́ла в рабо́чих [4]клубах,/в [1]госпиталях. Она́ пе́ла всё, [1]что знала. Особенно люби́ла [4]петь/стари́нные пе́сни ба́бушки [1]Василисы:/«Сте́пь да сте́пь [4]кругом»,/«То́нкая [4]рябина»,/«Есть на Во́лге [1]утёс».

Одна́жды Людми́ла пошла́ с подру́гами в [4]кино/(э́то бы́ло уже́ по́сле войны)/, и де́вушки уви́дели афишу/о ко́нкурсе в Хо́р ру́сской наро́дной пе́сни и́мени [1]М. Е. Пятницкого.

— [2]Пойди, Люда,/пусть тебя [1]послушают,— говори́ли подру́ги.— [3]Боишься? [2]Не бойся. Ты́ же [2]смелая,/[2]иди, [1]Люда.— И она́ пошла.

На экза́мене она́ пе́ла ру́сскую наро́дную [4]песню/«Уж ты́ [1]сад, ты́ мо́й [4]сад». [1]Её взя́ли в хор. Но́вая жизнь начала́сь для [4]Людми́лы:/[4]репетиции,/[1]музыка,/кон[4]цертные залы. Внима́тельно слу́шала Люда свои́х [1]учителей:/талант —/[4]э́то ещё [1]не всё в иску́сстве. Чтобы ста́ть больши́м [4]мастером,/[1]на́до мно́го рабо́тать и серьёз[1]но учи́ться. И Люда [4]работает/и [4]учится,/учится/и работает.

[3]Компози́тор В. Г. Захаров, кото́рый руководи́л тогда́ хо́ром,/учи́л молоды́х [1]арти́стов понимать пе́сню:/слово/и музыку. Он учи́л арти́стов чу́вствовать кра[4]соту/и [1]си́лу слова. Люда чита́ла стихи́ ру́сских поэтов,/и знако́мые [4]стихи, кото́-

рые она́ слу́шала ещё в де́тстве,/вдру́г на́чали звуча́ть по-но́вому. Тогда́ же она́ ста́ла ча́сто ходи́ть в Третьяко́вскую галере́ю:/она́ хоте́ла уви́деть карти́ны ста́рых мастеро́в,/портре́ты люде́й,/кото́рые жи́ли в одно́ вре́мя с а́вторами стари́нных пе́сен,/ря́дом с ни́ми.

Ра́ньше Лю́да хоте́ла петь так,/как пе́ли знамени́тые в то́ вре́мя певцы́. Она́ пе́ла их пе́сни,/но пе́сни звуча́ли по-друго́му. Лю́да поняла́, что не на́до бы́ть похо́жей на други́х:/ка́ждый арти́ст, ма́ленький и́ли большо́й,/до́лжен найти́ свою́ доро́гу в иску́сстве.

Людми́ла Зы́кина ста́ла популя́рной арти́сткой. Она́ наро́дная арти́стка СССР,/лауреа́т Ле́нинской пре́мии. Она́, как и ра́ньше, мно́го рабо́тает,/мно́го е́здит. Везде́ у неё знако́мые и друзья́. Когда́ она́ получа́ет пи́сьма,/сра́зу узнаёт:/ э́то с Камча́тки,/э́то из Та́ллина,/э́то из Аме́рики,/а э́то из Инди́и.

Unit 15

1. *Read, paying attention to the pronunciation of the relevant sounds.*

[л]: ло́жка, лу́чше [лу́тшъ], хо́лод, во́лосы, жела́ть, ви́лка, глубо́кий, глу́пый, пла́н;

[л']: бо́лее, телегра́мма, длина́, дли́нный, земля́, после́дний, плюс, сплю; сме́лый — смеле́е, весёлый — веселе́е;

[р]: ра́дио, о́зеро, гра́дус, огро́мный, вокру́г, про́за, прошла́, партёр [партэ́р];

[р']: ре́дкий, террито́рия [т'ир'ито́р'ијъ], приве́т, вре́мя, гря́зный, до́брый — добре́е, бы́стрый — быстре́е;

[ш]: широ́кий, ло́жка, нож, пейза́ж, по-ва́шему, вы́ше, бо́льше, ме́ньше, ста́рше, лу́чше;

[ж]: прохожу́, жела́ть, жена́т, ножи́, моло́же, доро́же, рожде́ние, проезжа́ть [пръјижжа́т'];

[ц]: пти́ца, краса́вица, измени́ться, экспеди́ция;

[х]: ху́же, плохо́й, проходи́ть, прое́хать, происходи́ть, во́здух, ле́гче [л'е́хчи], сохраня́ть;

[ч]: чем, чи́стый, бога́че, значе́ние;

[щ]: про́ще, освеща́ть, пло́щадь, бу́дущее, счастли́вый [щисл'и́выј];

soft consonants: ме́нее, ме́тр, весно́й, измени́ть, изменя́ть, ми́нус, ни́зкий, после́д-ний [пасл'е́д'н'иј], поэ́зия, кра́йние, расти́ [рас'т'и́], освети́ть, о́сень, ду́мать, разви́тие, де́нь рожде́ния.

2. *Read, paying attention to the pronunciation of unstressed syllables.*

— ´ —   поду́мать, бога́тство, како́й-то;

— — ´   астрона́вт, пожела́ть, изменя́ть, называ́ть, освеща́ть, освети́ть, проезжа́ть, переда́ть, почита́ть, сантиме́тр [сън'т'им'е́тр];

´ — — —   во́лосы, бо́лее, ме́нее, ду́маю, о́зеро, вы́расти;

— — ´ —   телегра́мма;

— ´ — —   поду́маю, краса́вица, разви́тие, откры́тие, рожде́ние, по ра́дио, по-мо́ему, по-ва́шему:

— — — ´   происходи́ть, произойти́, передава́ть, экспериме́нт;

´ — — — —   бу́дущее;

— — — ´ —   оригина́льный;

— — ´ — —   террито́рия, экспеди́ция;

о́зеро — озёра; но́ж — ножи́; пло́щадь — пло́щади — площаде́й; просто́й — про́ще; молодо́й — моло́же; дорого́й — доро́же; сме́лый — смеле́е; весёлый — веселе́е; до́брый — добре́е; бы́стрый — быстре́е; высо́кий — вы́ше; большо́й — бо́льше; расти́ — вы́расти; ро́с — росла́; передала́ — пе́редал — пе́редали; происходи́ть — происхо́дит.

3. *Read the words aloud. Underline the devoiced and silent consonants.*

у́зкий, ло́жка, астрона́вт, вокру́г, но́ж, хо́лод, ре́дкий, пейза́ж, пло́щадь, како́й-нибудь, счастли́вый, гру́стный, пра́здник, по́здно.

4. *Read the following aloud. Indicate the types of ICs. Dramatize the dialogues. Compose similar dialogues.*

лу́чше, ху́же, доро́же, вы́ше, ни́же, моло́же, ста́рше, ме́ньше, бо́льше, ле́гче, про́ще, интере́снее, краси́вее, са́мый краси́вый, са́мое глубо́кое, са́мая больша́я.

1. — Джо́н, тво́й бра́т ста́рше тебя́ и́ли моло́же?
   — Моло́же.
   — А сестра́?
   — Ста́рше.
2. — Де́вушка, покажи́те на́м, пожа́луйста, во́т э́ти два́ костю́ма.
   — Пожа́луйста.
   — Ни́на, како́й тебе́ бо́льше нра́вится?
   — Вот э́тот, зелёный. О́н краси́вее.
   — А мне́ ка́жется, что жёлтый лу́чше.
   — А по-мо́ему, ху́же. Но ты́ купи́ то́т, кото́рый тебе́ бо́льше нра́вится.
   — Мне́ бо́льше нра́вится зелёный, но о́н доро́же.
3. — Ка́тя, сего́дня хо́лодно?
   — Да́, о́чень.
   — Холодне́е, чем вчера́?
   — Да́, холодне́е.

4. — Куда́ ты́ пое́дешь ле́том?
    — В Приба́лтику.
    — Пое́дем лу́чше на Кавка́з. Та́м тепле́е.
    — Да́, на Кавка́зе, коне́чно, бо́лее тёплое мо́ре, но я́ бо́льше люблю́ Приба́лтику.
5. — Кака́я Ната́ша у́мная!
    — Да́, о́чень. По-мо́ему, она́ са́мая у́мная де́вушка в институ́те.
    — По-мо́ему, то́же.
6. — Где́ ты́ бо́льше лю́бишь отдыха́ть?
    — В Крыму́. Для меня́ э́то са́мое краси́вое ме́сто на земле́.
7. — Джо́н, ты́ зна́ешь, како́е са́мое глубо́кое о́зеро в ми́ре?
    — Зна́ю. Байка́л. Я́ та́м бы́л в про́шлом году́.
8. — Анто́н во́дит маши́ну лу́чше, чем ты́.
    — Коне́чно, у него́ давно́ маши́на, а у меня́ неда́вно.
9. — Джейн лу́чше все́х в на́шей гру́ппе говори́т по-ру́сски.
    — Да́, она́ бо́льше все́х занима́ется. Я́ начала́ учи́ть язы́к ра́ньше, чем она́, но говорю́ ху́же.
10. — Андре́й, пое́дем в воскресе́нье ката́ться на лы́жах.
    — Пойдём лу́чше ката́ться на конька́х.
    — Не́т, я́ бо́льше люблю́ ката́ться на лы́жах, чем на конька́х. Я́ ка́ждое воскресе́нье е́зжу за́ город.

5. *Read the following aloud. Indicate the types of ICs. Dramatize the dialogues. Compose similar dialogues.*

кто́-то, что́-то, како́й-то, кому́-то, кто́-нибудь, что́-нибудь, како́й-нибудь, куда́-нибудь, где́-нибудь, кому́-нибудь.

1. — А́нна, ты́ была́ до́ма?
    — Да́.
    — Мне́ кто́-нибудь звони́л?
    — Да́, кто́-то звони́л.
    — Мужчи́на и́ли же́нщина?
    — Мужчи́на. Како́й-то незнако́мый го́лос.
    — О́н проси́л что́-нибудь переда́ть мне́?
    — Не́т, то́лько спроси́л, когда́ ты́ бу́дешь до́ма. Сказа́л, что позвони́т ве́чером.
2. — Ве́ра до́ма?
    — Не́т.
    — А где́ она́?
    — Не зна́ю, куда́-то ушла́.
    — Она́ ничего́ не сказа́ла?
    — Не́т. Она́ с ке́м-то поговори́ла по телефо́ну и ушла́.
3. — Вы́ куда́-нибудь е́здили ле́том?
    — Не́т, никуда́ не е́здили. Мы́ пое́дем отдыха́ть зимо́й.
4. — Да́й мне́ что́-нибудь почита́ть.
    — Что́ тебе́ да́ть?
    — Не зна́ю. Что́-нибудь интере́сное.

— Хо́чешь детекти́в?

— Хочу́.

5. — Извини́те, вы́ что́-то сказа́ли? Я не слы́шал.

— Не́т, я ничего́ не говори́л.

6. — Вы́ куда́-то идёте?

— Не́т, я никуда́ не иду́. Я гуля́ю.

— Вы́ кого́-то ждёте?

— Не́т, я никого́ не жду́.

7. — Ты́ идёшь к кому́-то в го́сти?

— Не́т, я хочу́ пойти́ в кино́.

— А я́ ду́мал, что ты́ идёшь в го́сти. Тебе́ звони́л како́й-то мужчи́на и проси́л переда́ть, что они́ жду́т тебя́ ве́чером.

— А! Это Андре́й. Я забы́л, что обеща́л прийти́ к ни́м сего́дня.

6. *Read the following aloud. Pay attention to intonation.*

Ма́ма сказа́ла, чтобы О́льга пошла́ в магази́н.

Ма́ма сказа́ла, чтобы О́льга пошла́ в магази́н.

Ма́ма сказала,/чтобы О́льга пошла́ в магази́н.

Ма́ма сказала,/чтобы ты́ пригото́вил уроки.

Андре́й попроси́л, чтобы я́ помо́г ему́ реши́ть задачу.

Андре́й попросил,/чтобы я́ помо́г ему́ реши́ть задачу.

Мы́ о́чень хоти́м, чтобы вы́ пришли́ к на́м в гости.

7. *Read the following aloud. Pay attention to intonation.*

1. — Передайте, пожа́луйста, биле́ты.

— Пожалуйста.

— Спасибо.

2. — Алло́! А́нна Ивановна? Попросите, пожа́луйста, Ната́шу.

— Её не́т дома.

— Передайте ей, пожа́луйста,/что семина́ра за́втра не будет. Пу́сть она́ мне́ ве́чером позвонит.

— Хорошо,/я́ передам.

3. — Наташа,/Андре́й проси́л тебе́ передать,/что за́втра у ва́с не бу́дет семина́ра.

— О́чень хорошо.

— Óн проси́л, чтобы ты́ позвони́ла ему́ вечером.

4. — Андрей,/ма́ма сказа́ла, что ты́ проси́л меня́ позвони́ть.

— Да,/дава́й куда́-нибудь пойдём сего́дня.

— Куда́?

— Куда́ хочешь. Мо́жно пойти́ в кино́.

— Приходи́ лу́чше к на́м пи́ть ча́й. У на́с е́сть вку́сный торт.

— С удово́льствием. Сейча́с прие́ду.

5. — Извини́те, вы́ сейча́с не выхо́дите?

— Нет,/не выхожу́.

— Разреши́те пройти́.

— Проходи́те, пожа́луйста.

8. *Read, paying attention to the pronunciation of congratulations. Dramatize the dialogues. Compose similar dialogues.*

поздравля́ть, поздравля́ю ва́с, поздравля́ю ва́с с пра́здником [с пра́з'н'икъм], де́нь рожде́ния [ражд'е́н'jъ], с днём рожде́ния, поздравля́ем ва́с с днём рожде́ния, поздра́вить, поздра́влю, разреши́те поздра́вить, не забу́дьте поздра́вить, жела́ть, пожела́ть, жела́ю сча́стья [ща́с'т'jъ], успе́х, жела́ем успе́хов.

1. — Нина,/за́втра у О́ли де́нь рождения. Не забу́дь её поздра́вить.

— Нет,/я́ помню. Она́ пригласи́ла меня́ в гости. Ты́ тоже пойдёшь?

— Да. Пойдём вме́сте.

— Хорошо́. Дава́й встре́тимся у её до́ма в се́мь часо́в.

2. — Здра́вствуй, Оле́г! Поздравля́ем тебя́ с днём рождения.

— Спаси́бо.

— Жела́ем тебе́ счастья/и всего́ са́мого хоро́шего.

— Спаси́бо большо́е.

3. — Ната́ша,/поздравля́ю тебя́ с Но́вым годом.

— Спаси́бо, дорога́я. Я́ тоже тебя́ поздравля́ю.

— Жела́ю тебе́ здоровья/и успе́хов в но́вом году́.

— Спаси́бо,/спаси́бо, Ма́ша. Жела́ю тебе́ счастья.

4. — Серге́й Миха́йлович,/разреши́те поздра́вить Ва́с с праздником.

— Спаси́бо, друзья́. Спаси́бо, что не забы́ли.

— Жела́ем Ва́м успе́хов в рабо́те/и хоро́шего здоро́вья.
³ above "рабо́те", ² above "здоро́вья"

— Большо́е спаси́бо.

9. *Oral Practice.*

Wish your friend many happy returns of the day, a Happy New Year. Congratulate him on his graduation from the University.

10. *Read the following aloud. Mark the stress in the underlined words.*

1. Байка́л — са́мое глубо́кое озеро в ми́ре. Где́ нахо́дятся Вели́кие озёра?
2. Это площадь Револю́ции. 3. Вы́ зна́ете назва́ния э́тих площадей? 4. Эта зада́ча простая, а та́ ещё проще. 5. Этот костю́м дорогой, но то́т ещё дороже. 6. На́ш преподава́тель молодой, а ва́ш ещё моложе. 7. Это зда́ние высокое, а то́ ещё выше.
8. — Вы́ передали приве́т Ната́ше? — Передала.

11. *Read, paying attention to the intonation of amplifying phrases or clauses.*

В Зи́мнем дворце, постро́енном в восемна́дцатом ве́ке,/сейча́с нахо́дится Эрмита́ж.

В Зи́мнем дворце, постро́енном в восемна́дцатом ве́ке,/сейча́с нахо́дится Эрмита́ж.

В Зи́мнем дворце́, постро́енном в восемна́дцатом веке,/сейча́с нахо́дится Эрмита́ж.

В Зи́мнем дворце́, постро́енном в восемна́дцатом веке,/сейча́с нахо́дится Эрмита́ж.

Певцы, кото́рых пригласи́ли на ко́нкурс,/прие́дут в Москву́ пя́того сентября́.

Певцы, кото́рых пригласи́ли на ко́нкурс,/прие́дут в Москву́ пя́того сентября́.

Певцы́, кото́рых пригласи́ли на конкурс,/прие́дут в Москву́ пя́того сентября́.

Певцы́, кото́рых пригласи́ли на конкурс,/прие́дут в Москву́ пя́того сентября́.

12. *Read the text, paying attention to fluency, speed and intonation.*

Что такое Сибирь?

В 1890 году/знаменитый русский писатель Антон Павлович Чехов/поехал на остров Сахалин. Он проехал через всю Сибирь.

Антон Павлович писал:/«Если пейзаж в дороге для вас не последнее дело,/то, когда вы едете из России в Сибирь,/вы будете скучать от Урала до Енисея... Природа оригинальная и прекрасная/начинается с Енисея.

Скоро после Енисея/начинается знаменитая тайга. О ней много говорили и писали,/а потому от неё ждёшь не того, что она может дать. Сила и очарование тайги/не в деревьях-гигантах/и не в тишине,/а в том,/что только птицы знают,/где она кончается.

В своей жизни я не видел реки прекраснее Енисея. Волга — скромная, грустная красавица,/а Енисей — могучий богатырь,/который не знает, куда девать свои силы и молодость.

Так думал я на берегу широкого Енисея/и смотрел на его воду,/которая с огромной быстротой и силой мчится в Ледовитый океан. На этом берегу/Красноярск —/самый лучший и красивый из всех сибирских городов,/а на том — горы.

Я стоял и думал,/какая умная и смелая жизнь осветит в будущем эти берега!»

Сибирь с её историей,/с её огромными богатствами/давно интересует людей. Каждый народ, маленький или большой,/хочет увидеть будущее своей земли. Будущее сибирской земли интересует не только сибиряков. Потенциальные ресурсы сырья и энергии здесь так огромны,/что будущее развитие Сибири является проблемой, интересующей всех,/проблемой,/важной для всей планеты.

Сибирь начинается там,/где кончаются Уральские горы. Долго Сибирь была спящей землёй. И сейчас, во второй половине XX века,/происходит новое открытие Сибири.

Геологи помогли увидеть, как богата земля Сибири. Нет в мире другого места,/где было бы так много природных богатств/и где было бы так трудно для человека взять их.

Иногда́ кажется,/что приро́да Сиби́ри не хочет, чтобы лю́ди взя́ли её бога́тства:/4/5 (четы́ре пя́тых) террито́рии Сиби́ри/лежи́т в зо́не ве́чной мерзлоты,/ 7 ме́сяцев в году́ на се́вере и восто́ке Сиби́ри — зима́,/зимо́й температу́ра быва́ет —40, —60° (по Це́льсию).

Говоря́т, что в Сиби́ри есть всё:/нефть,/газ,/уголь,/мета́ллы,/алма́зы. Сиби́рь — э́то лес,/э́то хлеб,/э́то электроэне́ргия.

Пе́рвый пла́н разви́тия Сиби́ри/появи́лся в 1926—1927 года́х. Но то́лько сейча́с челове́к мо́жет успе́шно реши́ть таку́ю зада́чу,/как освое́ние Сиби́ри.

В шестидеся́тые го́ды о́коло Новосиби́рска/со́здали крупне́йший нау́чный центр —/Сиби́рское отделе́ние Акаде́мии нау́к СССР. В э́том це́нтре 48 институ́тов.

Вопро́сами разви́тия эконо́мики Сиби́ри/занима́ются ра́зные учёные:/геологи,/географы,/биологи,/инженеры,/экономисты,/социологи.

Не́которые лю́ди ду́мают, что Сибирь —/э́то холодная земля́. Но в Сиби́ри не всегда́ хо́лодно,/ле́том быва́ет и о́чень тепло: +28°, +30° (по Це́льсию). И всё бо́льше тури́стов/ле́том е́дет в Сиби́рь.

Сиби́рская тайга́ — э́то тако́й лес,/како́го вы́ не уви́дите уже́ нигде́. Сло́вом «тайга́» называ́ют все сиби́рские леса́. Тайга —/э́то са́мый большо́й лес в Се́верном полуша́рии. А сиби́рские реки? Быстрые,/могу́чие,/чи́стые. А города́?

В Сиби́ри есть ста́рые города́ —/Ирку́тск,/Красноя́рск,/Новосиби́рск,/Омск —/им бо́льше 100 (ста́) лет. И есть молоды́е города́,/появи́вшиеся 10—15 лет наза́д:/Братск,/Анга́рск,/Ми́рный.

О́чень бы́стро растёт населе́ние молоды́х сиби́рских городо́в. В Бра́тске в 1959 году́/бы́ло 43 ты́сячи челове́к,/а в 1971 году́ 161 ты́сяча. И населе́ние э́тих городо́в молодое:/бо́льше всего́ здесь молодёжи.

Изменя́ются и ста́рые города́. Во́т, наприме́р, Омск. Ф. М. Достое́вский бы́л в О́мске в XIX ве́ке. Го́род ему́ не понра́вился:/ «Омск —/гадкий городи́шко... Дере́вьев почти́ нет». Современный О́мск —/са́мый зелёный го́род в РСФСР. Он похо́ж на ю́жный го́род. Четвёртая ча́сть пло́щади города —/э́то парки,/сады́,/скве́ры,/со́зданные рука́ми жи́телей города. Жи́тели О́мска мно́го де́лают для того,/чтобы сохрани́ть красоту́ сиби́рской приро́ды,/чтобы вода́ в река́х и во́здух в го́роде оста́лись чи́стыми.

Сибиряки́ лю́бят госте́й. Они́ хорошо́ встреча́ют тури́стов/и ещё лу́чше встреча́ют тех,/кто приезжа́ет помога́ть рабо́тать,/кто хо́чет побли́же познако́миться с Сиби́рью,/кто хо́чет поня́ть, что тако́е Сиби́рь/и что там сейча́с происхо́дит.

Unit 16

1. *Read, paying attention to the pronunciation of the relevant sounds.*

[л]: золота́я, уста́ла, оде́ла, нема́ло, тяжёлый, пла́тье, кана́л, уста́л, оде́л, победи́л;

[л']: любо́й, уста́ли, победи́ли, оде́ли, да́льний, пальто́, национа́льность, жа́ль;

[р]: моро́з, пара́д, стара́ться, аспира́нт, рыба́к, враг, сра́зу, а́рмия, маршру́т, собо́р;

[р']: уве́рен, уве́рена, уве́рены, брю́ки, приве́тствие, ры́царь;

[т], [д], [н], [с], [з]: зонт, уста́ну, веду́, да́льний, садово́д, боти́нки;

[п], [к]: пара́д, пое́здка, колхо́з, корреспонде́нт, кана́л;

[ш]: ба́шня, путеше́ствие, путеше́ствуешь;

[ж]: неожи́данно, оде́жда, возмо́жность, освобожда́ешь;

[щ]: защи́та, защища́ю, защища́ешь, защищу́, защити́м, настоя́щее, ве́щи, вещь, плащи́, плащ;

[ч]: замеча́ть, замеча́ешь, заме́чу, мечта́ть, мечта́, тво́рчество;

[х]: эпо́ха, колхо́з, колхо́зник;

[ц]: одева́ться, наде́яться, собира́ться, со́лнце [со́нцъ], национа́льность;

soft consonants: вести́, не́бо, мечта́ть, оде́ть, заме́тить, защити́ть, освободи́ть, нефтя́ник, приве́тствие, произведе́ние.

2. *Read, paying attention to the pronunciation of unstressed syllables.*

— ´ —	оде́жда, защи́та, пое́здка, стара́ться, возмо́жность;
— — ´	садово́д, аспира́нт, устава́ть, выбира́ть, выража́ть, замеча́ть, защища́ть;
´ — — —	вы́разить, тво́рчество, а́рмия;
— — ´ — —	собира́ться, постара́ться, совреме́нник;
— ´ — —	наде́яться, приве́тствие, тяжёлое;
— — — ´ —	освобожда́ть, освободи́ть;
— — ´ — —	неожи́данно, настоя́щее, путеше́ствовать, путеше́ствие, путеше́ственник;

$— — — — \acute{} —$ национа́льность;

$— — — — \acute{} —$ произведе́ние;

$— — — — — \acute{}$ необыкнове́нный;

вра́г — враги́, зо́нт — зонты́, ве́щь — ве́щи — веще́й, выбира́ть — вы́брать, выража́ть — вы́разить, замеча́ть — заме́тить, носи́ть — ношу́ — но́сишь, но́сите — носи́те.

3. *Read aloud. Underline the devoiced, voiced and silent consonants.*

вра́г, ги́д, садово́д, моро́з, пара́д, пое́здка, со́лнце, изве́стна, изве́стный, сде́лан.

4. *Read, paying attention to the pronunciation of, and the stress in, short-form verbal adjectives.*

написа́ть, напи́санный, напи́сана, напи́сан; подари́ть, пода́ренный, пода́рен, пода́рена, пода́рены; постро́ить, постро́енный, постро́ен, постро́ена, постро́ены; реши́ть, решённый, решён, решена́, решены́; назва́ть, на́званный, на́зван, на́звана, на́званы; сказа́ть, ска́занный, ска́зано; нача́ть, на́чатый, на́чат, начата́, на́чаты; показа́ть, пока́занный, пока́зан, пока́зана, пока́заны.

1. — Ке́м напи́сан э́тот портре́т Л. Н. Толсто́го?
   — Я ду́маю, что И. Е. Ре́пиным.
2. — Когда́ осно́ван Моско́вский университе́т?
   — В 1755 году́.
   — А ке́м?
   — М. В. Ломоно́совым.
3. — Где́ ты́ купи́л э́ту кни́гу?
   — Эта кни́га мне́ пода́рена отцо́м.
4. — Ке́м постро́ено ста́рое зда́ние Моско́вского университе́та?
   — Архите́ктором Казако́вым.
5. — Ка́к ты́ ду́маешь, музе́й уже́ закры́т?
   — Ду́маю, что ещё откры́т.
6. — Когда́ на́чато э́то строи́тельство?
   — Го́д наза́д.
7. — Чьи́м и́менем на́звана Моско́вская консервато́рия?
   — И́менем П. И. Чайко́вского.

5. *Read, making sure you pronounce each prepositional phrase as a single unit. Indicate the types of ICs. Dramatize the dialogues.*

в го́роде, на берегу́ мо́ря, на Кавка́зе, на Украи́не, о́коло до́ма, ря́дом с до́мом, пе́ред консервато́рией, над столо́м. под сту́лом, по́ лесу, недалеко́ от Москвы́, за́ городом.

1. — Где́ вы́ живёте?
   — Недалеко́ от Москвы́, за́ городом.
   — А рабо́таете вы́ то́же за́ городом?
   — Не́т, рабо́таю я́ в Москве́.

2. — Ка́к вы́ е́здите на рабо́ту?
   — Я́ не е́зжу, я́ хожу́ пешко́м. Я́ живу́ ря́дом с институ́том. А вы́?
   — Я́ то́же живу́ недалеко́ от заво́да, где я рабо́таю. Я́ е́зжу на метро́. Ста́нция метро́ о́коло моего́ до́ма.
3. — Где́ вы́ обы́чно отдыха́ете?
   — В Крыму́ и́ли на Кавка́зе. А вы́?
   — А я́ бо́льше люблю́ Приба́лтику. На ю́ге для меня́ сли́шком мно́го со́лнца.
4. — Вы́ не ска́жете, где́ здесь метро́?
   — На то́й стороне́ у́лицы, во́н за те́м до́мом.
   — Спаси́бо.
5. — На како́й у́лице вы́ живёте?
   — На у́лице Че́хова.
   — Э́то далеко́ отсю́да?
   — Не́т, недалеко́. Две́ авто́бусные остано́вки.
6. — Ната́ша, пое́дем за́втра за́ город.
   — А что́ та́м де́лать?
   — Погуля́ем по́ лесу.
   — Мне́ не хо́чется никуда́ е́хать. У меня́ пе́ред до́мом большо́й па́рк. Мы́ та́м хо́дим зимо́й на лы́жах, а ле́том гуля́ем.
7. — Ты́ не зна́ешь, где́ мо́й слова́рь? Нигде́ не могу́ его́ найти́.
   — Я́ ви́дела его́ на по́лке над столо́м.
   — А где́ моя́ ру́чка?
   — Во́н лежи́т под сту́лом. На́до все́ ве́щи кла́сть на свои́ места́, тогда́ не ну́жно бу́дет иска́ть и́х.

6. *Read, making sure you pronounce each prepositional phrase as a single unit. Indicate the types of ICs. Dramatize the dialogues. Compose similar dialogues.*

в Москве́, в Москву́, из Москвы́; в институ́те, в институ́т, из институ́та, в теа́тре, в теа́тр, из теа́тра; в магази́не, в магази́н, из магази́на; у врача́, к врачу́, от врача́.
1. — Куда́ ты́ идёшь?
   — В институ́т. А ты́?
   — А я́ из институ́та.
   — Ты́ не ви́дел в институ́те Пе́тю?
   — Не́т, не ви́дел.
2. — Куда́ ты́ ходи́ла?
   — К подру́ге.
   — Та́к до́лго была́ у подру́ги?
   — Почему́ до́лго? Я́ пришла́ от неё ча́с наза́д. Пото́м я́ ещё ходи́ла в мага́зи́н.
3. — Куда́ вы́ е́здили?
   — На Кавка́з.
   — Вы́ до́лго бы́ли на Кавка́зе?
   — Не́т, недо́лго. Две́ неде́ли.
4. — Что́ ты́ бу́дешь де́лать ве́чером?
   — Пойду́ в теа́тр.

14*

— А когда́ вернёшься из теа́тра?
— В де́сять часо́в.
— Дава́й я тебя́ встре́чу у теа́тра, и мы́ немно́го погуля́ем.
— Хорошо́.

7. *Read aloud. Indicate the types of ICs. Dramatize the dialogues. Compose similar dialogues.*

мы́ хоте́ли бы пое́хать, о́н хоте́л бы купи́ть, она́ бы купи́ла, они́ бы пое́хали.

1. — Что́ ты́ сего́дня собира́ешься де́лать ве́чером?
— Не зна́ю. Зна́ю то́лько, что я́ бы не хоте́л сего́дня сиде́ть до́ма оди́н. Я́ бы пошёл куда́-нибудь.
— Куда́? В кино́, в го́сти, в рестора́н?
— Слу́шай, дава́й пойдём в рестора́н. Мы́ же сда́ли сего́дня после́дний экза́мен.
— С удово́льствием. Я́ бы то́лько позвони́л и пригласи́л на́ших ребя́т: Ма́шу, Серёжу, Андре́я, Ната́шу.
— Коне́чно, дава́й и́м позвони́м.

2. — Ка́к по-тво́ему, что́ на́м купи́ть Ната́ше на де́нь рожде́ния?
— Я́ бы хоте́л подари́ть е́й кни́гу, кото́рую она́ хо́чет, но нигде́ не могу́ её найти́.
— А я́ бы подари́л е́й цветы́ и конфе́ты. Все́ же́нщины лю́бят цветы́ и сла́дкое.
— Хорошо́. Дава́й ку́пим цветы́ и конфе́ты.

3. — Я́ бы купи́ла во́т э́то пла́тье.
— А я́ бы не ста́ла его́ покупа́ть. По-мо́ему, оно́ некраси́вое и сли́шком дорого́е.

4. — Куда́ Серге́й хо́чет поступа́ть по́сле шко́лы?
— Он хоте́л бы поступа́ть в университе́т на биологи́ческий факульте́т.
— А по-мо́ему, ему́ ну́жно бы́ть худо́жником. У него́ тала́нт.

8. *Read, paying attention to the pronunciation of expressions of gratitude. Dramatize the dialogues. Compose similar dialogues.*

Спаси́бо. Большо́е спаси́бо. Большо́е ва́м спаси́бо. Спаси́бо за по́мощь. Спаси́бо за поздравле́ние.

1. — Ири́на Ива́новна, большо́е спаси́бо ва́м за по́мощь.
— Не́ за что. Я всегда́ ра́да ва́м помо́чь.

2. — Ната́ша, я купи́л ва́м биле́ты в кино́.
— Спаси́бо большо́е.
— Пожа́луйста.

3. — Поздравля́ем ва́с. Жела́ем сча́стья.
— Большо́е спаси́бо.

4. — Спаси́бо за обе́д. Всё бы́ло о́чень вку́сно.
— На здоро́вье. Мне́ о́чень прия́тно, что ва́м понра́вилось.

5. — Ната́ша, пойдём с на́ми сего́дня в теа́тр.
— Спаси́бо за приглаше́ние, но я́ сего́дня не могу́.

9. *Read, paying attention to the intonation of verbal adverb constructions.*

                                    4
    Верну́вшись в университе́т осенью,/студе́нты расска́зывали о своём путе-
ше́ствии по Сре́дней Азии.
          1

                                    3
    Верну́вшись в университе́т осенью,/студе́нты расска́зывали о своём путе-
ше́ствии по Сре́дней Азии.
          1

                          3   1
    Изуча́я ру́сский язык,/вы́ должны́ мно́го читать.
                 4   1
    Изуча́я ру́сский язык,/вы́ должны́ мно́го читать.

                                   4
    Путеше́ствуя по Сре́дней Азии,/мы́ знако́мились с па́мятниками дре́вней
          1
архитекту́ры,/с исто́рией страны.
                1

                                   3
    Путеше́ствуя по Сре́дней Азии,/мы́ знако́мились с па́мятниками дре́вней
          1
архитекту́ры,/с исто́рией страны.
                1

10. *Read the text, paying attention to speed, fluency and intonation.*

Приглаше́ние к путеше́ствию

                               1   3
    В де́тстве я мечта́л ста́ть путешественником,/но ви́дел то́лько Москву, где
                                1
я роди́лся,/и небольшо́й городо́к недалеко́ от Москвы,/в кото́ром прошла́ ча́сть
   1
моего́ детства.

                                       4
    Поезда́ пробега́ли ми́мо на́шей станции,/унося́ мою́ мечту́ к высо́ким го-
4   1
рам,/к далёким моря́м и океанам.

          1   1   4
    Прошло́ нема́ло лет. Я мно́го е́здил по стране. Бы́л в Каракумах,/на Се́верном
4   4   4
полюсе,/на берега́х Балти́йского моря,/в Сибири/и на Да́льнем Востоке. Эти
                              4   1
пое́здки дава́ли мне́ возмо́жность видеть,/ка́к изменя́ется лицо́ страны. И, мо́жет
                          1
бы́ть, поэ́тому я́ могу́ ста́ть ва́шим гидом.

                       2   3   2
    Ка́к мы́ начнём на́ше путешествие? Мо́жет бы́ть, мы́ пое́дем в горы? Но куда́?
3   3   3
На Урал? На Кавказ? На Памир?

                       3   1   1
    Ура́льские горы — /о́чень старые го́ры,/они́ невысокие. И человек,/впервы́е
                          3   1
е́дущий из Москвы́ на восток,/мо́жет прое́хать, не заметив и́х. Если вы́ хоти́те
                         3   1   1
увидеть что́-нибудь необыкновенное,/то поезжа́йте на Памир. Это высочайшие
                                 3
го́ры. Особенно краси́в быва́ет Памир,/когда́ у́тром появля́ется солнце.

                                         3
    А мо́жет бы́ть, вам интере́сно посмотре́ть места,/где ра́ньше никогда́ не быва́л
1
человек?

До́лго на географи́ческой ка́рте [4]Росси́и/бы́ло мно́го «[1]бе́лых пятен»: Путе-[4]шественники,/[4]геогра́фы/вели́ нау́чную рабо́ту,/[1]но их бы́ло о́чень мало. В нача́ле [3]XX века/во всей Сиби́ри ·рабо́тал то́лько [1]оди́н госуда́рственный геолог.

В студе́нческие [3]го́ды/[1]я мно́го путеше́ствовал по ма́ло изу́ченным [3]Памиру/и Тянь-Шаню.

Ста́в [3]взрослым,/[1]я по́нял, что ещё [3]интере́снее,/[4]путеше́ствуя, знако́миться с [1]культу́рой прошлого. Как па́мятники ка́ждой эпохи/[4]остаю́тся на земле́ горо-[4]да,/кана́лы и сады,/[1]пе́сни и танцы.

Страна́ — э́то не про́сто земля. [1]Это земля,/[3]на кото́рой живу́т люди. В Сове́т-ском Сою́зе [1]живёт 270 миллио́нов человек. И е́сли ве́жливый го́сть захо́чет ска-[3]за́ть «здра́вствуйте» на языка́х наро́дов, живу́щих в СССР,/он до́лжен бу́дет [1]вы́учить бо́лее 100 (ста́) слов.

Вы мо́жете посети́ть [1]ра́зные респу́блики:/познако́миться с нефтя́никами [4]Азербайджа́на,/колхо́зниками Украи́ны, Сре́дней А́зии и [4]Грузии,/рыбака́ми Приба́лтики. Вы познако́митесь с [1]ра́зными национа́льностями,/[1]с ра́зными тради-циями,/кото́рые выража́ются в [4]архитекту́ре городо́в,/[4]в иску́сстве,/в наро́дном [4]тво́рчестве,/в то́м, что лю́ди говоря́т на [4]ра́зных языках,/[4]по-ра́зному одева́ются,/по-ра́зному встреча́ют гостей. Вы послу́шаете их [1]национа́льные песни,/посмо́трите [1]национа́льные танцы. Я наде́юсь, что в ка́ждом тако́м [3]путеше́ствии/вы́ откро́ете [1]что́-то новое.

Вы познако́митесь с дре́вними города́ми в Сре́дней А́зии и на Кавка́зе,/[1]таки́ми [4]как Бухара,/[4]Самарканд,/[4]Ерева́н/и Тбилиси.

Вы мо́жете мно́го ме́сяцев е́здить по дре́вним ру́сским [1]города́м. Вы хоти́те [3]зна́ть, интересно ли э́то? По-мо́ему, очень интере́сно/и ва́м не будет ску́чно. Я уве́-рен:/[3]чтобы уви́деть что́-то интересное,/не на́до е́хать [1]сли́шком далеко. Мно́го [3]интере́сного есть в це́нтре [1]Росси́и,/в Москве́/и около Москвы́. Во́т, наприме́р, [1]го́род Влади́мир. Он нахо́дится недалеко́ от Москвы (178 киломе́тров). [1]Го́род бы́л осно́ван в 1108 [4]году/на высо́ком берегу́ [4]реки/Влади́миром Мономахом/[1]и на́-зван его́ именем.

В XII ве́ке/Влади́мир бы́л столи́цей Влади́мирско-Су́здальской земли́,/одни́м из са́мых краси́вых и бога́тых городо́в се́веро-восто́чной Руси́.

Путеше́ствие во Влади́мир/откро́ет пе́ред ва́ми не́сколько страни́ц исто́рии ру́сского наро́да.

Подъезжа́я к го́роду,/вы́ заме́тите дре́вние собо́ры. В нача́ле гла́вной у́лицы го́рода/вы́ уви́дите Золоты́е воро́та. Их стро́или 6 лет (1158—1164 г.). Золоты́е воро́та бы́ли ча́стью кре́пости,/кото́рая защища́ла го́род от враго́в. Золоты́е воро́та по́мнят тяжёлые времена́ монго́ло- тата́рского и́га,/когда́ враги́ вошли́ в го́род,/когда́ горе́л го́род,/горе́ли его́ деревя́нные дома́ и собо́ры,/когда́ бы́ли уби́ты все́ жи́тели го́рода. По́мнят Золоты́е воро́та и други́е собы́тия.

Зде́сь влади́мирцы встреча́ли отря́ды Алекса́ндра Не́вского,/победи́вшие неме́цких рыцарей (1242 г.),/а́рмию Дми́трия Донско́го (1380 г.). Через Золоты́е воро́та проходи́ли отря́ды Дми́трия Пожа́рского,/освобожда́вшие ру́сскую зе́млю от по́льско-лито́вских интерве́нтов.

Во вре́мя пра́здников/открыва́лись две́ри Успе́нского собо́ра. Собо́р бы́л постро́ен в 1158 году́. Та́м нахо́дятся произведе́ния худо́жников XII—XVII ве́ков,/чьи́ имена́ на́м неизве́стны,/и фре́ски знамени́того древнеру́сского ма́стера Андре́я Рублёва.

Мо́жно до́лго ходи́ть по Влади́миру,/и жа́ль уезжа́ть из го́рода. Но на́с ждёт Су́здаль! И е́сли вы́ не уста́ли,/мы́ пое́дем в Су́здаль.

Вы́ интересу́етесь, далеко́ ли е́хать до Су́здаля. Нет,/недалеко́. Через два́дцать мину́т/вы́ на авто́бусе прие́дете в Су́здаль,/го́род,/кото́рый явля́ется архитекту́рным запове́дником. Зде́сь не стро́ят совреме́нные зда́ния,/поэ́тому го́род мы́ ви́дим почти́ таки́м,/каки́м он бы́л мно́го веко́в наза́д.

Выбира́йте любо́й маршру́т. Пе́ред ва́ми больша́я и интере́сная страна́. И знако́мясь с па́мятниками совреме́нной культу́ры,/с па́мятниками про́шлых веко́в,/постара́йтесь поня́ть тех,/кто́ и́х создава́л и создаёт,/постара́йтесь бо́льше узна́ть о лю́дях,/кото́рые явля́ются на́шими совреме́нниками.

D. Davidson

FORMATION PRACTICE

Unit 1

---

1. *The following group of Russian words are given in basic sounds. Rewrite each word in Cyrillic.*

    banán, vagón, Bostón, Antón, kássa, Moskvá, Ánna, móst, oknó, zavód, zúb, gáz, kóška, Dón, Tóm.

2. *Rewrite each of the following words in Cyrillic.*

    já, mojá, mojó, jólka, jéxal, dajót, pójezd, máj, vojná, tvój, júmor, sojúz, stoít, stója, moí.

3. *Express the following words in basic sounds.*

    юг, каюта, стой, Джейн, уютный, твоя, твоё, подойду, ела, Ялта, тайга, новый, дуют, Иван.

4. *Express the following words in' basic sounds.*

    Катя, Зина, сын, спасибо, один, газета, институт, здесь, книга, нет, письмо, тётя, ты, эта, эти.

5. *Rewrite each of the following words in Cyrillic.*

    zov'ót'e, d'én', ijún', d'ét'i, n'án'a, etáž, ós'en', ut'úg, n'ébo, kot'ónok

6. *Express the following words in basic sounds.*

    ваша, ваше, ваши, наше, наши, ошибка, шесть, шуба, машина, шапка.

.7. *Rewrite the following words in Cyrillic.*

    vagóni, káša, noží, vášo[1], vášu, váši, Máša, Máši, dušój, Mášu, šápki, sv'éžij, af'íšoj, nožóm, múžom.

---

    [1] Note that the dieresis form of basic *o* (ё) is not spelled unless it is under stress. Hence the Cyrillic letter e may be ambiguous: стена "wall", *st'ená*, but жена "wife" *žoná*.

8. (a) *Rewrite the words expressed in basic sounds in Cyrillic.*
(b) *Express the words given in Cyrillic in basic sounds.*

(a) s'em'já, d'ád'a, dn'ú, zov'ót; (b) céмя, пьют, Татья́на, статьёй.

9. *Form the plurals of each of the following nouns or noun phrases. (See Analysis 1, 5.1, 6.3)*

Model: ваго́н — ваго́ны

(a) авто́бус, ка́сса, магази́н, институ́т, газе́та, студе́нт, ко́мната, заво́д;
(b) апте́ка, студе́нтка, бу́ква, ма́ма, тётя, маши́на, соба́ка, год;
(c) письмо́, окно́, зда́ние, оши́бка, музе́й, бума́га, ко́шка, а́том;
(d) моя́ ко́мната, наш институ́т, ва́ше окно́, твой ваго́н, наш заво́д, моё письмо́, ва́ша оши́бка, на́ша ма́ма.

Unit 2

1. *Rewrite each of the following verb stems in Cyrillic.*

Model: govor'i- — говори́-

znáj-, otdixáj-, rabótaj-, žív-[1], čitáj-, d'élaj-, pon'imáj-, ležá-, izv'in'í-.

2. *Mark each of the verb stems in Exercise 1 with a "C" if the stem ends in a consonant, and "V" if the stem ends in a vowel. Now do the same for the following group of unfamiliar verb stems.*

v'ér'i-, vspom'ináj-, vspómn'i-, r'isová-, g'íbnu-, gul'áj-

3. *Add the first-person singular ending (-u) to each of the following basic stems. State in each case whether augmentation or truncation of the stem element occurs. (See Analysis 1.4.)*

žív-, znáj-, l'ežá-, govor'i-

4. *Supply complete present tense conjugations for each of the following stems. Write out each form in basic sounds, then in Cyrillic. (Remember that there is automatic softening of any paired consonant before first conjugation -'o-.)*

otdixáj-, rabótaj-, žív-, izv'in'í- (II conj.)

5. *Supply present tense, past tense and infinitive forms for each of the following basic stems. Indicate in each case the type of juncture involved: CV, CV, CC, VV. (See Analysis 1.1, 1.2, 1.3 and 1.4.)*

---

[1] × indicates shifting stress. (See Analysis 1.5.)

(a) *slúšaj-* "listen", *úžinaj-*"have supper", *govor'í-* II "speak", *stán-* "become";

(b) *l'ežá-* II "be lying", *plív-* "swim", *pon'imáj-* "understand", *žĭv-* "live".

6. *Supply present tense, past tense and infinitive forms for each of the following basic stems. These stems are for practice only and need not be learned at this stage.*

dúj- "blow", *strói* - II "build", *gor'é-* "burn", *orá-* "yell", *dúmaj-* "think", *tolknú-* "push".

7. *Use each of the following nouns in a prepositional phrase with* в *"in" or* на *"on". (See Analysis 4.0, 4.1). The index B after a noun indicates that the stress falls on the ending. (Refer to* Commentary Appendix: Stress Patterns in Russian Nouns.)

магази́н, журна́л, апте́ка, гости́ница, Ки́ев, кни́га, Нью-Йо́рк, Босто́н, сто́л B, Я́лта, окно́ B, уче́бник, Ленингра́д, Москва́, шко́ла, до́м, Ри́га, институ́т, больни́ца, письмо́ B, Росто́в, кварти́ра, газе́та.

8. (a) *Rewrite the words expressed in basic sounds in Cyrillic.*
(b) *Express the words given in Cyrillic in basic sounds.*

(a)		(b)	
jábloko	dóbrije	Евро́па	идя́
b'il'ét	ješčó	Украи́на	чьё
árm'ija	pál'ec	щи́	ча́й
g'erój	nášo	сва́дьба	растёт
d'iván	šit'jó	эне́ргия	то́т
ps'ix'iátr	váši	Со́фья	полы́
d'ád'a	p'ilót	софа́	Илья́
ijúl'	pol'ót	ши́на	го́сть
sinov'já	pol'jót	еда́	Байка́л

Unit 3

1. *Combine the nouns* портфе́ль *and* ру́чка *with the adjectives given below. Mark stress in each word. Pay close attention to spelling with stems ending in* к *or* ш. *(See Analysis 1.1.)*

ста́рый, ма́ленький, большо́й, краси́вый, хоро́ший, плохо́й.

2. *Write down all forms of the cardinal and ordinal numerals from 1 to 10. Practice pronouncing both cardinal and ordinal numerals. Memorize them. (See Analysis 2.0.)*

3. *Write down noun phrases consisting of the following nouns and each of the ordinal numerals from 1 to 10.*

Model: журна́л — пе́рвый журна́л, второ́й журна́л, тре́тий журна́л, etc.

до́м, у́лица, зда́ние.

4. *Use each of the following noun phrases in a prepositional phrase with* в *or* на. *(See Analysis 5.0.)*

моя́ кварти́ра, на́ш сто́л В, тво́й го́род, ва́ша библиоте́ка, э́тот до́м, та́ больни́ца, мо́й институ́т, твоё письмо́, на́ша шко́ла, то́т магази́н, э́та кни́га, э́тот ба́нк, ва́ш журна́л, на́ша гости́ница, на́ш уче́бник, э́тот сту́л.

5. *Form plurals from each of the following nouns or noun phrases. (See Analysis 8.0.)*

мо́й дру́г, на́ш теа́тр, э́тот музе́й, ва́ш сы́н, то́т челове́к, мо́й това́рищ, на́ша дере́вня, то́т писа́тель, э́тот францу́з, тво́й бра́т, мо́й сту́л, ва́ш му́ж, на́ш ребёнок, э́тот гео́лог, та́ де́вушка, на́ше зда́ние, ва́ша лаборато́рия.

6. *Use each of the following nouns in prepositional phrases with* в *or* на. *(See Analysis 7.0.)*

сто́л, магази́н, исто́рия, общежи́тие, музе́й, газе́та, биоло́гия, кафете́рий, го́род, зда́ние, дере́вня, лаборато́рия, журна́л, А́нглия, Росси́я, це́нтр, Аме́рика, аудито́рия.

7. *Rewrite the words expressed in basic sounds in Cyrillic and express the words given in Cyrillic in basic sounds. Contrast the structure, pronunciation and spelling of the three words in each set.*

lót, l'ót, l'jót; zovú, r'ev'ú, v'jú; glazá, n'el'z'á, druz'já; ну́, меню́, свинью́; да́та, дитя́, stat'já; živom, живём, живьём; му, т'u, семью́; Светла́нка, pol'ánka, италья́нка; domá, вре́мя, s'em'já; éга, ме́ра, премье́ра.

8. *Supply present tense, past tense and infinitive forms for each of the following basic stems. Mark stress in each.*

d'élaj-, slíša- II, ob'édaj-, l'ežá- II, žĭv-

Unit 4

1. (a) *Give short answers to the question, using each of the noun phrases listed below.*

О чём говоря́т студе́нты?

Моско́вский университе́т, на́ш теа́тр, иностра́нный фи́льм, ма́ленькая дере́вня, Чёрное мо́ре, э́та рабо́та, ты́ и тво́й институ́т, неплохо́й худо́жник, мы́, Ива́н Ива́нович, больша́я река́, вы́ и ва́ша сестра́, они́, студе́нческий ла́герь, но́вый самолёт, интере́сная статья́, я́ и мо́й това́рищ, на́ша но́вая у́лица.

(b) *Give short answers to the question, using each of the nouns or noun phrases listed below.*

Где́ был ваш това́рищ?

восто́к, рестора́н, Большо́й теа́тр, ва́ша ле́кция, Ленингра́дский университе́т, ваго́н, конце́рт, за́пад, центр, Сове́тский Сою́з, пра́ктика, Чёрное мо́ре, но́вый институ́т, Оде́сса, Кавка́з, Ки́ев, друго́й заво́д, э́та аудито́рия, ма́ленький магази́н, на́ше но́вое общежи́тие, Ура́л, стадио́н.

(c) *Give short answers to the question, using each of the pronouns or proper names given below.*

О ком ду́мает Ка́тя?

Ни́на Миха́йловна, Серге́й Ива́нович, Ли́за, Йра, Са́ша, ты, Степа́н Фёдорович, Джон и его́ брат, он и́ли она́, я, мы и на́ша шко́ла, Бори́с, Ве́ра Анто́новна, они́, вы и ваш сын, ты и твоя́ сестра́, Джейн.

2. *Rewrite the following forms in Cyrillic.*

xorošó, xoróšom, xoróšij, bol'šój, bol'šája, vášom, náši, žíl'i, tancovát', čéj, čjá, čjéj, čjóm, jajcó.

3. *Supply present tense, past tense and infinitive forms for each of the following basic stems. Mark stress in each.*

gul'áj-, vspom'ináj-, plávaj-, rasskázivaj-.

4. *Study and learn the forms of the irregular verb* быть *"be". Write down a complete conjugation of the verb. (See Analysis 6.0.)*

Unit 5

1. *Complete the sentence, using each of the nouns and noun phrases in the genitive case. (See Analysis 1.2.)*

Э́то кварти́ра ... .

Анто́н, А́нна, брат, сестра́, Мари́я, студе́нт, студе́нтка, хи́мик, профе́ссор, учи́тель, Дми́трий, Андре́й Ива́нович, Юрий Петро́вич, Юлия Семёновна, худо́жник, Джон и Ка́тя, оте́ц, био́лог, писа́тель.

2. *Complete the sentence, using each of the noun phrases in the genitive case. (See Analysis 2.4, 2.5.)*

Это фотография ... .

наш институт, моя школа, его комната, большая квартира, новое общежитие, этот молодой человек, их новая библиотека, высокая гора, быстрая река, немецкий журнал, советский геолог, студенческий лагерь, университетское здание, мой отец, английская деревня, старый самолёт, небольшая лаборатория, твоя сестра, хороший ресторан, её брат.

3. *Complete the sentence, using the words listed below in the accusative case. (See Analysis 2.2.)*

Марк Антонович хорошо знает... .

география, этот город, твой брат, Анна Ивановна, Москва, Дмитрий Сергеевич, Чёрное море, театр, Борис, Кавказ, медицина, экономика, ваш отец, физика, профессор Браун, эта работа, наш университет, Одесса, Мария Даниловна, Ленинград, Джон и его сестра, природа СССР, наш институт, эта газета, муж Сони, он и она, подруга Ани, физика, я, Киев, музыка.

4. *Complete the sentence, using the words given in Exercise 3.*

Виктор Михайлович часто говорит о (об) ... .

5. *Complete the two sentences, using the noun phrases listed below.*

1. Я хорошо помню ..... 2. Аня часто думала о (об) ... .

этот интересный писатель, эта молодая девушка, ваша новая библиотека, Большой зал консерватории, московское метро, ты и твоя машина, брат Ольги, Рига и Латвия, вы и ваша сестра, отец Сергея, столица Молдавии.

6. *Conjugate the following stems. Remember to write -ся after consonant endings and -сь after vowel endings. (See Analysis 6.0.)*

sm'ejá-s'a "laugh", *vstr'ečáj-s'a* "meet", *strói -s'a* "build".

7. (a) *Supply all six present tense forms for each of the following basic stems. State the conjugation type of each (I or II), take note of possible alternation of consonants and observe whether stress is fixed or shifting. Mark stress in each form.*

p'isá-, v'id'e-, l'ub'í-, izučáj-, l'ežá-

(b) *Give the infinitive and four past tense forms for the following stems. Mark stress throughout.*

vstr'ečáj-, stán-, skazá-, pliv- "swim"

(c) *Supply complete conjugations for each of the following stems.*

sob'iráj-, stojá- II, naxod'í-s'a, v'is'é-, spros'í- "ask"

8. *Write down complete conjugations for each of the following stems. These stems are for practice only and need not be learned at this stage. Mark stress throughout.*

molčá- "be silent", *organ'izová-* "organize", *zakriváj-* "close", *r'éza-* "cut", *sliv-* "be known as", *nos'i-* "carry", *vstr'ét'i-* "meet", *smotr'e-* "watch", *dr'ema-* "doze", *r'ešáj-* "solve", *r'eši-* "solve", *pláka-* "cry", "weep", *plát'i-* "pay", *r'ekom'endová-* "recommend", *skr'ip'é-* "squeak", *rokota-* "roar".

Unit 6

1. *Learn the following pairs of stems and be prepared to conjugate each of them orally or in writing.*

vspom'ináj-/vspómn'i-, otdixáj-/otdoxnú-[1], p'isa-/nap'isa-, r'ešáj-/r'eši-, uči-/víuči-, gotóv'i-/pr'igotóv'i-, rasskázivaj-/rasskaza-, končáj-/kónči-, d'élaj-/sd'élaj-, otv'ečáj-/otv'ét'i-, p'er'evod'i-/p'er'ev'od-[2], sprášivaj-/spros'i-, čitáj-/pročitáj-.

2. *Be prepared to count by tens in Russian to 1000. Learn the ordinal numerals for the teens, tens and hundreds, and write them down. (See Appendix). In writing down numbers (cardinal and ordinal) pay close attention to the position of the soft sign. The soft sign is at the end of cardinal numerals below 40, but in the middle after 40.*

пятнáдцать — пятьдеся́т, пятьсóт
семнáдцать — сéмьдесят, семьсóт

3. *Compose and write down noun phrases consisting of the following nouns and each of the ordinal numerals supplied. Mark stress.*

(a) 11th, 15th, 19th, 20th, 23rd, 30th, 31st (день, число)
(b) 40th, 52nd, 69th, 87th, 95th, 99th (номер, квартира)

Unit 7

1. *Write down complete conjugations for the perfective verbs pojm-* "understand" *and načn-* "begin". *(See Analysis VII, 9.0-9.2 and consult Appendix VI, II, A, 5). Mark stress in each form.*

---

[1] See Appendix, Summary List 1,8.
[2] See Appendix, Summary List II, B,1.

222

2. *Study and learn the forms of the verb pair* мóчь/смóчь. *Write down complete conjugations of each. State what feature(s) of this verb cause it to be classified as irregular. (See Analysis 5.0.)*

3. *Write down imperative forms for the following stems. Mark stress in each. (See Analysis 6.1, 6.2.)*

   p'isá-, govor'í-, obsuždáj-, p'er'evod'í-, pokázivaj-, pokazá-, učí-, sprášivaj-, spros'í-, stán-, d'iktová-, pojm-, način-, načináj-, poznakóm'í-, otv'ečáj-, vístup'í-, vistupáj-, kónčí-.

4. *Supply imperative forms for the following stems. These stems are for practice only and need not be learned at this stage.*

   molčá-, pliv-, voz'í-, maxá-, vstán-, pl'asá-, s'ist'emat'iz'írova-, t'anú-, v'od-, disá-, stáv'i-, v'aza-, m'en'áj-, kr'iknu-

5. *Write down complete conjugations (present and past tense, infinitive and imperative forms) of the verbs* z/vá- *"call" and* b/rá- *"take". (See Analysis and Appendix VI, 1. 4.)*

6. *Although the two new classes of verbs introduced in Unit VII (non-syllabic -a types, and non-syllabic -m and -n) represent small and non-productive groups in modern Russian, their occurrence is frequent enough to warrant thorough mastery. Practice the patterns of these small groups by conjugating other verbs of the same type. (For practice only.)*

   d/rá- *"flay"*, zajm- *"occupy"*, žn- *"reap"*, sobl/rá- *"collect"*, najm- *"hire"*, nazl/vá- *"name"*.

7. *Complete the sentences, using the noun phrases given below. (See Analysis 1.1, 1.2, 1.3, 1.4.)*

   (a) Гáля пóмнит... .

   э́тот фи́льм, мóй учи́тель, вáше и́мя, твоя́ мáть f., егó дóчь f., Пýшкинская плóщадь f., нáш гóсть, нáша стáнция, э́тот актёр.

   (b) Пéтя говори́л о (об) ... .

   вáша дóчь f., плóщадь Маякóвского, э́то врéмя, твоё и́мя, мáть Елéны, моя́ тетрáдь, совремéнный поэ́т, Сиби́рь, нóвая лаборатóрия, нáш преподавáтель, её учи́тельница.

8. *Form patronymics (both male and female) from the following names. Write out each name in transcription first, then add the formant -ov (-ов) and -ič (-ич) or -na (-на). In contemporary Russian many first names ending in -ij (-ий) lose the -i-*

223

in patronymic derivation; for example, Юрий *Júr'ij, but* Юрьевич *Júr'/j* + *ov* + + *ič. The patronymic from Dm'itr'ij does not lose the* -*i*: Дмитриевич *Dm'itr'ij* + + *ov* + *ič. Note carefully that loss of i in* -*ij nouns occurs only in patronymic derivation; nouns in* -*ij are declined regularly.*

Степа́н, Серге́й, Анто́н, И́горь, Алексе́й, Андре́й, Алекса́ндр, Фёдор, Макси́м, Влади́мир, Вади́м, Евге́ний, Дми́трий, Васи́лий, Григо́рий.

9. (a) *Express each of the following nouns in basic sounds.*

Model: зда́ние zdán'ijo

Австра́лия, судья́, кафете́рий, апре́ль, чего́, чьего́, общежи́тие, оте́ц, сестра́, серьёзность, самолёт, этажи́, семья́.

(b) *Rewrite each of the following words in Cyrillic.*

Model: čelov'ék человéк

čužój, s'em'éj, s'em'jój, l'icó, l'icé, l'icá, domášn'ij, jaziká, ekzót'ika, lúk, l'úk, šínoj.

Unit 8

1. *Form genitive plurals of the following nouns. (See Analysis 1.13.)*

ка́рта, студе́нт, ста́нция, стадио́н, река́, ла́мпа, маши́на, писа́тель, сто́л ВВ, до́м АВ, телегра́мма, зда́ние, ко́мната, по́чта, ва́за, буква́рь ВВ, го́сть АС, колле́кция, миллио́н, програ́мма, ры́ба, сувени́р, тури́ст, ты́сяча, фа́кт, геро́й, ма́льчик, до́ждь, шта́т, тетра́дь, мужчи́на, до́чь (до́чер-) АС, ма́ть (ма́тер-) АС, общежи́тие, наро́д, музе́й, отве́т, но́ж ВВ, автомоби́ль, телефо́н, ле́с АВ, актри́са.

2. *Form genitive plurals of the following nouns. (See Analysis 1.14.)*

письмо́ ВА, студе́нтка, окно́ ВА, сестра́ ВА, де́вушка, не́мка, статья́ ВВ, америка́нка, англича́нка, дере́вня АС, ма́рка.

3. *Form genitive plurals of the following nouns. Note stress throughout.*

инжене́р, университе́т, а́рмия, преподава́тель, учи́тельница, пласти́нка, учи́тель АВ, го́род АВ, ме́сто АВ, библиоте́ка, иде́я, рестора́н, до́ктор АВ, слова́рь ВВ, де́вочка, сло́во АВ, две́рь АС, аспира́нтка, семья́, чита́тель, оте́ц ВВ.

4. *Complete the sentence, supplying each of the noun phrases in the accusative plural.* *(See Analysis 1.12.)*

В э́том го́роде мы́ ви́дели ... .

институ́т, больни́ца, ста́рое и но́вое зда́ние, большо́й заво́д, фа́брика, совреме́нная гости́ница, университе́тская лаборато́рия, заводско́й стадио́н и клу́б, институ́тская аудито́рия.

5. *Read the sentences, then rewrite them, changing all nominative, accusative and genitive forms to the plural. (See Analysis 1.11, 1.12, 1.13.)*

1. Студе́нт чита́ет журна́л. 2. У студе́нта не́т словаря́. 3. Учи́тель в кла́ссе? 4. — Где́ стадио́н и теа́тр? — Зде́сь не́т стадио́на. 5. Ты́ получи́ла мою́ телегра́мму? 6. Чья́ э́то газе́та? 7. Э́тот а́втор ча́сто пи́шет о Сиби́ри. 8. Мы́ та́м уви́дели америка́нца, францу́за и ру́сского. 9. В э́том музе́е вы́ встре́тите инжене́ра и колхо́зника, поэ́та и профе́ссора, учи́тельницу и шко́льницу, студе́нтку и актри́су. 10. Геро́й э́того рома́на — молодо́й учи́тель. 11. В ко́мнате не́т большо́го дива́на. 12. В шко́ле бу́дет музыка́льный конце́рт.

6. *Count the following items in Russian. Write out all numerals. (See Analysis 2.11-2.13.)*

Model: сто́л ВВ: оди́н сто́л, два́ стола́, три́ стола́, четы́ре стола́, пя́ть столо́в, ше́сть столо́в, се́мь столо́в.

газе́та, зда́ние, миллио́н, ма́рка, копе́йка, де́нь, окно́ ВА, ру́бль ВВ, мину́та, ча́с ВВ, ты́сяча, тетра́дь *f.*, ма́льчик, де́вочка, и́мя АВ, до́чь АС, значо́к ВВ.

7. *Translate the following noun phrases and count them both orally and in writing, using the numerals 1, 2, 3, 4, 5, 9, 11, 12, 16, 19, 20, 21, 22, 30, 31, 33, 36. (See Analysis 2.14.)*

new house, large factory, small lamp, Russian dictionary, difficult article, old village, interesting film, young American *m.*, young American *f.*

8. *Supply full conjugations for each of the following stems. Mark stress throughout.*

b/ra̋-, vkl'učáj-, vkl'učí-, zȧvtrakaj-, ob'e̋daj-, objasn'í-, pokupáj-, kup'i̋-, smotr'e̋-, pr'iglas'í-

9. *Review the conjugations of all irregular verbs learned so far. (See Appendix VI, Inventory of Irregular Verbs.)*

хоте́ть, пе́ть, взя́ть, бы́ть, мо́чь (*See Analysis VII, 5.0.*)

10. *Supply complete conjugations (including imperatives) for each of the following verb stems. These stems are for practice only and need not be learned at this stage. Identify the verb class for each stem before beginning to conjugate. Mark stress throughout. Consult Appendix VI if necessary.*

ekzam'enová- (imp.) "examine", zȧjm- (p.) "occupy", osmotr'e̋-(p.) "examine" (*med.*), v'azȧ- (imp.) "tie", gl'ad'é- (imp.) "look at", žda̋- (imp.) "wait for", pl'ot- (imp.)

"plait", *mój-* (imp.) "wash", *pokrój-* (p.) "cover", *lov'i̽-* (imp.) "catch", *zastr'án-* (p.) "get stuck", *brosáj-* (imp.) "throw", *naučí-s'a* (p.) "learn", *mń-* (imp.) "crumple", *vorčá-* (imp.) "grumble", *voz'í̽-* (imp.) "haul"

Unit 9

1. *Study and learn the nouns connected with the expression of time. Pay particular attention to stress patterns.*

2. *Answer the question, using the units of time given below. (See Analysis 1.10, 1.12, 1.32.)*

Когда́ профе́ссор Орло́в бы́л в университе́те?

Saturday, Thursday, 2 o'clock, that evening, Friday, 12:30 P.M., 10:15 A.M., Tuesday, Wednesday, that day, Monday 8:41 P.M., Sunday, that morning, 4 o'clock.

3. *Answer the question, using the units of time given below. (See Analysis 1.42; III, 6.0.)*

Когда́ Вади́м Ю́рьевич ко́нчил писа́ть кни́гу?

September, June, this semester, July, August, this year, April, in 1979, February, March, in 1981, January, in 1978, October, May, December, November.

4. *Write out the dates of birth and death of each of the following famous Russian writers. (See Analysis 1.42.)*

Model: С. Т. Акса́ков (1791—1859)
Акса́ков роди́лся в ты́сяча семьсо́т девяно́сто пе́рвом году́ и у́мер в ты́сяча восемьсо́т пятьдеся́т девя́том году́.

В. Г. Бели́нский (1811—1848), Андре́й Бе́лый (1880—1934), А. А. Бло́к (1880—1921), Ф. М. Достое́вский (1821—1881), Н. В. Го́голь (1809—1852), И. А. Гончаро́в (1812—1891), Макси́м Го́рький (1868—1936), Н. М. Карамзи́н (1766—1826), М. Ю. Ле́рмонтов (1814—1841), М. В. Ломоно́сов (1711—1765), В. В. Маяко́вский (1893—1930), А. С. Пу́шкин (1799—1837), Л. Н. Толсто́й (1828—1910), И. С. Турге́нев (1818—1883), Ф. И. Тю́тчев (1803—1873), А. А. Фе́т (1820—1892).

5. *Answer the question, using the dates given below. (See Analysis 1.22, 1.43.)*

Како́го числа́ вы́ роди́лись?
23 June, 18 September, 6 May, 1 January, 13 February, 24 July, 30 November,

11 December, 8 April, 20 October, 20 March, 27 February, 19 May, 2 December, 4 November, 28 June, 2 July, 31 August, 15 March, 25 September.

6. *Compose complete sentences based on the following biographical data and write them down. Mark stress throughout. (See Analysis 1.43.)*

Model: А. С. Пу́шкин 6/VI 1799—10/II 1837 — Пу́шкин роди́лся шесто́го ию́ня ты́сяча семьсо́т девяно́сто девя́того го́да и у́мер деся́того февраля́ ты́сяча восемьсо́т три́дцать седьмо́го го́да.

Б. Фра́нклин 17/I 1706—17/IV 1790
Ви́льям Шекспи́р 23/IV 1564—23/IV 1616
Лю́двиг ван Бетхо́вен 16/XII 1770—26/III 1827
Ча́рльз Ди́ккенс 7/II 1812—9/VI 1870
Галиле́й 15/II 1564—8/I 1642
Ре́мбрандт 15/VII 1606—4/X 1669
Во́льфганг Мо́царт 27/I 1756—5/XII 1791
Ма́рк Тве́н 30/XI 1835—21/IV 1910
Серге́й Рахма́нинов 20/III 1873—28/III 1943
Серге́й Проко́фьев 11/IV 1891—5/III 1953
Э́дгар По 19/I 1809—7/X 1849

7. *Complete the sentence, using the nouns and noun phrases below in the prepositional plural. (See Analysis 2.1, 2.2.)*

Джейн говори́ла о (об)... .

краси́вое зда́ние, большо́й магази́н, ва́ша подру́га, рома́н Толсто́го, твоё общежи́тие, ста́рый уче́бник, интере́сная ле́кция, истори́ческий музе́й, гла́вный го́род страны́, э́тот профе́ссор, мо́й бра́т.

8. *Change the following Yes/No questions to indirect speech. (See Analysis 5.0.)*

Model: Ма́ть спра́шивает сы́на: «Ты́¹ сде́лал всё³ упражне́ния?»

«Ты́ сде́лал все³ упражне́ния?»
Ма́ть спра́шивает сы́на, сде́лал ли о́н всё упражне́ния.
Ма́ть спра́шивает сы́на, всё ли упражне́ния он сде́лал.

1. Ма́ть спра́шивает: «Ни́на³ включи́ла телеви́зор?»

«Нина включи́ла³ телеви́зор?»

2. Учи́тель спра́шивает ученика́: «Ты реши́л зада́чу?³»

«Ты реши́л все зада́чи?³»

3. Ира спра́шивает Та́ню: «Ты́ была́ сего́дня до́ма?³»

«Ты была́³ сего́дня дома?»

«Ты́ была́³ сего́дня до́ма?»

4. Де́вушка спра́шивает Джо́на: «Вы́ говори́те по-ру́сски?»
^{3}

«Вы́ хорошо́ говори́те по-ру́сски?»
^{3}

5. Ве́ра спра́шивает О́лю: «Вы́ давно́ живёте в э́той кварти́ре?»
^{3}

«Вы живёте в це́нтре?»
^{3}

Unit 10

---

1. *Change each of the following nouns or pronouns to the dative. (See Analysis 1.1, 1.2.)*

хиру́рг, слова́рь BB, гру́ппа, А́нна, геро́й, магази́н, руководи́тель, англича́нин, англича́нка, Сиби́рь, ты́ и я́, оте́ц, ма́ть, адвока́т, мы́, жена́, учи́тель, Дми́трий, Аме́рика, она́, бале́т, семья́, архео́лог, о́н, до́чь, космона́вт.

2. *Complete the sentence, using each of the noun phrases given below. (See Analysis 1.3.)*

А́лик показа́л свои́ фотогра́фии ... .

сво́й бра́т, её ма́ть, на́ш учи́тель, профе́ссор и его́ жена́, молода́я де́вушка, ста́рый това́рищ, но́вая учи́тельница, моя́ сестра́ и её подру́га, еди́нственный в на́шем го́роде архео́лог, рабо́чий, дире́ктор институ́та, мо́й хоро́ший дру́г, на́ш оте́ц, тво́й дя́дя, но́вый студе́нт, молода́я аспира́нтка, ва́ш сы́н, и́х до́чь.

3. *Be prepared to elicit, and respond to, the following information in Russian. (See Analysis 1.5.)*

Model: Ва́ня роди́лся в 1960 году́. Ско́лько ему́ ле́т сейча́с?
Ско́лько ему́ бы́ло ле́т 10 ле́т наза́д? (ago)
Ско́лько ему́ бу́дет ле́т через два́ го́да? (in, after)

Анто́н — 1956, Йра — 1969, мо́й де́душка — 1910, Са́ша — 1947, Бори́с Миха́йлович — 1931, А́ня — 1958, Ле́на — 1962, Дже́йн — 1943, Ники́та — 1954.

4. *Translate the sentences, using impersonal constructions throughout. (See Analysis 2.0, 2.1, 2.2.)*

Model: На́м бы́ло ве́село у Серёжи.

1. We will have a good time at Seryozha's. 2. It is hard for Oleg to solve these problems. 3. Is it too warm for you here? 4. It will be very simple for John. 5. I found it interesting at the meeting today. 6. Who has to be at the university today? 7. Anton had to buy a new textbook. 8. We must see the new film. 9. You

can't vacation in the South this year; you have to be in Moscow in June, July and August. 10. "May I sit here?" "No, you can't: Ira is sitting there." 11. It's boring for young Misha to live in the country; he should be living in a big city. 12. Smoking is not permitted on the first floor. 13. May I have a look at the photograph?

5. *Combine each of the following pairs of simple sentences into a complex sentence, using the appropriate form of* кото́рый.

Model: Вот но́вый слова́рь. Я его́ купи́л вчера́.
Вот но́вый слова́рь, кото́рый я купи́л вчера́.

1. Вот но́вая кни́га. Я купи́л её вчера́.
Вот но́вые пласти́нки. Я купи́л их вчера́.
Вот но́вое пальто́. Я купи́л его́ вчера́.
Вот но́вый уче́бник. Я купи́л его́ вчера́.
2. Ми́ша чита́ет статью́. Её написа́л профе́ссор Орло́в.
Ми́ша чита́ет статью́. О ней сего́дня говори́л профе́ссор Орло́в.
Ми́ша чита́ет статью́. В э́той статье́ мно́го интере́сных цифр.

6. *Supply complete conjugations for each of the following stems.*

iskà-, borò-s'a, dar'í-, naxod'í-, pómn'i-, p'er'edaváj-, ud'iv'í-s'a, molčà-

7. *Write down complete conjugations of the following four irregular verbs. (See Appendix,* Inventory of Irregular Verbs.)

забы́ть (забу́дут) (fixed stress!); помо́чь (помо́гут) (see VII 5.0), найти́ (найду́т) (see идти́); переда́ть (передаду́т) (see дать);

8. *Supply complete conjugations for the following verb stems. Mark stress in each form. (See Analysis X, 4.0 for* -aváj- *stems.)*

sob'iráj-s'a / sob/rà-s'a, otkriváj-/otkrój-, vstaváj-/vstán-, zam'ečáj-/zam'ét'i-, čúvstvova- (imp.), sad'í-s'a[1] (imp.), slìsa- (imp.), rod'í-s'a (imp. & p).

Unit 11

1. *Study and learn all forms of the irregular verbs* идти́ *and* е́хать. *One additional (unidirectional) irregular verb,* бежа́ть[2] *"run", also occurs in this unit for passive use. For its forms see Appendix,* Inventory of Irregular Verbs. *(See Analysis 2.22.)*

---

[1] *sad'í-s'a* "sit down" has the perfective counterpart, сесть (ся́дут), which is an irregular verb. (See Appendix, Inventory of Irregular Verbs.)
[2] The multidirectional counterpart is *b'égaj-*.

2. *Write down complete conjugations for the following two stems in -ṣ and -**z**, which occur in this unit. (See Analysis 2.21.)*

*n'os-́, v'o**z**-́*

3. *Supply complete conjugations for the following stems in -**s** and -**z**. These stems are for practice only and need not be learned at this stage.*

tr'as-́ "shake", *l'éz-* "crawl", *pas-́* "pasture"

4. *The four multidirectional verbs encountered in this unit happen to be **i**-stems. Review the rules for conjugating verbs of this class and write down complete conjugations for each of the stems.*

*xod'**i̽**-, jézd'**i**-, nos'**i̽**-, voz'**i̽**-*

5. *Complete the sentences, using the noun phrases given below in both the singular and the plural. Take careful note of stress and of those nouns which have a special "locative" **ú**-ending in the singular.* (*See Analysis XI, 3.0.*)

Бы́ло ти́хо в (на) ... .

здáние, пáрк, сáд, дóм, квартúра, лéс, стадиóн, теáтр, бéрег, клáсс, лаборатóрия, мóст, больнúца, аудитóрия, автóбус, шкóла, семинáр, мáленькая кóмната, большóй сáд, пустóй трамвáй, большáя лабораторúя, бéрег океáна.

6. *Study Appendix,* Stress Patterns in Russian Nouns, *and familiarize yourself with the stress patterns in the singular and plural for the five cases we have learned so far. (The dative plural will be treated in Unit XII.) Decline the following nouns in the singular* (N, A, G, D, P) *and plural* (N, A, G, P). *Mark stress throughout.*

дворéц BB, головá CC, доскá CC, нóвость AC, вéчер AB (-a), мýж AB (ja[1]), дéло AB, женá BA, письмó BA.

Unit 12

1. (a) *Study and learn the prefixed forms of the verbs of motion as given in Analysis 2.1, 2.3 and 2.31. Write down complete conjugations for the following stems.*

*pr'ixod'**i̽**-, pr'ijezžá**j**-, unos'**i̽**-, un'o**s**-́, uv'o**z**-́, pr'ivoz'**i̽**-*

(b) *Write out all forms of the irregular stems.*

прийтú (придýт), приéхать (приéдут), уйтú (уйдýт), пойтú (пойдýт).

2. *Supply complete conjugations for the following stems. Mark stress throughout.*

---

[1] See Appendix, Irregular Plurals, 1.1, 1.13.

vozvraščáj-s'a/v'ernú-s'a, nráv'i-s'a/ponráv'i-s'a, šut'i̇̆-/pošut'i̇̆-, vistupáj-/ví-stup'i-, klad-/položi̇̆-, pr'ivodi̇̆-/pr'iv'od-̇, žda- (imp.).

3. *Change each of the following imperatives to a first-person imperative. (See Analysis 4.0.)*

Model: Отдыхáйте! Давáйте отдыхáть. Отдохни́те! Давáйте отдохнём.

1. Рабóтайте! 2. Напиши́ письмó Тáне. 3. Поезжáйте на юг! 4. Посмотри́ э́тот нóвый фильм! 5. Прочитáйте э́ту статью́! 6. Читáйте газе́ты кáждый день! 7. Реши́ ещё однý задáчу. 8. Переведи́те э́тот расскáз.

4. *Answer the question, using the time information given below. (See Analysis IX, 1.1-1.43.) Write out all numerals and mark stress throughout.*

Когдá Бори́с прие́хал в Москвý?

Wednesday, in September, at 4 P.M., on December 3, 1979, on Sunday, February 1st, at 3:45 P.M., on Monday, 5 May 1977, in the summer, 16 June 1978, July 4, March 8, 1980, on Tuesday, at 2 A.M., on Saturday, in 1971, April 2nd.

Unit 13

1. *Change each of the following nouns to the instrumental singular. Mark stress throughout. (See Analysis 1.5.)*

стол BB, сторонá CC, ди́ктор, столи́ца, оте́ц BB, спортсме́н, руководи́тель, статья́ BB, гóрод AB, лаборатóрия, журнали́ст, ребёнок², дере́вня AC, музе́й, комáнда, чемпиóн, дрýг AB², баскетболи́стка, лицó BA, инжене́р, вáза, брáт², старýшка, америкáнец, дверь *f.* AC, президе́нт, буквáрь BB, рýбль BB, рóль *f.* AC, рукá CC, сáд AB.

2. *Give short answers to the question, using the noun phrases given below and the appropriate instrumental case forms. (See Analysis 1.6., 1.7.)*

С ке́м разговáривал Сáша?

мóй брáт, твоя́ сестрá, нóвая студе́нтка, Ви́ктор Ивáнович Семёнов, наш руководи́тель, стáрший преподавáтель, америкáнский студе́нт, я, олимпи́йский

---

[1] This stress mark indicates fixed stress on the root in the past tense, but fixed stress on the endings in the present.

[2] For declensional peculiarities of these irregular nouns, consult Appendix, Irregular Plurals, 1.1-1.5.

чемпио́н, их мать, профе́ссор Моро́зов и его́ жена́, А́нна Миха́йловна Миха́йлова, он или она́.

3. *Review the formation and pronunciation of verbs containing the particle -ся. Write down conjugations for the following verb stems, giving present (or non-past), past, imperative and infinitive forms.*

bojá-s'a, naxodí-s'a, zap'isa-s'a

4. (a) *Study the following sentences; then rewrite each, promoting the object to the rank of the subject of the sentence and making all the necessary changes in word order and case. Translate each new sentence into English. (See Analysis 2.0.)*

Model: Учёные обсужда́ют но́вую тео́рию.	The scholars are discussing a new theory.
Но́вая тео́рия обсужда́ется учёными.	The new theory is being discussed by the scholars.
1. Програ́мму конце́рта открыва́ет выступле́ние молоды́х арти́стов.	The young actors' number opens the concert program.
2. Аспира́нты обраба́тывают результа́ты экспериме́нтов.	The graduate students analyze the results of the experiments.
3. Маши́ны о́чень интересу́ют моего́ бра́та.	Cars interest my brother very much.
4. Бале́т всегда́ интересова́л Мари́ю Ива́новну.	Ballet has always interested Mariya Ivanovna.
5. Профе́ссор Ва́гнер разраба́тывает тео́рию гравита́ции волн.	Professor Wagner is developing a theory of gravitational waves.

(b) *Transform each of the following sentences so that the object becomes the subject of the sentence. Note that agency is not expressed in these examples.*

Model: Когда́ начина́ют собра́ние?	When are they beginning the meeting?
Когда́ начина́ется собра́ние?	When does the meeting begin?
1. Где стро́ят но́вое зда́ние институ́та?	Where is the new institute building being built?
2. Вчера́ на собра́нии обсужда́ли но́вый уче́бник.	The new textbook was discussed at the meeting yesterday.
3. Когда́ ко́нчат э́тот спор?	When will they conclude this dispute?
4. Сего́дня открыва́ют вы́ставку в на́шем музе́е.	Today an exhibit is opening in our museum.
5. Э́тот вопро́с реша́т сего́дня.	They will resolve this issue today.
6. Магази́н закрыва́ют на ремо́нт.	They are closing this store for remodeling.

5. *Read the following sentences containing verbs with and without the particle -ся. Explain the function of -ся in each case (PO, promoted object; IO, implied object;*

L, *lexicalized* **-ся**) *and translate the sentences into English. (See Analysis 2.0, 2.1, 2.2, 2.3.)*

1. Как это сло́во пи́шется по-ру́сски? 2. Пётр Никола́евич интересу́ется рома́нами Турге́нева. 3. Профе́ссор то́лько начина́ет свою́ ле́кцию. Ле́кция уже́ начина́ется. 4. Пиани́ст конча́ет свой конце́рт. Конце́рт уже́ конча́ется. 5. Студе́нты начина́ют свою́ пра́ктику. Пра́ктика начина́ется сего́дня. 6.— Ва́ня, это мой друг Ди́ма.— Да, мы́ уже́ зна́ем друг дру́га. Мы́ познако́мились вчера́. 7. Ва́м понра́вилась э́та симфо́ния Шостако́вича? — Мне́ понра́вилась, а мое́й сестре́ не понра́вилась. 8. Не понима́ю, как он мо́жет так ме́дленно одева́ться. 9. Чём вы́ бо́льше интересу́етесь, поэ́зией и́ли теа́тром? 10. Меня́ бо́льше интересу́ет поэ́зия.

6. *Be prepared to translate all possible combinations of perceivers and subjects of appeal as listed below. Follow the model. (See Analysis 2.3.)*

Model: I like that film.   ·Этот фи́льм мне́ нра́вится.
       I liked that film.   Этот фи́льм мне́ понра́вился.

Perceivers		Subjects of Appeal
you, he, she, we, they, our friends, the students, your teacher (*f.*), Tánya, Professor Borodiná, everyone	like(s) liked	his new novel, these children, the sportsman, poetry, our class, Russian literature, that article, Ira's essay, my brother, me, you.

Unit 14

1. *Write down complete conjugations for the following stems. Mark stress throughout.*

sovétova-, p'er'ev'od́-, m'ot́- "sweep", b'égaj-, бежа́ть (irreg.), boró-s'a, zvon'í-, пе́ть (irreg.)

2. *Form instrumental plurals of the following nouns. Mark stress throughout.*

инжене́р, сто́л ВВ, лаборато́рия, две́рь *f*. АС, го́род АВ, статья́ ВВ, студе́нтка, зда́ние, тетра́дь *f*., письмо́ ВА, ста́нция, ле́с АВ, до́ждь, но́ж ВВ.

3. *Decline the following nouns, paying particular attention to stress patterns.*

бе́рег АВ (-а́), буты́лка, война́ ВА, вра́ч ВВ, друг АВ (irreg.), вода́ СС, пода́рок, учи́тель АВ (-а́), до́ктор АВ (-а́), мо́ре АВ, сы́н АВ (irreg.), язы́к ВВ.

4. *Give short answers to the question, using each of the noun phrases listed below.*

233

С ке́м вы́ прие́хали?

иностра́нные тури́сты, знамени́тые спортсме́ны, мои́ ста́ршие сыновья́, её мла́дшие до́чери, вы́, на́ши студе́нты, они́, америка́нские фи́зики, твои́ друзья́, на́ши сосе́ди Соколо́вы, францу́зские арти́сты, на́ши друзья́ Покро́вские.

Unit 15

1. *Form synthetic comparatives for each of the following adjectives. (See Analysis 1.2-1.3.)*

Model: но́вый — нове́е

бе́дный, бога́тый, большо́й, вку́сный, весёлый, высо́кий, глубо́кий, глу́пый, гру́стный, гря́зный, дли́нный, до́брый, дорого́й, интере́сный, краси́вый, коро́ткий, ма́ленький, плохо́й, просто́й, си́льный, све́тлый, симпати́чный, скро́мный, ти́хий, у́зкий, у́мный, чи́стый, холо́дный, хоро́ший.

2. *Form analytic comparatives and superlatives for each of the adjectives listed in 1.*

Model: но́вый — бо́лее но́вый, са́мый но́вый

3. *Supply imperatives for each of the following verb stems.*

bra-, v'ér'i-, vstaváj-, skaza-, l'et'é-, nad'éja-s'a, kup'i-, tancová-, stáv'i-, sdaváj-, sad'i-s'a, otkrój-, otv'ét'i-, organ'izová-

Unit 16

I. Verbal Adjective Formation and Verb Conjugation

Form short form past passive verbal adjectives from the following basic stems and use each in a Russian sentence. Mark stress in each. (See XVI, 1.10-1.11.)

pročitáj-, otkrój, kup'i-, sd'élaj-, vkl'uči-, organ'izová-, proživ-, skaza-, zajm-, uv'id'e-, reši-, vstr'ét'i-, un'os-.

II. Verbal Adjective Formation and Verb Conjugation. (See XV, 5.1.)

Conjugate the following verbs in the non-past and past. Form imperatives and infinitives.

Form and write down present active verbal adjectives for all imperfective verbs, and past active verbal adjectives for all perfective verbs. Form past passive verbal adjectives from all those marked with*.

d'iktová- I, t'erp'e-̆ 'endure' I, *zakrój- p., bojá- s'a (active verbal adjectives require -ся throughout, incl. after vowels), int'er'esová- I, *r'ešı́- p., *nap'isa- p., *p'er'ev'od-̆ p., otrkriváj- I, *spros'ı́- p., *uv'id'e- p., *skaza-̆ p.

D. Davidson

WRITTEN EXERCISES
FOR GENERAL REVIEW

Unit 1

___

1. *Write out the following words in Cyrillic (longhand).*

ím'a "name",   sónnij "sleepy".

2. *Express the following words in basic sounds.*

этáж "floor"   семья́ "family"

3. *Compose dialogues based on the following situations.*

(1) You are standing in front of a residential building with an acquaintance named Ivan. Inquire whether the building is his home. Give both an affirmative and a negative reply. In his negative reply Ivan indicates that his house is over there.

(2) You discover a piece of children's art and decide to find out from its author (Sasha) what is depicted in the work: first get the child's attention, then include in your dialogue several questions which Sasha can answer with Yes or No. Express your thanks at the end.

4. *Translate. Mark stress and intonational centers throughout.*

1. This is my book. These are your books. Those are also your books. 2. Those are our newspapers. Are these your newspapers? 3. "Is your wife here? Where is your wife?" "Here she is. This is my wife." 4. Whose newspaper is that, yours? 5. "Is that your son?" "Yes, that's my son." 6. "Where are your aunt and uncle?" "Here they are." 7. This dog is mine. Is that your cat? 8. Here's our museum. 9. "Who is he?" "He is a student." "Who are they?" "They are also students." 10. My wife and your wife are here. My students are here too.

236

Unit 2

1. *Supply all forms of the present and past tenses and also infinitives for each of the following three basic stems. Write them out in Cyrillic (longhand). Mark stress.*

    slúšaj- "listen",
    um'éj- "know how to do (smth.)", *udal'í*-II "remove"

2. *Translate. Mark stress and intonational centers throughout.*

    1. "Anna, what do you do in the summer?" "In the summer I work." "Where do you work?" "I work in Leningrad." "Where do you live now?" "I live in Apartment No. 3." "Where did you live previously?" "Previously I lived in Odessa."

    2. "Anton, where do you live now?" "I live in Kiev. And you?" "I used to live in Kiev, too. Now I live in Moscow." "Where do you work?" "I work at School No. 8."

    3. "Tell me, please, Victor, where is my journal?" "It was (lying) on the shelf yesterday. I don't know where it is now."

    4. My mother is a journalist. She works at a newspaper. My brother is a biologist. He works at an institute in Moscow. In the summer he vacations in Yalta. My sister, Alla, reads German very well. She works at a school.

Unit 3

1. *Supply all forms of the present and past tenses and also infinitives for each of the following two basic stems.*

    govor'í- II, хотéть (irreg.)

2. *Translate. Mark stress and intonational centers throughout.*

    1. "Tell me, please, what is your name?"
    "My name is Edward. And what is your name?"
    "Sergei. Are you an American?"
    "No, I am English. And you?"
    "I am Russian. Where do you live?"
    "Now I live in the student dormitory in Moscow."

2. "Do you work in the library?"

"No, I work in the laboratory in that building. Do you also work in the laboratory?"

"No, I work in (на) this department. My brother wants to work in the laboratory."

3. In June, July and August my family vacationed in Yalta.

4. My father is an American. He is a physicist and has worked in Boston, Berlin and Moscow. He speaks English, German and Russian.

5. Jane studied at Moscow State University (МГУ) in April and May. She lived in the dormitory. There she spoke Russian a great deal and now she speaks Russian very well. Her friends also lived in the dormitory.

Unit 4

1. *Express the following words in basic sounds.*

статья   ёжик   нельзя

2. *Supply all forms of the past tense and non-past and also infinitives for the following two basic stems.*

dostán- "get, take",   m'en'áj- "change"

3. *Translate. Mark stress and intonational centers throughout.*

"Who is that young woman? Who is she talking about?"

"That is Nina Aleksandrovna Potapova. She is talking about Yuri."

"And what does she do?"

"She is a biologist and works at the Biology Institute in Leningrad."

"Is that the big new institute where your brother Viktor used to work?"

"No. He worked in the geological laboratory at Leningrad University. Now he works at a geological museum in the Urals."

"Does his family live in the Urals too?"

"Yes they do. His sons Sergei and Stepan are students; his wife Natalya is a philologist. She speaks German and English very well, and works in a city school in Chelyabinsk. They live in a nice apartment on the fourth floor of a large new building."

Review Assignment

I. Transcription and Verb Formation

1. *Express the following words in basic sounds.*

самолёт "airplane",   рабочий "worker"

2. *Write out the following words in Cyrillic (longhand).*

passažír "passenger", jazík "language"

3. *Supply all forms of the present (non-past) and past tenses and infinitives for the following two basic stems. Mark stress.*

plávaj- "swim around"   stán- "become"

II. Dialogue[1]

1. *Compose a dialogue (8 lines) between yourself and a Soviet student you have been introduced to. Include introductions, greetings and information about where you both live, work and vacation. Mark stress and intonation throughout.*

III. Translation

1. *Translate. Mark stress throughout.*

Who are these students?

These are Soviet and foreign students. They are vacationing in the Urals in a student camp. The camp is located in a beautiful spot. The houses are in the center. On the right is a high mountain, opposite is a fast river, on the left is a large new club. Today the weather is good and the students do not want to work. In the morning some swam or took strolls, while others sang and talked about music.

John is an American student. He lives in the USA in California. He speaks Russian very well. Sergei is a Russian student; he usually vacations here in the summer. Sergei and John are good friends. Sergei and John talk and reminisce a lot about the vacation they had spent together two years before.

Unit 5

1. *Translate. Mark stress throughout.*

1. In early May, Professor Markov was writing a book about the biochemistry of the Black Sea and Professor Ivanov was writing a book about old Russian architecture. I don't know what they are writing about now.
2. Sergei and Natasha Ivanov know this professor's brother. They also know his sister. Right now she studies Russian opera and Russian ballet.

---

[1] Remember to use only familiar structures and vocabulary when composing dialogues. Mark stress and intonation in your dialogues.

3. In the summer Katya Ivanova was on practical training in Odessa. Odessa is a large city in the south of the Ukraine. In Odessa, Katya lived in the center of the city on Peace Avenue (Проспéкт Мѝра). She lived in the dormitory of Odessa University. Katya worked in the Biology Department of the University. Katya's work was interesting.

4. Early this year John was living in the Soviet Union. In February and March he resided in the dormitory of Moscow University. Then, in April, he went to Leningrad. In Leningrad he often visited the Hermitage (Эрмитáж), a large museum, which is located in the center of the city near the river Neva. In the summer John was in the South of the Soviet Union. He saw the Black Sea, Tashkent (the capital of Uzbekistan), and the Caucasus. At the end of the summer he visited Siberia. There he lived in a small student dormitory in a village. Lake Baikal was nearby. John's friends think that he now knows the Soviet Union very well.

Review Assignment

I. Verb Formation

1. *Supply all forms of the present and past tenses and also infinitives for each of the following two basic stems. Mark stress.*

$$\overset{\times}{l'ubí}\text{- "like", "love",}\quad r'isová\text{- "draw"}$$

II. Dialogue

1. *Compose dialogues (8 lines each) based on the following situations. Mark stress and intonational centers throughout.*

(1) "ты" encounter

Upon returning to the University after the Thanksgiving vacation, Tom meets his good friend Henry. They express delight at seeing each other after such a long time, ask about each other's families and about their health. Each asks what the other is doing now.

(2) "вы" encounter

You meet Ivan Sergeyevich Stepanov, father of your best friend, at a concert. Exchange greetings, pleasantries, ask what each of you has been doing, etc. Take leave.

III. Translation

1. *Translate. Mark stress throughout.*

1. Yesterday Anna saw your friend Professor Markov at the Geography Department of Moscow University. He was lecturing on the climate of a small region in the southern Caucasus.

2. Early this year in February Professor Markov was living in a beautiful village near Yerevan in Armenia, where he was studying the economy of that republic.

---

1. *Translate. Mark stress throughout.*

1. John spoke slowly (ме́дленно) because he did not often give reports in Russian. He had prepared the report on the history of Russian ballet very well.
2. When we were living in Moscow, we received the newspaper every day.
3. "My teacher does not understand me!"
   "Why do you say that?"
   "Because when he questions me in class about the lesson, I don't know what to say. When he asks another student, I always know the answer (отве́т)."
4. Who did these exercises, your students or my students?
5. I worked on that problem for a long time last night but didn't solve it.
6. In May I will finish school, then I shall work at a scientific research institute in Boston.
7. "What did you do last night?"
   "I was at home and watched television (смотре́л телеви́зор) and my brother worked. He read texts and translated exercises."
8. "What did you do yesterday in class?"
   "We discussed John's report on the history of the French revolution. We will be discussing it tomorrow too."
9. "Have you already learned the new dialogue?"
   "No, I haven't. Last night I was translating an article. I will learn the dialogue tomorrow morning. I always learn dialogues in the morning."
10. Yesterday at the lecture Professor Simonov spoke for a long time about old English architecture, but he said little about modern London. He will speak about that tomorrow.
11. In the summer the students and graduate students of our university built a new student dormitory. Now we are living in it.
12. The medical students were building a new laboratory in the summer. They think that they will have it built at the end of June.
13. "Who wrote the novel *The Idiot*?"
    "The novel was written by Fyodor Dostoyevsky."
14. "Natasha, what were you doing in the library yesterday?"
    "I was preparing a report."
    "Well, did you get it done?"
    "Yes, I gave it this morning."

Review Assignment

I. Verb Formation

1. *Supply all forms of the past, non-past and infinitives for the following three basic stems. Mark stress.*

$$\overset{\times}{uči}\text{-}s'a, \qquad \overset{\times}{skaza}\text{-}, \qquad tancová\text{-}$$

2. *Write the future, past and negated past tense forms of the irregular verb* быть. *Mark stress.*

II. Dialogue

1. *Compose a dialogue (at least 8-lines) between yourself and your former high school teacher. Exchange greetings; tell him what you are doing in college: how you spend mornings, afternoons, evenings; where you live; how you spent the summer. Mark stress and intonational centers throughout.*

III. Translation

1. *Translate. Mark stress throughout.*

1. Nikolay Sergeyevich is the father of my friend Olya. He is a philologist and works at an institute not far from the university. Every day he reads scientific works, prepares reports and translates texts. He speaks French very well and has already translated one book. He likes to read articles on the history of the French language and frequently lectures on this subject at our institute.
2. "Have you finished reading Turgenev's novel *Fathers and Children*?"
   "Yes, now I'm reading Dostoyevsky's *The Idiot*."
   "What will you be reading at the beginning of January?"
   "Tolstoy's *Anna Karenina*."
3. "John, what will you be doing tonight?"
   "I'll be solving Problem No. 3."
   "Have you already solved problems Nos. 1 and 2?"
   "No, I haven't done those either."

Unit 7

1. *Translate. Mark stress throughout.*

1. Tell me, please, where the hotel "Rossiya" is located.
2. This city has a large library. This town used to have a theater. This city will soon have a subway.
3. My friend Irina Ivanovna Borodina has no car.
4. Tom doesn't have this journal, my teacher didn't have it and our library won't have it either.
5. Don't translate the fifth exercise now, we'll do it in class tomorrow.
6. A new school will be built on our street.
7. "Who was at home last night?" "Father was at home, but mother wasn't."
8. I often think about my little brother Petya.

9. This question was discussed at the meeting but was not resolved.
10. He was here a minute ago, but he is not here now.
11. Is my Kolya at your place now?
12. This is the journal *Sovetskaya Literatura* (*Soviet Literature*). I get it every month. This journal is called *Voprosy Filosofii* (*Problems of Philosophy*). You will get it every month.
13. Excuse me, did you know Olga Mikhailovna when she was lecturing at the Philological Faculty of Moscow University?
14. Is there a library in your town? Is it a good library?
15. It is said that Seryozha doesn't have a car.
16. "Why wasn't Anton in class yesterday?" "He was at home and was preparing a report on the history of the Russian name Tatyana."

Review Assignment

I. Verb Formation

1. *Supply complete conjugations (including imperative forms) for the following basic stems:*

$$\overset{\times}{rasskaza}\text{-}, \quad p'er'ev'od'\text{-},$$
$$\overset{\times}{postupi}\text{-}, \quad isp\acute{o}l'zova\text{-}$$

II. Dialogue

1. *Compose dialogues (at least 8 lines each) based on the following situations.*

(1) You meet an old school friend whom you haven't seen for a long time. Greet him, ask what he has been doing, what he and your other friends are reading, studying, etc., whether he has been working in the summer.
(2) Two colleagues meet at the institute and talk about each other's family and personal interests.

III. Translation

1. *Translate. Mark stress throughout.*

1. "What are you going to read when you have finished Tolstoy's novel *War and Peace*?"
   "I'm going to read Turgenev's *Asya*."
2. "Sasha, have you read that new book on Russian 18th-century architecture?"
   "No, I haven't, but Volodya has."
3. Will the seminar be at the university or at Professor Stepanov's place?
4. My daughter has a friend. Her name is Alla Sergeyevna Sokolova and she is a young writer. I am often asked about Sokolova and about her work.
5. Our city has a small park. It is located in the center of the city square.
6. Lena, give your pen, please. My pen won't write.

16*

Unit 8

1. *Translate. Write all the numerals in full. Mark stress throughout.*

1. "How long did you work at that factory?" "I worked there for only three months in the summer, but my brother has been working there for seven years."
2. Grigory is a physics student. He has been studying in the Physics Department of Moscow University for four years. Now he is a fifth-year student. In his group there are nine students: five boys and four girls. One student, Vasily, is Bulgarian.
3. "Does this library have books and journals for philologists?" "No, in this library there are no books for philologists. This is a library for chemists, physicists and biologists. The philology library is located on the ninth floor of the main building of the University."
4. "New York has many theaters and museums."
   "And what building is that?"
   "That is Lincoln Center. To the right is the concert hall, in the center is the opera and to the left is the ballet."
5. Edward has a very large collection of old Russian stamps. John thinks that I should buy them. I have been collecting Russian stamps for ten years, but I have very few old ones.
6. Our teacher explained three difficult problems in our homework, but I still do not understand Problem No. 4. Do you?
7. "There were many guests at John's place last night. Did you see Vera Ivanovna and her son Seryozha?"
   "Yes, I did. But Professor Borodin was not there, although I know that John had invited him."

Unit 9

1. *Translate. Write all the numerals in full. Mark stress throughout.*

1. "What day is today?" "Today is Tuesday, February 7th; yesterday was Monday, February 6th; and tomorrow will be Wednesday, February 8th."
2. The beginning of the performances at the Bolshoi Theater is at 7:30 p.m.
3. "Have you already bought a ticket for the match?"
   "No, but my brother will buy me a ticket today when he is in the center of town."

4. "I called this morning but you weren't at home."
"When did you call?"
"At 10 o'clock."
"At 10 o'clock I was in class."
5. The lecture by Professor Nikitina was on Wednesday, January 18, 1980, at 4:30 p.m. She spoke about new methods in the treatment of eye diseases. All our students were at the lecture.
6. "What time is it now?"
"I don't know, I lost my watch. Ask Oleg."
"Oleg says that it is half past nine. Do you remember that we are supposed to be at Vanya and Liza's at 10 o'clock?"

Review Assignment

I. Verb Formation

1. *Supply infinitives, past tense, non-past (1st sing., 2nd sing., 3rd plural) and imperatives for the following four basic stems. Mark stress throughout.*

vstaváj-, rod'í-s'a, взять *(irreg.), zam'ét'i-*

II. Dialogue

1. *Compose a dialogue (6-8 lines) based on the following situations.*

(1) You are a journalist and interview a representative of a Soviet medical institute.
(2) You are discussing a typical day at the university with a friend: when you get up in the morning, when you have breakfast, when your first class begins, how many students there are in your classes, lectures, laboratories, etc.

III. Translation

1. *Translate. Write all the numerals in full. Mark stress throughout.*

1. Anton lived in America 12 months. He has been in large cities and small towns, and seen many factories, farms and museums.
2. Most tall buildings are located in the centers of cities.
3. At the club today we saw Professor Ivanov and his son Dima, Anna Antonovna Nikitina, the Sokolovs and Tatyana Nekrasova's brother.
4. Vanya Morozov was born on December 23, 1959, in Tomsk, where he lived for fourteen and a half years. He then lived in Omsk for 4 years and 8 months.
5. My friend is interested in the history of space exploration. He has bought 78 books on this subject.
6. My colleague, Boris, is to make a report on space exploration on Monday, December 15.

Unit 10

1. *Translate. Write all the numerals in full. Mark stress throughout.*

1. We have no milk at home. We must buy some milk today.
2. Olya translates very badly. She should translate a passage of text every day.
3. I can't rest right now: I have to get this difficult text translated today.
4. John, how old were you when you began to read?
5. How old was your father when you were born?
6. What can you tell me about the article on the history of opera which you read in Russian class yesterday?
7. My mother is 47 and my father is 51 years old.
8. When little Volodya was only four years old he wrote his first letter.
9. The student who made that interesting report on the history of the cinema is only 16 years old. He will be 17 on May 23rd.
10. "It will be necessary to call Anna Petrovna Ivanova, the director of our institute, and tell her about the unexpected news." "No need to call, she has already been informed."
11. "Sasha, will you explain to me how to solve Problem No. 4?" "Of course I will."
12. "Jane, is that the biology journal that Viktor used to get?" "Which journal?" "The one next to the lamp of my table."
13. "Is it all right for me to smoke in this room?" "No, smoking is not permitted here."
14. "Dima, how old were you and your sister when you lived in Komsomolsk?" "I was 17 years old and my sister was 21."
15. Anton, you will have to help your friend Sasha Morozov prepare the report on archeology.
16. Don't translate the article which Pavlik gave you yesterday. It's not interesting.
17. Did you see the man to whom John was showing the photographs?

Unit 11

1. *Translate. Mark stress throughout.*

1. "Do you know the name of that woman who is walking along the street and carrying a black brief-case?"

"Yes, that is Nina Nikolayevna, the geneticist. She is on her way to the laboratory."

2. "What did you do yesterday?"
"We went to the movies."
"How was the weather?"
"Very bad. It rained."

3. As we were returning home yesterday, we were recalling where we had seen that young girl before.

4. Professor Lavrov usually takes the streetcar to the institute, but today he decided to walk there.

5. Mother is taking the children to the stadium in a taxi today, although usually they go there by bus.

6. "Tell me, please, where is the restaurant 'Praga' located?"
"Go straight along this street and then turn to the right. If you want, you can get on a No. 89 bus. The bus stop is over there, where those students are standing."

7. "Tomorrow we are going to New York."
"By bus or by train?"
"Usually we go by bus, but tomorrow we are taking the train. We are taking a taxi to the train station and in New York our friend John is taking us home in his car."

Review Assignment

I. Verb Formation

1. *Write out complete conjugations for each of the following basic stems. Mark stress throughout.*

pr'iznaváj- "recognize", *polz-* "crawl", *cv'ot-* "bloom", *ud'iv'í-s'a* "to be surprised", дать (irreg.)

II. Dialogue

1. *Compose a dialogue based on the following situation.*

You wish to find your way to the Biology Institute and are told how to get there on foot and by public transportation.

III. Translation

1. *Translate. Mark stress throughout. Indicate intonational centers in No. 1.*

1. "How old is your younger brother?" "He's 31 years old. And *your* brother?" "I don't have a brother; my sister will be 23 in June."

2. "Good morning, John, where are you going?"
"Hello, Misha, I'm on my way to the Historical Museum. And where are you going?"
"I am on the way to work."
"Is your institute near where you live?"
"No. I am actually looking for a taxi. I usually ride the subway. But today I am very late and will have to take a taxi."

3. Smoking is not allowed in this room.

247

4. Help your brother work Problem No. 7. It's very difficult, and he will not manage to solve it.

Units 10-11

Review Assignment

I. Verb Formation

Supply complete conjugations for the following stems.

$$mol\check{c}\acute{a}\text{-}, \quad v'oz'\text{-}, \quad j\acute{e}zd'i\text{-}$$

II. Dialogue

Write a brief dramatization of the following situation:

You meet a friend on a bus and exchange greetings. Inquire about one another's destination. Your friend tells you about a new theater which has recently been opened and gives directions on how to get there using public transportation.

III. Translation

Translate. Mark stress throughout. Write out all the numerals.

1. I usually take the subway to the theater which is located in the center of town. 2. I ride my bicycle to school because it is not far from home. 3. Uncle Fedya takes my father to work every day in his car, because he lives next door to our house. 4. Petya was born on April 23, 1961. He is 18 years old; his younger sister is 4 years old and his older brother is 21. 5. Did you see Volodya yesterday when he was walking down Gorky Street with his sister Masha? 6. It is cold in this building and it is impossible to study here.

Unit 12

1. *Translate. Mark stress and intonational centers throughout.*

    1. "John, where are you from?"
    "I am from America, from Chicago. And where are you from?"
    "I am from the Ukraine, from Kiev."

2. James comes to Boston every day from Springfield on the train. In Boston he goes to Professor Bordon's lectures on geography, works in the library, and sometimes buys gifts in the stores or visits museums. Today James was late for the lecture. He got up only at 8:15 and arrived in Boston at the South Station only at 11:30.

3. "Where are you vacationing this summer?"
"I don't know yet. Perhaps I will go south to Sochi or the Crimea."

4. "Ira, you weren't here this morning when I came".
"No, I was out. I went to the doctor's."

5. "When did you come home, Mike?"
"At two."
"Why so early?"
"Valya brought me home in her car."

6. "Has Vanya gotten home from school?"
"No, he hasn't come home yet. He wanted to go to see Uncle Kolya after school today and that is why he is late. Usually he goes home on the bus, which brings him here at 2:40 p.m."

7. "Did John call me today?"
"I don't know, I went out to the store this morning; but this afternoon he did not call."
"He arrived here in Philadelphia yesterday from Boston and is living at the home of his friend Bob's parents. Tomorrow he is leaving for New York for a conference and will return only on Saturday. Perhaps he will come to see us then."

8. "Have you been to London?"
"No, but I want to go there very much. My father is going to London in two weeks. Perhaps I will be able to go too."

9. Professor Markov has already left the meeting.

10. "I don't like this movie.   Let's go to a café and have supper."
"Fine, let's go."

11. "Ira liked the new French film very much. Let's go and see it."
"I would like to see it too. Where is it showing?"
"It's showing at the 'Oktyabr' on Kalinin Avenue. The beginning of the showing is at 8:20."
"The bus takes 20 minutes to get there, but we have very little time. We will have to take a taxi."

2. *Translate. Write out all the numerals and mark stress throughout.*

1. Anna arrived in Moscow on Tuesday and is living at the University Hotel.

2. Vasya came by this morning and brought you these two books.
You should write him a letter and tell him "thank you".

3. "Let's go to the movies this evening."
"What is on?"
"The film *Andrey Rublev* is on at the Oktyabr Cinema. My uncle saw that film last week and he liked it very much."
"Good. Let's go. I'll be in the city this afternoon and I'll buy the tickets then. But where is the Oktyabr Cinema?"
"It's on Kalinin Avenue. Where will you be?"

"I'll be at the Lenin Library."

"The Oktyabr Cinema is not far from there. Bus No. 89 goes along Kalinin Avenue, the third stop is called 'Oktyabr'. Or, if you want, you can go there on foot."

4. "Let's go for a stroll in the forest on Sunday."

"And if it should rain?"

"If it should rain, we won't go."

5. "Vladimir Sergeyevich, when did you get here?"

"An hour ago. Pyotr Nikolayevich also came to see you but he had to leave."

Unit 13

1. *Translate. Write out all the numerals and mark stress throughout.*

I. 1. I am already acquainted with your father, your sister, her husband and her husband's elder brother, but I have not met your mother.

2. The lecture will soon conclude. Let's go to a restaurant and have supper.

3. "Where is John?"

"He is out. He will be here in 20 minutes."

"And where were you when I called you an hour ago?"

"I too was out. I was speaking with Professor Ivanov. He hopes we'll come to the meeting tonight after Professor Andreyev's lecture on the history of the Olympic Games."

4. I have read Anton's new novel and I must say that I liked it very much.

5. When Vitya was a school student, he used to read books on architecture and talk about architecture with his friends. Now he is studying at the Institute of Architecture and wants to become an architect.

6. Leningrad is a major industrial and cultural center of the USSR. Magnitogorsk is an important industrial center of the country. (*Use equational verb other than ϕ.*)

7. Oleg has been interested in biology for a long time and has recently decided to become a biologist. His brother, Viktor, wants to enter a medical school and reads a great deal about the history of medicine.

8. "It is very warm today. Let's finish this exercise quickly and go outside (на улицу), where it is nice."

"Thank you but I can't. I play soccer and our team is preparing for a major competition on Friday. We have been training for 2 months and practice starts today at 4 : 30 p.m."

II. 1. "Are you acquainted with my friend, Georgy Ivanovich Ivanov, and his wife, Natalya Sergeyevna."

"No, but I would like to meet them."

2. "Are you interested in sports?"

"Yes, I participate in soccer and gymnastics. Now I want to learn to play tennis."

"Good, let's go to the stadium and I will introduce you to my friend Seryozha. He is a tennis master."

"With pleasure. Perhaps he can help me to start learning."

3. "In September Nikolay Lvovich became professor of chemistry at our university."

"I have read about his work in various journals."

4. John built this house with his own hands.

5. The new trainer will arrive at the university in September and training will begin on September 7. If you want, you can begin training in a month.

6. Peter the First was born on the 30th of May, 1672, and became tsar in 1682, when he was only 10 years old. He died on January 28, 1725.

7. It was very cold yesterday, therefore we decided not to go to the seashore.

8. "We're going to town tomorrow. Come with us!"

"Thanks, but I can't. I have to work."

Unit 14

1. *Translate. Write out all the numerals and mark stress throughout.*

1. Baku and Yerevan are important industrial and cultural centers in the southern part of the Soviet Union.

2. "No one knows anything about the new teachers who arrived at our school a month ago. Can you introduce me to them?"

"I am not acquainted with them. Ask Nikolay Petrovich. I think he is acquainted with them."

3. "Have you been to Odessa?"

"No, I have never been in Odessa, but I would like to go there."

4. "Where are you going this summer on vacation?"

"I am not going anywhere. I have to work at the university."

"And where will Vera Semyonova be vacationing?"

"I don't know. She hasn't told anybody anything."

5. "When are you leaving for the university?"

"I am leaving in two weeks; probably on Saturday, August 31, or on Sunday, September 1."

"Are you going by train or by car?"

"Perhaps father will take me to the university by car; if not, I will take the train."

"How long does one have to travel by train?"

"Four hours by train, three hours by car."

6. Nikita is very interested in foreign stamps. He has been collecting them for several years. His friend gave him his first stamp when he was only 8 years old.

When Nikita was twelve years old, he began collecting stamps. Now he has 2,135 stamps in his collection.

7. The concert begins at 7:30. The soloist, who is performing this evening, is one of the winners of the Tchaikovsky Competition. After the concert my friend wants to ask him what one must do in order to take part in the competition. He has been studying music for four years and his teachers tell him he has a very good voice.

8. Moscow became the capital of all Russia in the 15th century.

9. "Let's go to the movies tonight, Lena. Do you know what is on at the theater near the city park?"
"Yes, Seryozha says that there is a new French film on there, but I have heard nothing about it yet. He called to invite me to see that film two days ago, but I was busy with an article on physics which I was supposed to have translated during the vacation and which I did not finish."

10. Seryozha has seen the new film and liked it very much.

Unit 15

---

1. *Translate. Mark stress throughout.*

1. These flowers are pretty, Sasha's are prettier, and my flowers are the prettiest.
2. John has a large library, Boris has a larger library, and Uncle Peter has the largest library of all.
3. Leningrad is farther away from Moscow than Pskov.
4. Everyone knows that children who play soccer are more cheerful than those who take exams.
5. Sasha is strong, Viktor is stronger and Seryozha is strongest.
6. My father is taller than my mother, but shorter than my elder brother.
7. The sky is darker now than a few hours ago.
8. Your dorm is quieter than the student club of course, but the library is the quietest place of all.
9. This novel is less boring than the one you give me last week, but I can't say I enjoyed it.
10. John is younger than his sister, but older than my brother.
11. This swimming-pool is deep, the pool at the university is deeper, and the pool at the student club is the deepest.
12. These skis are narrow, your skis are narrower but longer, and my skis are the narrowest and longest.
13. This music is sad, but the music you played before was still sadder.
14. These exercises are very important, but those in Lesson 5 are more important and more difficult.
15. This coat is good, but your coat is better, I think.
16. In my opinion, this novel is the most interesting of all the novels in his library.

17. His collection is rich, my father's collection is richer, and my brother's one is the richest of all.
18. It is cold in Moscow in winter, but in Yakutsk it is colder.
19. Nina is a serious student, Olga is more serious, and Natasha is most serious.
20. The chemistry laboratory is not very big, the geology laboratory is smaller, and the physics laboratory is the smallest.
21. Volodya receives bad grades but Sasha receives worse grades.
22. Ira is smart of course, but Vasya is smarter, and Igor is smartest.
23. My friend Lena is thin, her sister Mariya is thinner, and her brother Sergei is thinnest.
24. His house is new, but hers is newer and more comfortable.
25. This street is wider than that one, but Nevsky Avenue is widest.
26. This is an early train, but there is an earlier train, and the train I took yesterday was the earliest.
27. My professor has an expensive car, and my father has a more expensive one.

Unit 16

I. Verb Formation

Supply conjugations for each of the following basic stems; include past tense (m., f., pl.), infinitive, imperative and present (or perfective future) (1st, 2nd sing., third pl.). Mark stress in all forms.

lov'í- 'catch', l'ikv'id'irova- 'liquidate', vstaváj- 'get up', v'aza- 'knit', otkrój-,

plív-, pr'iv'oz-, спать (irreg.)

II. Written Practice

Write 7-10 sentences in Russian in which you tell an acquaintance about a close friend or member of your family. State when this person was born, where he/she went to school, where he/she works, vacations; include information about his/her interests in literature, sciences, sports.

III. Translation

Translate. Mark stress throughout. Write out all the numerals.

1. Puskhin is the greatest Russian poet. He was born on June 6, 1799, and died in 1837 at the age of 37.
2. Valya called this morning to invite us to the Bolshoi Theater tonight. Yelena Obraztsova is performing in *Carmen*. The beginning of the opera is at 7. Valya said that her brother would take us there in his car. We'll all have supper here first, then we will leave for the Bolshoi at 6:15. So, come here at about 6.
3. "Do you know that young writer's name?"
   "Yes, he has a beautiful Russian name, Oleg."
4. "Whose book were you reading at the library yesterday?"

"I wanted to read Vasily Shukshin's book, *Characters*, which has been talked about a great deal. I don't have it yet. It wasn't in the library yesterday either. That is why I decided to read *Anna Karenina*. I study Russian literature and I am very fond of Tolstoy's novels."

5. "What is the weather like in Philadelphia now?"
   "A week ago it was very nice, but now it isn't."
6. "Who is your favorite composer?"
   "I love Bach, Tchaikovsky and Prokofiev."
7. My friend Anya's brother, Anton, knows contemporary cinema very well. In September, for example, when he wasn't working, he saw a film every day. He said that he had seen all the new Soviet, American and French films.

Units **14-16**

Review Assignment

I. Verb Formation

Supply conjugations for each of the following stems (include past tense, non-past, infinitives and imperatives). Stems not included in first-year vocabulary are translated. Mark stress in all forms.

torg*ová*- 'trade', *glád'i*- 'iron', *sdaváj-*, хотéть (irreg.), *nacn-*, *iska-*, пойти́ (irreg.)

II. Written Practice

Compose a brief letter to a pen-pal in the Soviet Union, whom you are writing to for the first time. Introduce yourself, tell where you live, where you go to school, what you are studying (which department, which year), what you plan to do after graduation, your other interests.

III. Translation

Translate. Mark stress throughout. Write out all numerals.

1. "Mary, would you like to go to a theater on the fifteenth?"
   "Which theater?"
   "The Art Theater."
   "And what will be on on the fifteenth?"
   "*Ivanov*. It is a well-known play by Chekhov."
   "Oh, I'd love to go. I am very fond of Chekhov and I haven't seen that play. They say there are very good actors at the Art Theater."
   "Yes, there are many talented young actors there. I'm sure you will like the performance."

"But it'll be difficult for me to understand the words. I must read *Ivanov* in Russian before the fifteenth. I've already read *The Three Sisters* in Russian, but I haven't seen it on stage either."

"After we have seen *Ivanov*, we must go and see *The Three Sisters*."

"That's a good idea."

2. "Hello, Mary. Have you forgotten that we're going to the theater tonight?"

"No, I haven't. Where and when do we meet?"

"Let's meet at the theater at 7:30. But if you want, I could call for you at your institute. When do you finish your work tonight?"

"At 6:15."

"Fine. I'll be waiting for you at your institute at 6:15. We'll be able to have supper before the show."

3. "Excuse me. May I speak to Mikhail Ivanovich?"

"Mikhail Ivanovich is not in today. He is sick."

"Could you tell him that Semyonov called. I wanted to discuss my article with him."

"I'll tell him. Call in a week, please."

"I will. Thank you."

4. We are hikers. We like to hike. We often go hiking in summer. Last Sunday we went on a hike to the country. The weather was fine. We found a nice place on the river-bank near a wood. The girls went for a walk in the woods and we began to cook lunch. Then we had lunch under a tree. We talked and we sang. There were lots of flowers around. Birds were flying overhead.

Галина Андреевна Битехтина, Дэн Юджин Дэвидсон,
Татьяна Михайловна Дорофеева, Нина Архиповна Федянина

РУССКИЙ ЯЗЫК. ЭТАП ПЕРВЫЙ.

УПРАЖНЕНИЯ

Для говорящих на английском языке

Зав. редакцией Н. П. Спирина
Редактор И. Н. Малахова
Художественный редактор Ю. М. Славнова
Технический редактор С. Ю. Спутнова
Корректор О. М. Зудилина

ИБ № 5477